Franck Thilliez

Né en 1973 à Annecy, Franck Thilliez est ingénieur en nouvelles technologies.
Son premier roman *Train d'enfer pour ange rouge* (La Vie du Rail, « Rail Noir », 2003) a été nominé au prix Polar SNCF en 2004. Il est également l'auteur de *Deuils de miel* (La Vie du Rail, « Rail Noir », 2006) et *La Forêt des ombres* (Le Passage, 2006).
La Chambre des morts (Le Passage, 2005), classé à sa sortie dans la liste des meilleures ventes et salué par la critique, a reçu le prix des lecteurs Quais du Polar 2006.
Franck Thilliez vit actuellement dans le Pas-de-Calais.

LA CHAMBRE DES MORTS

DU MÊME AUTEUR

TRAIN D'ENFER POUR ANGE ROUGE, La vie du rail, 2003
DEUILS DE MIEL, La vie du rail, 2005
LA FORÊT DES OMBRES, Le passage, 2005

Retrouvez Franck Thilliez
sur son site Internet :
www.auteursdunord.com

FRANCK THILLIEZ

LA CHAMBRE DES MORTS

LE PASSAGE

ISBN : 2-266-16295-0

À Valérie,
qui me fait avancer, chaque jour...

« Éveille-toi, toi qui dors, lève-toi d'entre les morts... »
Épître aux Éphésiens (5.14)

« Ce malheur, dites-vous, est le bien d'un autre être.
De mon corps tout sanglant mille insectes vont naître. »
Voltaire, *Poème sur le désastre de Lisbonne*

PROLOGUE

Août 1987
Nord de la France

Depuis la nuit dernière, l'odeur avait encore empiré. L'infection ne se contentait plus d'imprégner les draps ou les taies d'oreiller, elle se diluait dans toute la chambre, tenace et nauséeuse. Une fois son tee-shirt ôté, la fillette l'avait écrasé sur son nez avant de nouer les extrémités autour de sa tête. Stratagème inefficace. Malgré la barrière de tissu, les molécules olfactives distribuaient leur poison invisible. Il est des fois où l'on ne peut rien contre plus petit que soi.

À travers les fenêtres verrouillées, l'été déversait une moiteur grasse, les mouches bourdonnaient, agglutinées en losanges émeraude sur un trognon de pomme pourri. De plus en plus, l'enfant se sentait impuissante face aux hordes ailées. Les insectes se multipliaient à une vitesse prodigieuse et fondaient sur le lit, trompes en avant, à chaque fois que la petite relâchait son attention. Bientôt, épuisée, affamée, elle serait forcée de capituler.

Même pas neuf ans et pourtant, déjà, l'envie de mourir.

Sa gorge brûlait, sa langue gonflait, son organisme se liguait contre elle en un arc douloureux. Il fallait boire, absolument. Ce qui impliquait quitter la couche, s'éloigner de la chambre et foncer jusqu'à la salle de bains.

Oh non !

Des facettes d'yeux la disséquaient par dizaines, des ailes se déployaient, parées à arracher de terre les petits corps velus.

Ça ne prendra qu'une minute ! Une seule minute ! Ces sales bêtes n'auront pas le temps de...

La gamine laissa flotter une main le long des couvertures sans lâcher du regard ses ennemis répugnants. Une forte envie d'uriner la torturait depuis plusieurs heures. Dans la salle d'eau, elle en profiterait pour se soulager dans le lavabo, comme elle le faisait depuis trois jours. Pas question de descendre au rez-de-chaussée.

Son front, ses membres, marbrés de bleus, luisaient de sueur. Pas un murmure d'air. Oxygène brûlant. Températures caniculaires même ici, dans le poumon lugubre de la forêt. À chaque inspiration, l'impression d'inhaler des lames de rasoir. Quand le calvaire cesserait-il ?

La fillette terrorisée serra sa peluche, un singe miniature, avant de regrouper ses pieds sur la moquette, prête à courir. Un craquement d'escalier brisa son élan. Ça y est. Son tour arrivait.

Elle se rua sur la porte, tourna le verrou, plongea sur le matelas pour étreindre son trésor de chair.

Ils ne te prendront pas, je te le promets. Jamais !

Des coups éprouvèrent le vieux bois. Si violents que la petite rentra la tête entre les épaules, recroquevillée au possible. Sa vessie creva, diluant une chaleur d'or entre ses cuisses.

L'homme en uniforme maîtrisa de justesse son estomac quand il affronta les odeurs de putréfaction pour soulever les draps. Les deux seuls mots qui se suspendirent à ses lèvres furent :

— Seigneur Dieu !

1

Dix-sept ans plus tard

— Donne-moi encore une bombe !

Vigo sortit avec précaution l'engin de son sac de sport.

— C'est la dernière. Dépêche-toi ! Je meurs de froid !

Sylvain contourna l'aile ouest de Vignys Industries. Un mélange de plaisir malsain et de haine fermentée portait son corps à ébullition. Au cœur de la nuit, l'heure de régler les comptes avait sonné.

Son pouce engourdi pressa le vaporisateur de peinture. Les insultes jaillirent. Vigo le rejoignit après quelques minutes.

— Alors ? Tu as terminé ?

— Oui. Ces abrutis n'échapperont pas à une bonne séance de nettoyage. Propos bas de gamme et bassesses syndicalistes, selon tes instructions.

— Parfait ! Dire que l'intérieur regorge d'alarmes, mais qu'il suffit de franchir une barrière minable pour toucher l'image de la société en plein cœur !

— Ils doivent payer ! « On va veiller à votre réinsertion professionnelle. » Les salauds ! Ça fait six mois qu'on s'enlise dans le chômage !

Vigo admira une dernière fois leur œuvre sous l'œil de sa lampe torche. Les locaux commerciaux d'une aciérie taggués façon arrêt de bus. Une déchirure morale pour les grisonnants aux doigts manucurés et aux salaires à six chiffres.

Sa poitrine se figea quand le faisceau accrocha l'issue de secours.

— *Boidin t'es un homme mort !* Sylvain ! T'aurais dû signer tant qu'à faire ! Tu t'en prends au directeur informatique de l'agence ! Tu vas porter directement les soupçons sur nous !

— Attends, on habite à quatre-vingt-dix bornes de Dunkerque ! Avec toutes les personnes virées, ils vont...

— Efface ça, et vite !

— T'es vraiment parano ! J'ai plus de peinture !

— Pousse-toi !

Des fonds de bombes suffirent à dissimuler les propos compromettants.

— Réparé ! souffla Vigo. Trop en colère pour te retenir ?

— Je hais ce type ! Si je pouvais lui faire avaler sa cravate, je m'en priverais pas ! J'en ai marre des entretiens. À chaque fois, c'est une vingtaine de requins qui se bousculent pour un seul poste ! Ça colle jamais !

— On connaîtra des jours meilleurs, mais en attendant, il faut subir. Allez ! On disparaît !

Ils escaladèrent la grille d'entrée en un souffle. Dans l'habitacle de la 306, Vigo décapsula deux canettes de bière.

— C'est triste d'en arriver là, mais bon, trinquons à ce semblant de victoire...

Un silence tranchant les confina dans les souvenirs amers. Licenciés pour raisons économiques, avec un minimum d'indemnités. Livrés aux mâchoires carnassières d'un monde sans couleur. Noël s'annonçait terne cette année, avec ses bagues en toc et ses imitations de cigares. Faute de grives...

Après une large inspiration, Vigo proposa :

— Tiens ! Si on allait se faire un dernier trip dans le champ d'éoliennes ? Histoire d'évacuer ce goudron cérébral et de se rappeler le bon vieux temps ?

— Pas trop d'accord... J'ai jamais aimé faire ça...

— Allez ! Pour nous prouver qu'à vingt-sept ans, on n'est pas morts ! Laisse-moi le volant ! J'ai envie d'ouvrir le bal !

La zone industrielle de Dunkerque déroulait ses tentacules lumineux à perte de vue sous la coupole nocturne. Le long des voies désertes, les cheminées des raffineries tendaient leurs gueules noirâtres sous les ténèbres de décembre.

— On dirait l'Étoile Noire dans *La Guerre des étoiles*, constata Sylvain avec appréhension. Pas une âme sur des kilomètres de tôle et de béton. Et ce grondement permanent. Même avec les années, ce monstre de métal me fiche toujours autant la trouille.

— Dunkerque dans toute sa splendeur, nécropole de boulons vissés et de plaques soudées. On y arrive...

Le véhicule obliqua vers l'usine d'Air Liquide avant de s'engager sur une voie sans issue, bordée de veilleuses vertes et jaunes rasant le sol. Vigo coupa les phares. Autour, sous les attaques du vent, des dizaines d'éoliennes géantes. Elles hurlaient...

— Notre piste de décollage ! Au diable la limitation de vitesse ! À la trappe nos vies formatées, préfabriquées ! J'emmerde les lois et règles de ce monde ! Combien ? Combien tu dis à la dernière lampe ?

— J'aime pas ce genre de trip ! Allume les phares !

— Tous feux éteints pour un max de frissons ! Je te

parie un cent soixante ! Un putain de cent soixante ! Tu crois que ton cœur va tenir ? Accroche-toi !

Le moteur cabra ses chevaux. Très vite, les rangées de veilleuses ne formèrent plus que deux lignes absorbées par la vitesse. La sensation de voler, la morsure de l'adrénaline.

Le choc fut d'une violence inouïe...

2

Chez les Papous, il y a des Papous et des pas Papous. Chez les Papous, il y a des Papous papas et des Papous pas papas...

Mélodie marmonnait sa comptine préférée sans discontinuer. Quand elle chantait, des sons riants dansaient dans sa tête et chassaient les mauvaises idées. Son estomac lui paraissait moins douloureux aussi. Si elle ne criait plus, le Monstre lui avait promis qu'elle retrouverait son papa, sa maman et Claquette aussi, sa chienne toujours joyeuse. Elle serra sa poupée contre son petit cœur sans cesser de chantonner.

Ne pense pas aux grognements... Ils n'existent pas... J'ai froid... J'ai faim...

La douleur lancinante accrochée au fond de sa gorge ne la lâchait plus. Une gêne impalpable qui la forçait à tousser, lui donnait envie de se gratter le palais jusqu'à transpercer la voûte de chair. Elle avait beau boire, cracher, rien ne sortait, hormis des rouleaux de feu.

Depuis leur arrivée dans la caverne humide, le Monstre rugissait de colère. Mélodie percevait, dans sa façon de battre le sol, le reflet d'une méchanceté intérieure. Parfois, la Bête rôdait autour d'elle et un souffle tiède frappait son visage d'enfant en pulsations dégoûtantes. Pourtant, elle lui avait obéi. Elle s'était laissé faire, sans bouger. Alors pourquoi son papa ne venait-il pas la chercher ? Pourquoi le Monstre ne tenait-il pas sa promesse ?

Parce que les monstres sont méchants. Les monstres ne disent jamais la vérité.

La gamine frigorifiée devinait dans l'épaisseur de l'air la tension d'un orage sur le point d'éclater. Elle sentait certaines choses plus que n'importe quel autre enfant, un surplus de sensibilité qui lui permettait de voir à l'intérieur des êtres, de ressentir la chaleur de leur aura ou le salpêtre de leur rage. Et ce qu'elle découvrit dans l'âme du Monstre l'ébranla. Elle réprima un sanglot, s'empressa d'essuyer la perle qui roulait sur sa joue, tout en repliant ses jambes contre sa poitrine. Trop tard. Une gifle la projeta sur le sol.

— Arrête de gémir ! Et n'abîme pas ta poupée ! Ne l'abîme surtout pas !

La morsure de la douleur, le cuivre du sang sur les lèvres et la respiration qui tressaute.

La comptine qui la rassurait tant ne trouvait plus le chemin de son esprit. Mélodie plissa les paupières, chercha dans son for intérieur des chaleurs de parfums, des rires éclatants, les hennissements gais de Pastille le miniponey. Mais plus rien n'affluait. La nuit éternelle coulait des parois de son crâne et ne tarderait pas à l'ensevelir. Pour toujours.

Dès qu'elle s'enfouirait dans les bras de papa, elle ne manquerait pas de tout raconter. De dire que le Monstre lui avait fait mal aux mains et l'avait empêchée de crier en collant du sparadrap sur sa bouche. Qu'il l'avait forcée à sourire, à rester immobile dans cette puanteur de cuir alors qu'il lui brossait les cheveux. Si fort et si longtemps qu'il lui semblait avoir saigné du crâne.

Oui, elle dévoilerait tout, sans oublier le moindre détail. Ces odeurs à vomir, ces hurlements inhumains, ces choses sur le sol, molles et craquantes. Entassées par centaines. Par milliers.

L'haleine rance du fauve glissait à présent le long de sa nuque. Une vague tiède et pénétrante, à l'odeur de savane. Si près d'elle ! Ses pas – *des sabots*, pensa Mélodie – ne claquaient plus dans la pièce, comme tout à l'heure. Preuve qu'il la disséquait méticuleusement du regard, là, juste au-dessus d'elle. À quoi pouvait-il bien ressembler ? Il devait avoir des dents pointues, des touffes de poils sur le museau, des yeux gigantesques.

Jamais elle n'avait pu voir sa silhouette, ni celle des autres présences, plus étranges encore. Alors comment décrirait-elle avec précision le Monstre ? Elle raconterait son histoire à ses camarades de l'institut spécialisé, mais jamais ils ne l'écouteraient. Si jeune, elle savait déjà que la plupart des humains ne croyaient qu'en ce qu'ils voyaient. Une perception de la réalité qui n'avait aucun sens pour elle. Qui n'en aurait jamais.

Mélodie puisa dans la chaleur de son corps la force de ne pas hurler. Ses doigts, ses bras, ses jambes s'engourdissaient, léchés par la glace. Ses dents claquaient, sa chair devenait pierre. Pourquoi la Bête lui avait-elle ôté son blouson ? Elle ordonna à ses cordes vocales de vibrer, de supplier une couverture, un nid de plumes au creux duquel elle pourrait s'enfouir. Mais même là, en elle, le désordre s'installait. Son organisme ne lui obéissait plus.

Elle entendit un petit déclic au bord de son oreille, puis sentit une violence de givre lui caresser la joue. Le Monstre acérait ses griffes d'acier.

Elle sut à ce moment que tout allait se terminer.

Des hurlements de pneus surgis de l'extérieur éloignèrent soudain la Bête, qui fit vibrer la vitre d'une fenêtre lorsqu'elle y plaqua son front.

De l'agitation, dehors. Peut-être papa arrivait-il enfin...

3

La 306 stoppa sa course dans une déchirure de gomme.

— Bon Dieu Vigo ! C'était quoi ?

Vigo ne répondit pas immédiatement, liquéfié sous sa parka. D'une main tremblante, il réveilla les phares et fixa son rétroviseur.

— Je... j'en sais rien ! On aurait dit... un animal !

Sylvain Coutteure l'empoigna fermement.

— Non ! Pas un animal ! Ça... ça a tamponné le phare, le capot, le pare-brise ! Une bête... aurait été expulsée vers l'avant ou écrabouillée ! Fais... fais marche arrière !

Vigo contracta les mâchoires. Les réactions vitales de son organisme – suées, gorge sèche, poils hérissés et glandes hyperactives – hurlaient avec une certitude chimique ce que son esprit n'osait admettre : ils avaient percuté une forme longiligne, un paquet de chair bourré d'organes, une banque du sang. Ils avaient défoncé la carcasse moelleuse d'un être humain, en pleine nuit, dans un désert de pales bourdonnantes.

Une masse sombre, immobile, émergea dans la lueur des feux arrière.

— Va... va voir ! s'écria Vigo.

— Faut... faut appeler une ambulance ! Les secours !

— Va voir d'abord ! Dépêche-toi, bordel !

Sylvain obtempéra. Les éoliennes gémissaient comme autant de moteurs, le vent du nord projetait ses aiguilles de glace. Au loin, sur le bitume, la forme molle se précisait. Un homme... serré dans des vêtements noirs... le crâne luisant sous la langue rouge des feux.

Les lèvres pincées, Sylvain bascula le corps sur le dos. Rien ne différenciait le visage inconnu d'une coulée de lave. Ses yeux fixaient le néant, les jambes décrivaient des angles impossibles.

— Vi... Vigo ! Viens ! Je crois que ce... ce type est... mort ! Il est mort putain !

Vigo coupa les phares – ahurissant comme l'instinct fixe ses priorités –, s'empara de sa lampe torche et se jeta sur l'asphalte. Index et majeur s'élancèrent à la recherche d'un battement, d'une onde de vie sur la gorge immobile.

— Merde ! C'est... c'est pas possible !

— Vigo... Faut... les flics...

Vigo palpa la carotide, le poignet, plaqua une oreille sur la poitrine. Aucun son, hormis ceux surgis de son imagination : sirènes hurlantes et cliquetis de menottes.

D'un coup, il se releva. Autour, des éoliennes folles, un entrepôt abandonné. Par-delà, ténèbres figées, poinçonnées de pustules phosphorescentes. L'anonymat de la nuit. L'absence de témoins. La simplicité d'un coup d'accélérateur pour distiller le cauchemar.

— Attends ! Il faut envisager toutes les possibilités !

— Quelles possibilités ? Ce type est raide ! On doit prévenir la police ! Donne ton portable !

Vigo s'approcha d'un sac de sport, à deux mètres du pantin. Ses mots moururent sur le bord de ses lèvres lorsqu'il écarta les flancs de nylon.

Des billets. Des montagnes de billets.

Cette fois, plus d'hésitation. Ordre du cerveau, neurotransmission, influx propagé jusqu'aux quatre mille terminaisons nerveuses du pouce. Contraction musculaire. Bouton pressé. Torche qui s'éteint.

— Pourquoi t'as éteint ! Allume cette putain de torche !

— Dans... dans le sac ! Il y a... une espèce de poignard et...

— Quoi !

— Des... des tonnes de billets ! Des coupures de cent euros !

Tout allait trop vite. Sylvain s'accrocha à sa seule idée avec entêtement.

— On rend ce sac à la police... Il faut appeler...

— Réfléchis ! On a bu au moins quatre bières ! On roulait feux éteints, à cent vingt dans une zone limitée à cinquante ! Ces traces de freinage ne tromperont pas les flics ! Mon frère travaille dans la police scientifique, j'suis au courant, merde ! On va finir nos jours en prison si on les appelle, tu piges ?

— On... ne peut pas fuir ! Je refuse, t'entends !

Le gouffre entre les physionomies – à taille équivalente, soixante-six kilos pour Vigo contre quatre-vingt-dix-sept pour Sylvain – n'empêcha pas l'ingénieur de secouer violemment son compagnon.

— Tu n'étais pas au volant toi ! Alors on va dire que tu étais au volant ! D'accord ?

Agrippement réciproque des cols. Les nerfs contre la force. Sylvain parvint à s'emparer du portable et propulsa Vigo sur le sol.

— Sylvain ! Je t'en prie ! Ne les appelle pas ! Ils vont nous enfermer !

Agir ! Sauver sa peau ! Coûte que coûte ! Vigo fonça vers le véhicule, plongea côté passager, ferma la porte, retint sa respiration et se fracassa l'arcade droite sur la vitre. Le verre vibra.

Sylvain se précipita.

— Mais t'es cinglé !

Vigo se massa la tempe. Sous la peau, une bulle de sang gonflait déjà.

— Ça fait mal ! Suite... aïe... au coup de frein, je me suis cogné la tête sur la vitre passager. S'ils débarquent, ils en déduiront... que tu conduisais !

— Espèce de...

Vigo lui arracha le téléphone des mains.

— Je cherche à nous protéger, tu ne comprends pas ? Personne ne sait que nous sommes à quatre-vingt-dix bornes de chez nous. Nous sommes... censés jouer aux échecs sur internet. On a graffité les murs loin d'ici, ils ne feront jamais le rapprochement. On... on embarque l'argent et on fait disparaître le cadavre !

Sylvain se tamponna le front du plat de la main.

— Je... je peux pas... T'es malade ! T'es un vrai malade !

— Allez ! Aide-moi à le transporter ! Pense à ta femme, ta fille ! Elles t'attendent ! Tu peux encore les rejoindre en homme libre ! Après, il sera trop tard !

Visions d'horreurs pour Sylvain. Des hommes en combinaison verte, enchaînés les uns aux autres. Des cours avec des miradors. Des chairs humides sous la douche.

Non ! Stopper le cauchemar, au plus vite. Disparaître dans les brumes d'asphalte.

— Je... je veux bien te suivre mais... mes mains... ne se tacheront pas de son sang... On le laisse ici...

— Ah oui ! Nos empreintes sur ses vêtements, t'en fais quoi ? Et les éclats de phare, les traces de pneus ? On l'abandonne ici et demain, tous les flics du coin débarquent. Avec leurs techniques de recherche, il suffit que tu paumes un cheveu, une goutte de sueur, pour qu'ils aient ton profil génétique ! Pas de corps, pas d'enquête. Il suffit de le balancer dans les marais de Saint-Omer !

Sylvain s'en prit cette fois aux boucles de sa chevelure foncée. Tout tournait. Une toupie dans une centrifugeuse.

— Quarante bornes avec un type refroidi dans le coffre ! Mais arrête ton délire ! Il y a de l'eau partout ici ! Il suffit de le balancer dans... dans le bassin maritime !

— Non ! Faut limiter les risques. Si sa disparition est signalée, des plongeurs vont draguer les environs. Ils le retrouvent et on est cuits ! Écoute, cette route, on se l'est avalée des milliers de fois. On n'a jamais vu un flic après dix-neuf heures. On passe par les départementales, dans les bleds paumés. On se débarrasse de ce... bandit et l'argent nous appartient ! Imagine ! Imagine notre avenir avec une fortune pareille ! C'est la providence divine ! Une chance inespérée ! Finis les entretiens, les factures, les serrages de ceinture ! Pense à ça !

Une bourrasque glaciale paralysa Sylvain. La présence maléfique de l'argent bouleversait l'ordre logique des événements. Après tout, pourquoi s'immoler intentionnellement ? Les flics se fichent des états d'âme. Vigo avait raison, accepter le destin, le seul fautif.

Ne plus réfléchir. Agir au mieux pour eux. Fuir.

— Il n'y a pas d'autre solution... J'ai une famille que j'aime plus que tout... Je... je ne veux pas voir ma fille grandir au travers de barreaux.

— Dans ce cas, dépêchons-nous !

Vigo se pencha au-dessus du corps.

— Son arcade a pissé. On va lui enfoncer la tête dans des sacs plastique.

L'accident se mua en crime. Les complices rangèrent le macchabée empaqueté au côté du magot.

Toujours personne. Aucune voiture, pas de mouvances lumineuses. L'oreille de Sylvain frémit subitement.

— Tu... tu as entendu ?

— Quoi ?

Sylvain pointa un cube de tôle.

— On aurait dit... un bruit de métal ! Ça... ça venait de là-bas !

Sous le seul rai de sa lampe, Vigo explora les fenêtres d'un entrepôt, à une dizaine de mètres dans les hautes herbes. Vitres crasseuses, parois branlantes.

— Tu déconnes ! Ce truc est abandonné depuis des lustres et va s'écrouler ! T'as vu le boucan que font le vent et les éoliennes ? Tu te fais des films ! Allez, va dans la voiture ! J'arrive !

Vigo inspecta rapidement les alentours du véhicule. Il collecta les morceaux de phare, absorba le sang sur l'asphalte avec un chiffon, grimaça devant l'état du capot avant de fondre dans l'habitacle.

La nuit engloutit le véhicule.

Vigo chercha ses mots un instant avant de confier :

— Tout à l'heure, ma menace de raconter aux flics que tu étais au volant... Il fallait t'empêcher de faire une bêtise et protéger ta famille...

Sans relever, Sylvain tourna la tête vers la vitre passager, pressant dans sa main un petit médaillon qui berçait la photo de sa femme. Autour, des écharpes lumineuses enrubannaient la ville métallique, décochant des clins d'œil incisifs. Comme des sentinelles témoins d'une abomination...

4

Des gyrophares. Des éclaboussures bleutées sur la toile de l'obscurité. La police. Le déclic des menottes qui se referment...

Dingue comme le mal asservit les esprits de ceux qui se rangent sous son aile, altère la réalité au point de rendre paranoïaque. On soupçonne les gens de se dissimuler derrière leurs fenêtres, à vous observer, à deviner la présence d'un cadavre dans votre coffre. On pense que les chauffeurs des voitures croisées au hasard de la nuit vont relever votre numéro d'immatriculation. Chaque mètre de chaque kilomètre revêt le visage d'un calvaire abominable. On imagine la police partout, au détour d'un virage, au fond d'une forêt ou au milieu des champs, même quand sévissent froid, nuit et isolement.

Sous l'aile feuillue des bois, les marécages de Clairmarais déroulaient leurs langues oblongues de nénuphars et d'eau croupie. La ville, sillonnée de veines d'eau, de surfaces fangeuses, flanquée d'imitations de bayous, suggérait une petite Louisiane nordique. D'ordinaire, pour Vigo, ces marécages ravivaient le souvenir des chasses à la grenouille de son enfance. Ce soir, ils serviraient de fosse à cadavres.

La 306 s'était engagée le long d'une voie bitumée, vite

relayée par un terrain impraticable. Il régnait dans l'antre de chlorophylle une atmosphère de film à carnage. À observer les squelettes d'écorce qui l'encerclaient, Sylvain pensa à la forêt cabalistique dans *Massacre à la tronçonneuse*.

Les feux de croisement endormis, les deux informaticiens claquèrent les portières avant de porter leur attention sur le contenu du coffre.

— Le sol est gelé, on ne laissera aucune empreinte, murmura Vigo. Pas de lune non plus... C'est de la folie, tous les éléments nous encouragent. On bazarde le corps dans le marais à deux cents mètres d'ici. Prends le bidon vide.

— On n'y voit que dalle. J'ai les boules ! Tu es sûr que...

— On a fait le plus dur ! Allez, on y va.

La torche éventra les épaisseurs d'aulnes et d'herbes sauvages. Sylvain tenait le cadavre par les chevilles, Vigo par les poignets. La jambe gauche flottait sans gêne dans la charpente refroidie, comme heureuse d'être enfin libre.

Un Barbapapa, songea Sylvain. *Dis-toi que tu transportes un Barbapapa...*

— Ses muscles sont déjà tout durs, dit-il finalement dans l'unique but de rompre le silence.

— La rigidité cadavérique qui commence. Il aura bientôt la souplesse du pantin et la dureté de son bois...

— Je... Je n'arrive pas à me débarrasser de son regard. Quand je l'ai retourné, ses yeux ont plongé dans les miens. J'y ai vu la Mort. Je sais à quoi elle ressemble maintenant. J'ai peur de ne plus jamais dormir tranquille.

— N'oublie pas qu'il s'agissait d'un accident, un concours de circonstances qui fait que... On... Comment agir autrement ? T'imagines un flic appeler ta femme, lui signaler que tu viens d'écraser un type ? Que tu ne rentreras plus jamais chez toi ?

— Non...

Un marécage déploya sa gueule putride.

— Je peux m'en occuper seul, confia Vigo. Tu n'es pas obligé...

— Je reste... Je veux m'assurer qu'il emporte notre secret...

Rien ne respirait ici, ni la flore, ni la faune. L'asphyxie des choses mortes.

— On devrait fouiller son portefeuille... vérifier son identité... Il mérite au moins ça...

Vigo plongea une main sous le blouson du macchabée.

— À quoi bon ? Pas de nom, pas d'identité. Un fardeau de moins à supporter. Un visage vide s'efface plus facilement de la mémoire qu'un nom... Je garde ses papiers pour les brûler en rentrant chez moi... Remplis le bidon d'eau... Et arrache un roseau... La majeure partie des personnes décédées par mort violente et jetées à l'eau flottent – les femmes la poitrine vers les fonds, les hommes vers le ciel –, à cause de ce que l'on appelle un spasme laryngé initial maintenu. Leur épiglotte – un clapet de cartilage – se referme par réflexe dans le dernier souffle et interdit l'entrée d'eau dans les poumons. Pour que le corps coule, il faut « aider » le passage de liquide dans les voies aériennes.

Vigo remercia son frère de sans cesse étaler sa science. Stanislas Nowak travaillait au laboratoire régional de police scientifique de Lille. Vigo craqua les sacs plastique et fit apparaître un menton éraflé, des lèvres déchirées où croûtaient des caillots de sang. Sylvain détourna la tête et s'éloigna.

— Désolé... Je peux pas...

— Je vais me débrouiller...

Il fallut forcer pour décoincer la bouche crispée. Vigo dut s'y prendre à deux mains, tirant à pleins doigts les mâchoires. Des os craquèrent. Le chaume empala la gorge inerte.

— Ça va lui bousiller l'épiglotte et libérer la glotte. Comme ça, l'eau pourra s'engouffrer.

— Rien à foutre de tes commentaires ! On dirait que tu dégorges une truite ! Finissons-en, et vite !

Une saleté nocturne prit son envol dans un bruissement de papier. Sylvain pensait que tous ses organes allaient se liquéfier. Comment l'autre réussissait-il à conserver tant de sang-froid, à faire preuve d'une telle organisation face à l'impossible ?

Vigo déversa l'eau saumâtre jusqu'à ce que, sept litres plus tard, la cavité béante du larynx régurgite le surplus de liquide.

— Terminé ! Le corps va se décomposer hypervite dans l'eau. Presque aussi efficace que l'incinération. D'ici deux mois, les seuls moyens de l'identifier seront les tests ADN ou les empreintes dentaires.

Vigo se frotta les mains sur son jean. L'illusion d'une purge, d'une absolution.

— Et maintenant on le jette à l'eau le plus loin possible. Tu le prends par les jambes, moi par les bras. Je compte jusqu'à trois...

La masse frappa l'eau avant que, lentement, les lentilles dérangées ne regagnent leur place. Le mort s'enfouissait vers les abysses, emportant un secret scellé par la peur, le dégoût... l'argent...

Dernières bulles d'air qui éclatent à la surface. Ultimes clins d'œil d'un père de famille. Au revoir aquatique. Puis plus rien...

La voiture s'éloigna vers les faisceaux brasillant de la route nationale.

Des contractions musculaires, infimes, glissèrent sur le contour des lèvres de Vigo pour en tirer un ersatz de sourire.

— Le magot ! Le magot est à nous Sylvain ! T'imagines ?

— Non, pas encore...

— Écoute bien ce que je vais te dire. Cet argent, on ne va pas pouvoir y toucher tout de suite. Le temps que les choses se tassent, que nos esprits y voient clair. Ta femme ne doit rien savoir. Pas de sous-entendus, d'allusions qui aiguiseraient ses soupçons, OK ?

Sylvain passa une main sur son visage, comme s'il cherchait à décoller un masque de terreur.

— Tu crois que j'ai envie qu'elle sache ?

— On a juste agi logiquement, d'accord ?

Sylvain acquiesça sans conviction.

— Ne change rien à tes habitudes. Poursuis ta recherche d'emploi et continue à nourrir tes poules. Demain j'ai un entretien d'embauche, je m'y présenterai, comme si de rien n'était. Nous ne sommes *jamais* allés à Dunkerque cette nuit. On jouait chez moi aux échecs sur internet, comme tous les jeudis soir.

— Et mon capot démoli, mon phare explosé ?

— Tu achètes un phare chez un détaillant automobile et tu le changes toi-même. Paie en liquide. Tu connais un carrossier qui peut réparer ta voiture au black ?

— Je vais souvent à la casse de Lens. J'ai un contact là-bas.

— *A priori*, la tôle n'est pas pliée. Il devrait réussir à te réparer ça sans laisser trop de traces. Je te fais confiance pour baratiner ta femme sur l'origine du coup. Dans tous les cas, n'appelle jamais ton assurance !

— Et le magot ?

— Je le garde chez moi, au grenier. Aucun ris...

— Pas question ! Pourquoi je ne le garderais pas, moi ?

— Pour que ta femme tombe dessus ? Moi je suis célibataire ! Personne ne viendra fourrer son nez dans mon grenier !

— Dans ce cas, on ne le cachera ni chez toi, ni chez moi. J'ai déjà ma petite idée... Et ce fric, je veux le compter avec toi...

— La confiance règne ! À t'entendre, on dirait qu'on se connaît depuis hier !

— Ce n'est pas la question, mais... Je ne voudrais pas avoir fait tout ça pour rien... Ce type dans les marécages...

Il agita ses doigts comme pour palper l'air.

— On doit tout faire disparaître si ça tourne au vinaigre. Promets-moi que si les flics se branchent sur le coup, on brûle ces billets. Je te garantis que je le ferai, avec ou sans ton accord !

Vigo se força à garder un ton convaincant.

— Je te le jure. À la moindre entourloupe, on efface les preuves. Mais on ne rencontrera pas de problèmes. Tout était trop... parfait...

— Comment tu peux dire une chose pareille ?

— Mais ! Parce que rien n'était prémédité ! Pas de mobile, aucun témoin ! Même pas de corps !

Vigo empoigna le bras gauche de Sylvain.

— Tu ne peux pas savoir à quel point j'en ai rêvé ! Le fric qui tombe du ciel ! Pourquoi j'avais la certitude que ça se passerait un jour, hein ? Pourquoi ? Bientôt, on ne sera plus les esclaves de personne !

Dans la tête de Sylvain, tout s'embrouillait. Un mot, un simple mot, traversait régulièrement son esprit.

Criminels.

5

Trois heures du matin. Une lueur diffuse dans le séjour de la fermette. Les parasites chevrotants d'un tube cathodique usé, l'engourdissement d'un monde de songes. Et le givre accroché à chaque expiration.

Chaudière en panne... Sylvain se mordit l'intérieur des joues.

Une rivière blonde coulait sous des couvertures dans le clic-clac du salon. Nathalie somnolait en position fœtale, réflexe inné d'un corps en quête de chaleur. Sylvain éteignit le téléviseur, frôla son épouse du bout des doigts, avant de disparaître dans la chambre d'Éloïse. Le bébé dormait, la frimousse éclairée par l'incandescence feutrée d'un chauffage d'appoint.

Des pans d'inquiétude obscurcissaient le visage du jeune papa. Désormais, ce bonheur pouvait s'arrêter à tout moment. Un jour, demain peut-être, les uniformes débarqueraient, le braqueraient, lui écraseraient un revolver sur la tempe. On l'enlèverait à ses chéries pour une éternité de repentir.

*

L'âme souterraine du Monstre bouillonnait de tensions contradictoires, de courants incompréhensibles.

Un cataclysme avait bouleversé son organisme jusqu'à le soulever de terre, le porter sur des oasis célestes. Il se sentait bien, trop bien. Mieux que jamais. Comme si une bulle venait de crever à la surface après une interminable remontée des fonds abyssaux.

Il pila devant un feu tricolore, obnubilé par la petite gorge battante, ses doigts qui arrachent la vie, le dernier murmure.

Sous la lueur du feu rouge, il considéra ses mains, leurs phalanges tourmentées, presque brûlées jusqu'à l'os. Les pensées récurrentes l'assaillirent. La douleur des acides, qui le violentait chaque soir... Le crissement de la scie électrique sur les chairs... Puis les oiseaux qui essaient de fuir, encore et toujours... Le singe blotti en haut d'un arbre, pétrifié... La louve menaçante, le museau braqué au ciel...

Un quotidien si difficile à porter, à vivre, à subir...

La Bête secoua la tête. Le feu passa à nouveau à l'orange, puis au rouge. Dans le rétroviseur, personne. La ville dormait. Au vert, elle démarra prudemment, prit une départementale et quitta la cité métallique.

À présent, elle ne pensait plus qu'à une chose : recommencer...

*

— C'est la chaudière chéri, souffla Nathalie Coutteure, à moitié endormie. Panne définitive cette fois, et il faut que ça arrive quand les températures chutent. Quelle poisse ! J'ai l'impression de vivre dans un congélateur !

Elle se tortilla dans une couverture avant de se lover contre son mari. Des battements ralentis somnolaient dans la poitrine féline, une radiance d'amour qui poussa des larmes sous les paupières de Sylvain.

— J'ai essayé d'appeler sur le portable de Vigo pour que tu rentres plus tôt, confia la jeune femme, toute grelottante. Pas de réponse, messagerie...

— Il avait certainement coupé. Tu sais, quand on joue aux échecs...

Le reptile du mensonge qui s'insinue dans les paroles, accompagné de ses flashes subliminaux. Le craquement des mâchoires, le roseau dans la trachée, la masse qui sombre.

— À la première heure j'appelle Depann'gaz, déclara Sylvain en s'avançant dans le salon. Ça ne peut plus durer. S'il faut remplacer cette satanée chaudière, on la remplacera !

— Je demanderai de l'argent à mes parents. Cette fois, nous devons accepter leur aide. Tous les malheurs du monde nous tombent dessus, le gouffre financier s'élargit lentement sous nos pieds...

Sylvain serra les poings. Seuls les lions déchus ravalent leur fierté. S'il capitulait, on le prendrait pour un père de famille incapable d'assurer, un plaisantin pas fichu de rembourser ses mensualités.

Ses muscles se détendirent. Deux millions d'euros à se partager. Il voyait encore la forêt de zéros, la texture parfumée des billets. Des éternités de labeur comprimées dans un sac de sport bleu roi.

En nouveau riche, il posa un doigt sur les lèvres de son épouse.

— Chut... N'implique pas tes parents. On traverse juste une mauvaise passe mais je suis persuadé que la chance finira par tourner.

— Une mauvaise passe ? Ça fait plus d'un trimestre qu'on vit sur la pointe des pieds, que le moindre écart nous plombe jusqu'à la fin du mois ! Combien de temps tu penses pouvoir tenir avec mon salaire de prof et tes Assedics minables ? On a un prêt de vingt-cinq ans à rembourser !

Sylvain lui agrippa le poignet et la contraignit à faire volte-face. L'envie de la traîner chez Vigo, de la confronter à l'opium vert, lui brûlait la gorge.

— Tu dois me faire confiance ! Avec Vigo, on a consulté des sites sur l'emploi. Le marché de l'informatique repart, des postes se créent sur Lille, les entretiens d'embauche vont se multiplier. Ne préviens pas tes parents, OK ? On va rallumer le poêle à charbon, le temps que je règle l'affaire.

— Il est HS ! Le tuyau d'évacuation est déchiré ! C'est bien trop dangereux ! Et puis, ça change quoi ? Tu mets de la pommade sur une jambe de bois ! On ne résout pas les problèmes comme ça !

— Écoute, demain soir c'est le réveillon et l'anniversaire de notre petite fille... Rien ni personne ne viendra gâcher une fête pareille ! Pas cette fois !

Nathalie se réfugia dans les bras de son homme. Trouver une solution ? Laquelle ? Voilà deux ans qu'ils avaient arraché le prêt de justesse pour se payer la flamande de leurs rêves, en proche campagne de Lens. Le grand jardin, les dépendances, le tournis des volumes intérieurs. À l'époque, la bulle internet avait porté les informaticiens au rang de demi-dieux. Elle voyait encore Sylvain, cravate entre les doigts, dans les bureaux de la banque. *Prendre une assurance chômage ? Vous m'avez bien regardé ? L'informatique contrôle vos ordinateurs, ferme et ouvre vos coffres. Et ça ne fait que commencer. Si nous sommes au chômage, la Terre s'arrête de tourner !*

Mais une bulle finit toujours par éclater. Aujourd'hui, une start-up fermait chaque heure dans le monde. Les grands groupes industriels, à la chasse aux pertes, s'allégeaient de leurs agences régionales, regroupant les activités sur Paris. Air Littoral, Alcatel, France Télécom... Les Taïwanais qui fabriquaient hier les vêtements concevaient aujourd'hui les programmes informatiques à moindre coût.

Que restait-il à présent ? Des mensualités de mille quatre cents euros à rembourser. Les deux tiers de leurs revenus. Soixante-six pour cent d'endettement.

Sylvain réprima un sanglot. Un vent rugissant balayait toutes ses convictions, son honnêteté, l'ensemble des qualités qui l'avaient formaté en un mouton de la société.

Terminée la vie par procuration.

Peu importait ce qu'il venait de faire. Seul l'argent comptait.

Le sommeil n'emporta pas Sylvain, cette nuit-là. Des rêves à la saveur du réel trottaient dans sa tête. Des mers turquoise, des soleils rouges, des sables blancs.

Dans quelques jours, le velours des billets embaumerait le cadavre et diluerait son visage. La cicatrice se refermerait comme elle s'était ouverte.

Il en avait la certitude...

*

Attentif au moindre battement de lumière, le Monstre s'engagea sur l'océan campagnard avant de disparaître sous des frondaisons menaçantes.

Une forêt, épaisse et infiniment noire.

Il comprenait tout juste ce qui venait de se produire au cœur de la zone industrielle. Une surtension d'événements qui allait changer le cours de son existence, crever l'abcès qui pourrissait depuis des années au fond de son cerveau.

Toute cette douleur, cette haine, cette souffrance. Cette passion inaccessible.

Les deux types à la 306 n'avaient été que le catalyseur d'une évidence inconsciente.

Un cri d'instinct et de joie mêlés claqua dans l'habitacle.

La Bête ne songeait plus à la rançon, même si elle comptait la récupérer rapidement. Ses valeurs s'étaient brusquement renversées. Elle saisissait soudainement la véritable raison qui l'avait poussée à accomplir la tâche finale.

Pas l'argent. Pas la soumission. Pas l'amour.

L'impensable.

Le véhicule s'enfonça dans un hangar aux poutres branlantes, à la tôle cariée de rouille. Loin des lumières du monde, dans une gorge où aucun fou n'oserait s'aventurer. Le moteur stoppa son ronronnement, une ombre se détacha sur le mur, posa le pied au sol et se dirigea vers l'habitation d'avant-guerre, attenante au hangar. Sous la pierre froide, un sous-sol labyrinthique, des caves voûtées et humides dont quelques-unes renfermaient ses ateliers de travail. Les forges de l'enfer...

La silhouette réveilla la cheminée. Des baisers bleutés, des langues de diables affamés tourbillonnèrent en un ballet infernal. Autour, les visages intrigants des poupées anciennes, *Beauty Eaton* ou *Helen Kish*, se lissaient d'une pellicule rougeoyante. Leurs yeux grands ouverts ne reflétaient plus qu'un voile de terreur...

Le Monstre se dirigea vers le fond de la pièce, dans une obscurité permanente où s'amoncelaient des masques en latex, des mâchoires aux dents arrachées, des crânes perforés. Là, il déverrouilla une porte, alluma la lumière, s'enfonça dans un escalier en colimaçon puis bifurqua dans un tunnel où se succédaient des portes cadenassées.

Des grattements, derrière le vieux bois... Ses femelles avaient faim. La Bête entrebâilla légèrement la porte. De petites mains jaillirent et arrachèrent violemment les morceaux de salade pourrie qu'on leur tendait. De l'autre côté du mur, la colère, la peur, la rage grimpèrent, dans un seul et même hurlement désespéré. Il était temps de refermer...

Le Monstre se rendit dans une autre cave. Sa langue décrivit de belles ellipses de satisfaction sur ses lèvres. Dans un angle, le matelas délabré qui enflait d'humidité ferait l'affaire. Sa prochaine victime ne vivrait pas assez longtemps pour s'en plaindre.

Cette salle voûtée était parfaite. Il restait juste à ôter la poignée intérieure de la porte parce que, demain, la première chose qu'essaierait de faire sa nouvelle matière première serait de fuir. Évidemment...

La Bête s'enferma finalement dans un atelier souterrain et fit gémir des instruments électriques jusqu'à l'aube. Il fallait s'entraîner, progresser, encore et encore...

Dans les profondeurs de la forêt, la nuit fut horrible. Bien pire que celle imaginée par les esprits les plus tortueux...

6

Un véritable cauchemar. Une mission quasiment impossible. Travailler plus de vingt heures d'affilée sans avoir fermé l'œil depuis deux nuits...

Devant le commissariat central de Dunkerque, le brigadier Henebelle jeta un regard vers le ciel avant d'enjamber les marches. Il allait neiger, ce matin. Elle soupira. Pas de réveillon cette année. Juste une interminable garde nocturne, le soir de tous les privilèges. Aucun policier au bas de l'échelle n'échappait au châtiment. Mais de quel droit privait-on une jeune maman du premier Noël avec ses bébés ?

Lucie déboutonna son trois-quarts en s'engouffrant dans le bâtiment, quai des Hollandais. Bref salut à l'emploi jeune de l'accueil ainsi qu'à deux ou trois collègues de la brigade des mœurs. Couloirs déserts, calme de catastrophe post-nucléaire. La majeure partie des bureaux s'était vidée à l'approche des fêtes, congés et ponts obligent. Au comptoir des mains courantes, une plaignante. Jeune, pantalon moulant, maquillage à outrance. À l'étage de la criminelle, Lucie ôta son bonnet et libéra une cascade de cheveux blonds à peine coiffés. Le chauffage poussé à son maximum rendit à ses joues creusées un teint moins cadavérique.

Elle s'installa devant son ordinateur, face à la chaise vide d'un collègue en vacances.

Salut chaise ! Comment vas-tu ? Moi ? Un peu crevée. Carrément naze, à vrai dire !

Les jumelles rivalisaient d'ingéniosité pour blanchir les nuits de Lucie, ne lui autorisant que le repos minimal nécessaire à la survie. Un sommeil inversé qui pouvait durer jusqu'à un an, avait signalé le pédiatre. Un véritable calvaire. Condamnée à somnoler le jour pour subir, la nuit, les appétits de vie des nouveau-nés.

Sans bras masculins pour la soutenir.

Aussi la reprise de son job, voilà une semaine, gravait-elle en lettres de feu *la* question qui la taraudait depuis l'accouchement : comment réussirait-elle à concilier le tout ? Les jumelles, la maison, le travail ? Et le repos ? Quand pourrait-elle enfin s'occuper d'elle, se maquiller, brûler les kilos superflus à renfort de footings ?

Quand la femme chasserait-elle le fantôme ?

Lucie s'enfonçait dans la paperasse informatique, quand le lieutenant Pierre Norman fit son apparition. Le visage ombragé par la paille rousse de ses cheveux, la peau ivoirine mouchetée de poussière de feu. Pas spécialement beau, le Norman, mais hypnotique, intriguant. Sûrement ses grands yeux d'un bleu très pâle, au mystère infini.

Son excellent classement au concours national de Lieutenant de Police lui avait ouvert les portes du SRPJ de Versailles, pourtant il avait refusé l'opportunité pour rester ici, dans les profondeurs nordiques. Piégé par l'odeur du pavé humide, les silhouettes suspectes dans les ports, les traques sur l'une des plaques tournantes des trafics entre l'Angleterre, les Pays-Bas et la France. Le quotidien idéal d'un flic d'action.

— J'ai appris pour ta garde de ce soir, concéda-t-il. Désolé.

— Il faut bien sacrifier une brebis pour faire traverser le troupeau...

Norman plaqua ses mains – deux sacs d'os tachetés – sur le bureau. Il désigna du menton un livre de Pierre Leclair, *Cinq Profils*.

— Toujours plongée dans tes bouquins de psychologie ? Celui-ci parle de *profilers* ?

— Le terme à la mode est analyste comportemental...

Les âmes noires qui tourbillonnent, l'adrénaline des scènes de crime, le coup de fouet de l'hémoglobine... Des livres que Lucie dévorait depuis l'adolescence, cantonnée dans sa chambre, au temps des sorties en boîte et des premières cigarettes.

— Je me serais bien vue dans la peau d'un de ces spécialistes du comportement, confia-t-elle en effleurant le livre. S'infiltrer par la pensée dans la peau d'un assassin, comprendre la source du traumatisme.

— Tu n'as que vingt-neuf ans, si c'est vraiment ton truc, tu peux encore foncer.

Lucie esquissa un sourire.

— Il est plus difficile de devenir psychocriminologue que président dans ce fichu pays !

Norman haussa les épaules.

— On n'a rien sans rien. Prépare-toi déjà au concours de lieutenant, ce sera un bon début.

La jeune femme leva les yeux au plafond.

— Tu me parles de concours ! Les jumelles me pompent toute mon énergie ! Et elles sont ma priorité. Peut-être demain... Qui sait ?

— Tu ne l'as jamais revu ?

Gorge serrée.

— Fermons la parenthèse, veux-tu ? Je suppose que tu n'es pas venu pour me parler de ça.

— Non... Une sale affaire vient de nous tomber dessus. La femme du professeur Cunar, un chirurgien traumatologiste renommé, a appelé cette nuit. Leur fillette a été enlevée, il y a quatre jours. Ils n'ont pas prévenu la police tout de suite...

Lucie se cala au fond de son siège, l'oreille attentive.

— Jamais facile de savoir ce qui est le mieux pour la vie de l'enfant dans ce genre de situation.

— Délicat, en effet. Cunar part payer la rançon aux alentours de minuit, deux millions d'euros...

— Wouah !

— Ce type est une pointure. Il habite au Touquet et opère régulièrement en Angleterre, dans les plus grands hôpitaux. Rarement chez lui. Quant à sa femme, elle vend et achète des entreprises. Une poigne de fer, paraît-il. Ces deux-là doivent gagner une vie de nos salaires en un mois... Bref, Cunar n'est jamais revenu. Envolé...

— Et la fillette ?

— Assassinée à proximité du champ d'éoliennes de Grande-Synthe, dans un entrepôt. Le commissaire et le capitaine Raviez sont sur les lieux depuis quatre heures du matin.

Lucie frissonna, élevant une pensée pour Clara et Juliette. Leurs bouches rondes et pleines, leurs yeux malicieux. Quand on donne la vie, il s'opère une transition, un accouchement cérébral qui transforme l'enfant en entité sacrée. Un avant où l'on compatissait avec les mères victimes, et un après où l'on devient ces mères, où la douleur de l'être perdu, même inconnu, vous brûle la gorge et vous arrache les tripes...

— Lucie ?

La jeune femme secoua la tête, serra les lèvres. Les

endormissements instantanés la frappaient de plus en plus souvent, n'importe quand. Et les comprimés de vitamine C n'y changeaient rien. Combien de temps tiendrait-elle à ce rythme ?

— Je... Oui... Excuse-moi. J'ai très mal dormi cette nuit, pour ne pas faillir à la tradition...

Norman tapota du bout des ongles sur l'ordinateur. Ses doigts secs ressemblaient à des pattes de mantes religieuses.

— Valet va constituer une équipe. Il veut t'y intégrer. Avec tous les flics en vacances, il puise dans les ressources disponibles avant de rappeler les gars. Qu'est-ce que t'en penses ? Enfin je veux dire... comme tu es jeune maman et pas très en forme, il s'agit peut-être d'une opportunité empoisonnée... Je peux m'arranger pour que...

Lucie s'arracha de son siège.

— Ne pense pas à ma place s'il te plaît ! Je sais parfaitement que mes journées risquent de s'allonger comme des semaines à cause de la paperasse ! Mais si le commissaire m'accorde sa confiance, je ne peux pas me permettre de le décevoir. J'ai beau avoir certaines priorités pour le moment, je ne souhaite pas rester dans l'ombre toute ma vie. Tu comprends ?

Norman lui posa une main sur l'épaule.

— Cent pour cent d'accord avec toi... Tu m'accompagnes en attendant ? Une entreprise porte plainte et nous devons aller constater. Ses murs ont été taggués.

— Passionnant... Mais... tu n'es pas bientôt en vacances ?

— Direction les Alpes après-demain... Normalement...

— Normalement, c'est ça ! Dix contre un que tu vas encore annuler !

Elle engloutit un carré de chocolat.

— Un tic de femme enceinte dont je n'arrive pas à me débarrasser... Je ne peux plus sortir sans ma plaque de choco... T'imagines le flic ringard ? La carte tricolore, le Beretta et la plaque de chocolat ?

— Pense aux patchs si tu veux arrêter...

Dehors, des notes souples et déliées se décrochaient du ciel. Décembre soufflait ses premiers flocons.

7

Comprimés entre quatre murs, les cinq candidats souffraient en silence. Les tortures qu'on leur infligeait n'avaient rien d'humain.

Dix-septième étage de la tour Lille Europe, le toit du Nord. Neuf heures tapantes.

Trente minutes de calvaire mental dans une pièce aveugle. Pour commencer.

Des types endimanchés bataillaient du stylo dans des grésillements de mines. Face à eux, les cent vingt-six questions implacables du PAPI-N, le test de personnalité vedette des ressources humaines.

Parmi les cinq, Vigo Nowak portait le masque pâle de sa nuit blanche. Les torrents de la douche n'avaient suffi à dégonfler ni l'hématome sur son arcade, ni les cernes arqués sous ses yeux noisette. Ses cheveux noirs, brossés vers l'arrière, amplifiaient le contraste avec sa peau naturellement mate, dénonçant avec brutalité les ridules qui, les jours de fatigue, se démultipliaient en serpentins criants. Pour un entretien d'embauche, on ne pouvait pas dire qu'il se trouvait au meilleur de sa forme. Et pourtant, il brûlait de bonheur.

Après vingt minutes, il n'avait pas répondu au tiers des questions. Comment se concentrer avec le coup magistral de la veille ? Le magot dissimulé dans sa remise à charbon aspirait toutes ses pensées. Le bruissement des billets qu'on froisse investissait son esprit à la manière d'un virus sournois. Et, fort heureusement, il n'y avait aucun vaccin pour ce genre d'infection.

En route pour Lille, il s'était branché sur France Bleue Nord, à l'affût des nouvelles régionales. On ne parlait ni de graffitis, ni d'accident, ni de disparition. Un bon point de ce côté-là.

Il pinça son stylo et cocha n'importe quoi, histoire d'exciter sa parcelle de chance, de profiter de la loi des séries qui rythme la sinusoïde des destinées.

Face à lui, le quatuor de chômeurs s'étripait des yeux. Ces pauvres types disputaient ici leur avenir, une promesse de jours ensoleillés. Lécher des bottes pour pouvoir nourrir sa famille. Aujourd'hui, Vigo crachait sur ces bottes.

Il desserra le nœud de sa cravate, en proie à des bouffées de chaleur. Dues non à l'angoisse, mais plutôt à l'envie d'exploser de joie, de crier à tue-tête, de se rouler nu dans la neige. Il secoua la tête. Que faisait-il dans cet aquarium, à barboter pour un poste qui n'en valait pas la peine ? Combien ? Trente-cinq mille euros annuels ? Une poussière d'étoile ! Il cachait au fond d'un sac plus d'une vie de salaire ! Net et non imposable !

Comment envisager un seul instant de continuer à jouer les esclaves ?

Il s'apprêtait à déguerpir quand un type aussi souriant qu'une tête de mort entra, empila les tests et le pria de le suivre. Un chauve à lunettes qui avait perdu ses cheveux à force de stress et de réunions, une machine à broyer de l'humain. La logique du jeune informaticien, sa volonté de ne rien laisser transparaître lui ordonnèrent d'obtempérer.

Porte 12. Vaste bureau, style intérieur de morgue. Pas une feuille de travers. Poubelles vides. Stylos capuchonnés. L'illusion d'une réussite.

Le directeur des ressources humaines invita Vigo à s'asseoir, s'attarda sur la boule violacée de son arcade, avant d'annoncer froidement :

— Je reviens, je vais passer votre test dans la machine.

Il réapparut avant même de disparaître. La magie des gens pressés.

— Vos résultats sont assez impressionnants, mais maintenant, donnez-moi l'envie de vous choisir parmi la vingtaine de candidats que nous rencontrons pour ce poste.

Amusé devant ce déversement de chance, Vigo posa son CV devant lui et présenta son cursus. L'homme à la tête d'œuf l'interrompit d'emblée.

— Mal parti, monsieur Nowak ! Rangez-moi votre CV ! J'espère que vous avez la tête suffisamment bien faite pour vous souvenir de votre parcours, tout de même !

Vigo hésita et finit par s'exécuter. Il l'avait signalé à Sylvain : en aucun cas l'argent ne devait modifier leurs habitudes. Mais il sentait qu'une cire brûlante pouvait à tout moment jaillir de ses lèvres et exploser à la face de l'Œuf.

Après une inspiration exagérée, il s'enfonça dans un ressac de mensonges et de vérité, récita des phrases types sur la motivation, l'envie de réussir, le *management*. Les trois défauts, les trois qualités... Un art dans lequel, au fil des entretiens, il excellait.

— Intéressant, monsieur Nowak. Quels sont vos objectifs de carrière ? Comment vous voyez-vous dans dix ans ?

Et patati, et patata... Comment je me vois ? Riche, ducon ! Réponse formatée qui sembla plaire au robot. L'homme exhibait une dentition à faire pâlir un grand requin blanc.

— Vous avez noté sur la fiche de renseignements un salaire indicatif de quarante mille euros bruts annuels, poursuivit le rapace. Combien gagniez-vous dans votre ancienne entreprise ?

— Trente-huit mille, mentit Vigo.

Toujours gonfler de quinze pour cent. Par principe, pour anticiper les baisses systématiques.

— Cela me paraît beaucoup, à la vue de vos compétences. Les marchés sont très tendus en ce moment. Je pense que vous en êtes conscient.

Ben ouais, sinon je ne serais pas ici, dans ta boîte de crétins ! Dents blanches lâcha un rire de mafieux.

— Nos clients baissent sans cesse les coûts de nos prestations. Qui dit chute des prix dit régression des salaires, forcément ! Vous n'aurez pas mieux que trente-deux mille euros si vous venez chez nous... Non négociables...

Le couteau sous la gorge. Le prétexte de la crise pour lui proposer des revenus minables. Le DRH s'écrasa en vainqueur dans son siège à roulettes, bras croisés.

— Alors ? s'impatienta-t-il.

Coup de bluff.

— Il... J'ai d'autres entretiens dans la semaine. Il faut que je réfléchisse.

— On ne la joue pas au rabais chez MediaTech ! Vous n'aurez guère plus si vous venez chez nous. Avec les tensions économiques actuelles, il ne faut pas vous attendre au miracle, ici comme ailleurs. C'est triste à dire, mais les recruteurs le savent.

— Mais vous me proposez un salaire de débutant ! J'ai plus de quatre années d'expérience !

— Ils vous donneront tous la même chose. Nous n'avons que l'embarras du choix parmi les candidats. Si l'un refuse, un autre acceptera. En temps de guerre, ce ne sont pas les fusils qui manquent !

Vigo ne put contenir une éruption de lave. Hier, il aurait accepté la proposition. Mais aujourd'hui...

— Et vous, si on vous baissait votre salaire ? Demain je vous dis : Charles (vous n'avez pas une tête à vous appeler Charles mais faisons comme si) Charles, il nous faut baisser votre salaire de trente pour cent ! C'est primordial pour la survie de l'entreprise !

L'homme se cabra. Un iguane qui déploie sa collerette pour effrayer ses adversaires.

— Pardon ?

— Oui Charles, vous m'avez bien compris. Trente pour cent. Vous allez devoir faire l'impasse sur votre Mercedes bas de gamme, vos ersatz de costumes grandes marques et vos fausses chemises Lacoste.

Vigo se leva et s'approcha de la baie vitrée, mains dans le dos à la manière d'un P-DG. Il se sentait à l'aise ici, finalement. En bas, le boulevard périphérique se saturait de gomme et de métal. Les axes vers Dunkerque et Paris n'étaient plus qu'une mélasse incandescente. Vigo amplifia le malaise. Le DRH hallucinait.

— Charles, vous êtes préformaté, conditionné, un pur produit de la société de consommation. Au début du siècle, les chevaux qui descendaient dans la mine ne remontaient que morts. On leur crevait les yeux pour leur faire oublier l'enfer où ils se trouvaient. Aujourd'hui, on fait pareil avec les humains. Rien n'a évolué. Boulot-métro-dodo je parie ? Une femme, deux enfants, un chien ? Un labrador qui s'appelle Médor peut-être ? Quand vous rentrez, vous ne voyez pas vos gosses, et votre femme dort sur le canapé du salon, lasse de vous attendre. Vous vivez dans la lumière de votre société et dans l'ombre de votre famille. Vos allers-retours sur Paris vous cassent en deux, mais vous ne dites rien, vous subissez ! Je me trompe ?

La tête d'œuf vira au rouge. De petites veines saillaient sur son cou.

— Vous êtes... Dehors !

Vigo jubilait. Cette sensation de pouvoir le portait au nirvana.

— Mais avec plaisir mon cher Charles ! Continuez à faire le pitre dans vos catacombes de verre. Ces vingt mètres carrés sont votre cercueil, vous êtes un emmuré vivant et vous ne vous en apercevez même pas. Moi je vais profiter de la société et de mes Assedics. Indirectement, je vous vole votre argent. Du pur bonheur !

Un poing qui claque sur le bureau. Des joues qui vibrent. Une corde de violon qui pète au fond du larynx.

— Vous êtes grillé, Nowak ! J'ai le bras long ! Plus une seule société de la région ne voudra de vous ! Ne fichez plus jamais les pieds dans notre entreprise !

Vigo lui tourna le dos.

— Pas de risque. Ces corps qui se putréfient sous mes yeux me répugnent... Ha ! Au fait Charles, il faudra faire des efforts au point de vue vestimentaire. Votre cravate est très laide. Je n'en voudrais même pas pour me pendre.

Échec et mat. Le roi est mort.

Vigo abandonna la Vieille Bourse et l'Opéra avant de s'envoler en direction de la Grand'Place, les mains dans les poches de son caban. Sa cravate croupissait au fond d'une poubelle. Il se sentait léger, soulagé, enfin libéré. Les ordres, les exigences, pour gagner des pousses de pissenlits. Terminé ! À partir d'aujourd'hui, il tenait la barre. Hisse et haut !

Lui et ce fantastique coup de pouce divin.

Il poussa un rugissement à la Mick Jagger, ce qui fit sourire quelques bonnets.

Il acheta deux croissants et s'installa sur les marches qui dévalaient du siège social de *La Voix du Nord*. Déjà à cette heure, des silhouettes capuchonnées s'engouffraient rue de Béthune pour un safari-cadeaux de dernière minute. Au centre de la place, devant le théâtre du Nord, la grande roue décochait des murmures féeriques, lançant aux cieux une poignée de touristes anglais. La capitale européenne de la culture bouillonnait de vie.

Vigo roula l'emballage de ses croissants, le jeta au bas des marches puis observa les passants qui déviaient pour éviter le maigre obstacle. Amusante cette manière d'agir sur les courbes de vies sans le moindre effort. Là, cette femme avec son sac rouge. Hop ! Un pas de travers à cause de la boulette. Une demi-seconde dérobée à sa matinée. Une action qui allait se répercuter sur des milliers de gens, des milliards d'atomes. Elle allait croiser d'autres personnes que celles initialement prévues – prévues par qui ? –, influer inconsciemment sur leurs rythmes, leurs comportements. L'air se déplacerait d'une façon différente, les odeurs aussi, de timides molécules olfactives donneraient soudain l'envie au buraliste du coin de fumer et donc de servir un client cinq secondes plus tard. Pressé, plus nerveux, l'homme roulerait un peu plus vite au retour. Pas grand-chose, peut-être un kilomètre par heure supplémentaire. Son attitude jouerait sur une infinité de trajectoires, de comportements, qui eux-mêmes... Tellement anodin. Il croiserait les doux rebonds d'un ballon d'enfant, freinerait, mais trop tard. Appellerait la mort. Pleurs, enterrements. Suicides peut-être. Et ainsi de suite.

À l'origine ? Une boulette de papier...

Vigo sauvait et arrachait des vies sans que personne ne s'en aperçoive. Le pouvoir caché des êtres intelligents.

À nouveau à flâner, il dévora les façades enguirlandées, les vitrines aguichantes. Tout lui appartenait, virtuellement. Qu'est-ce qui l'empêchait d'entrer, d'acheter à gogo et de lâcher quelques billets fleuris de son chapeau de magicien ?

Il voulut tenter une expérience anodine. Palper de plus près cette sensation – une réalité – de richesse. Il traversa en diagonale la place du Général de Gaulle et bifurqua dans la rue Nationale. Au numéro 107, il entra. Il crut alors s'aventurer sur les terres humides de Cuba, s'enfoncer dans un champ au tabac d'exception. Plus de deux cents références de cigares étaient présentés dans leurs plumiers en cèdre ou en aulne massif. Des Amerinos, Regalias, Coronas et autres Panatelas, drapés dans leurs capes sombres. Vigo ne connaissait des cigares que les José L. Piédra soldés par fagots de vingt-cinq, ou comment donner aux pauvres une illusion de richesse.

Il se fit accompagner au déambulatoire obscur et exigu, une caverne d'arômes, une gorge de saveurs tapissée d'histoire et d'exotisme. On s'occupait de lui et il adorait ça.

— Je veux la perle rare, poussa-t-il d'une voix de ténor. Qu'il me procure l'excitation de l'allumette entre les mains du pyromane.

Les yeux du vendeur prirent la texture brun-rouge des feuilles de tabac.

— Dans ce cas, je vous conseille le Salomon. L'ex-dictateur cubain Batista les faisait fabriquer pour les offrir à ses hôtes de marque : présidents, ministres ou ambassadeurs.

— Alors... Cela vaut peut-être la peine que je l'essaie ! Mais... ne me décevez pas...

L'homme lui récita un baratin destiné aux riches, parlant de tripe, de sous-cape, de vitole.

Quarante-cinq euros la pièce. Une pacotille. Vigo sortit cinq billets de sa poche.

Cinq billets de cent euros.

Il salua le vendeur et fondit dans les rues serrées du Vieux Lille. La neige avait déjà cessé de tomber, ayant abandonné sur les pavés une transparence de calque. *Fausse alerte*, songea-t-il en portant le cellulaire à l'oreille. Sylvain décrocha au bout de deux sonneries.

— Nathalie n'est pas à côté de toi ? jeta Vigo d'emblée.

— Non, elle habille Éloïse. Bonjour à toi aussi...

— Et la voiture ?

— J'ai changé le phare. Pour la carrosserie, le type de la casse va pouvoir jeter un œil, mais pas avant trois jours.

— Nathalie a vu quelque chose ?

— Évidemment !

— Qu'est-ce que tu lui as raconté ?

— Tout est arrangé, ne t'inquiète pas. En gros, un type a foncé avec sa mobylette dans mon pare-chocs hier soir, alors qu'on était chez toi, et il s'est enfui. Comme la voiture n'est assurée qu'au tiers, inutile d'appeler l'assurance...

— Très bien. Tu tiens le coup ?

— Je n'ai pas fermé l'œil. J'ai les boules ! Le téléphone a sonné à trois reprises ce matin, à chaque fois j'ai cru...

Il baissa la voix.

— C'est stupide mais j'ai cru qu'il s'agissait des flics ! J'ai peur qu'ils débarquent !

Vigo serra le poing. Ses craintes se matérialisaient.

— Arrête tes bêtises ou Nat va s'apercevoir de quelque chose ! Tu dois te contrôler ! Il le faut, tu m'entends ? Les flics ne viendront jamais, comment veux-tu qu'ils remontent jusqu'à nous ? On est en sécurité, compris ?

— Oui...

Sylvain se racla la voix.

— Écoute, j'ai un gros problème. Un technicien de Depann'gaz est venu. Ma chaudière est morte et nous sommes obligés d'utiliser le vieux feu à charbon avec le conduit rafistolé à l'adhésif. Autant te dire que ça craint ! Il y en a pour trois mille euros. J'ai besoin d'argent. J'ai pensé que je pourrais...

— Hors de question ! On ne touche à rien pour le moment ! Bon sang, t'es taré ou quoi ?

Face aux regards étonnés d'une poignée de passants, Vigo s'engonça dans son caban et bifurqua dans un boyau écrasé de boutiques ésotériques et d'antiquaires.

— Fais un prêt à la consommation ! Ils prêtent du blé à tout ce qui a deux jambes et deux bras. Le temps qu'on réfléchisse...

— Impossible, vu notre endettement ! C'est débile ! Il faudra bien qu'il serve cet argent ! Je suis vraiment dans la merde.

Un éclair frappa les pupilles de Vigo.

— Attends ! En fait, je crois que j'ai la solution !

Laisse-moi le temps d'acheter une valise rigide pour les billets et je passe chez toi, OK ?

— Quelle solution ?

— Tu verras ! Tu refuses toujours de cacher le trésor chez moi ? Il serait plus en...

— Pas question ! Il nous appartient à tous les deux. Ce n'est pas que je manque de confiance, mais je préfère le savoir dans un endroit neutre. Imagine, si ta maison venait à brûler ? J'ai la planque parfaite. Je t'attends en fin de journée avec le magot...

Espèce d'abruti, pensa Vigo.

Il raccrocha, un pli mauvais sur les lèvres. Obéir à un type aussi peu organisé que Sylvain lui arrachait des pans d'amour-propre.

Avant de regagner sa voiture, il entra dans une boutique de jeux, au cœur d'Euralille, et acheta cash l'ordinateur d'échecs le plus perfectionné ainsi que quatre jeux vidéo. Acheter, acheter et encore acheter. Anonyme et divin.

Il se procura aussi une boîte de somnifères, des Donormyl, dans une pharmacie.

Au volant de sa voiture, le Salomon entre les dents à la manière d'un prince arabe, il savait que le rêve pouvait virer au cauchemar d'un instant à l'autre.

S'il ne rassurait pas Sylvain.

S'il ne contrôlait pas leur secret...

8

À l'aide d'un appareil numérique, Lucie Henebelle photographiait les façades de l'entreprise tagguée. Des hommes – haut placés vu leurs costumes et leurs grosses berlines – discutaient devant l'entrée avec le lieutenant Pierre Norman, les gestes vifs et le ton dur. Dans la cohorte des costumes sombres, la chevelure rousse du policier flashait comme un départ d'incendie.

Lucie pestait en silence devant l'inutilité de sa tâche. Elle qui rêvait depuis longtemps d'enquêtes dans des caves sombres, d'assassins intelligents, ne récoltait que des miettes. Pourquoi les enfants de parents ordinaires – mère sans emploi, père ouvrier – ont-ils un destin ordinaire ?

Norman s'approcha.

— Pas tendres les costards ! À les écouter, c'est de notre faute ! Alors ?

— Rien de spécial. Deux écritures différentes, donc deux taggueurs. Des propos pas très inspirés en tout cas.

— Ça tombe le jour de la visite de la direction parisienne. Tu peux noter que cent vingt-sept personnes ont été licenciées de l'aciérie voilà six mois. Des ouvriers et des informaticiens. Une purge propre et ordonnée. Nous avons affaire à une stupide vengeance, à tous les coups. S'il fallait creuser, on s'orienterait d'emblée vers les ouvriers. D'après les cravates, les informaticiens n'ont pas la « culture » syndicat, ces propos ne leur collent pas...

Norman fit tinter les clés au fond de sa poche.

— Mettons-nous en route. La petite Cunar a été assassinée à dix kilomètres d'ici et j'aimerais aller jeter un œil.

— Tu ne récupères pas la liste du personnel licencié ?

— Ils vont nous la faxer. Et on a bien plus urgent que ces conneries !

— Étrange, souligna Lucie en lâchant une œillade sur l'issue de secours. Les inscriptions ont été effacées sur cette porte. Comme s'il fallait absolument masquer la phrase.

Norman glissa une main sur le graffiti.

— Une signature qu'ils ont voulu dissimuler ? Un sursaut de lucidité ? Allez, on y va cette fois !

Le jeune brigadier ferma son carnet, sceptique. La signification de ces ratures l'intriguait.

Lucie ressentit une forme d'excitation nouvelle lorsqu'ils arrivèrent à destination. L'absence de la plupart des officiers lui offrait enfin la possibilité de côtoyer le lieu d'un crime autrement que par photos interposées. Le capitaine Raviez n'apprécierait pas sa présence mais, après tout, elle ne faisait qu'obéir à Norman, son supérieur direct.

La voiture s'arrêta derrière une Mégane et un Scénic, au cœur du cimetière de pales géantes. Autour, les usines saturaient l'atmosphère d'une noirceur de lignite.

Lucie salua brièvement un brigadier relégué au rôle

de planton et accompagna Norman vers un technicien de la police scientifique. Pas de blouse blanche, de masque en coton, ni même de parka avec l'inscription « Police scientifique ». Juste un type avec un brassard fluorescent, aux mains violettes, à la respiration douloureuse, dévoré par un froid de vingt-quatre décembre.

— Attention où vous mettez les pieds ! signala-t-il en tendant un bras. Encore quelques minutes, le temps que j'en finisse avec ces empreintes de pneus !

Norman pointa le menton en direction d'un cube de tôle, planté à une dizaine de mètres au milieu de longues friches. La salle d'exécution...

— Un rapport avec le crime de la fillette ?

Le technicien désigna de petits sachets transparents étalés sur le dos d'une mallette.

— Plutôt, oui. Ces fragments de phare gauche, prélevés à cinq mètres du début des traces de ripage, prouvent qu'il y a eu choc. J'ai aussi retrouvé une paire de lunettes en très mauvais état, identifiée par l'épouse comme appartenant à Cunar.

— Il aurait été renversé ?

— Renversé et embarqué, puisque son corps a disparu. Le luminol a révélé la présence de sang à plus de neuf mètres du point d'impact, derrière vous.

Lucie se retourna et plissa les yeux.

Neuf mètres ? Sacré vol plané.

— Le plus troublant, c'est qu'on a essayé d'effacer ces traces de sang ! Des microfibres, piégées dans les rugosités de l'asphalte, prouvent qu'elles ont été essuyées.

— Essuyées ? À... à quelle vitesse s'est produit le choc ?

Le technicien se redressa, retira ses gants en latex et enfila ceux en laine.

— J'ai relevé trois traces nettes sur quatre, ce qui induit que les freins ont fonctionné à soixante-quinze pour cent. De tête, mais il faudra que je vérifie sur des abaques au labo, on obtient une vitesse approximative de cent kilomètres heure pour cette largeur de pneus. Quant à la déviance initiale des traces, elle caractérise l'acte non prémédité. Le chauffard a tenté d'éviter l'obstacle, trop tard malheureusement.

Norman s'accroupit au niveau des traces de gomme tandis que Lucie sortait son calepin pour y gribouiller quelques notes.

— Le choc entre un véhicule roulant à cette allure et un humain n'aurait pas causé plus de dégâts au véhicule ? demanda-t-elle, stylo entre les doigts. Genre pare-brise qui explose ?

— Aucunement. Le piéton a été fauché comme un brin de blé. Pour quelqu'un de la taille et du poids de Cunar, l'impact se produit principalement sur le haut du capot. La tête percute la tôle qui absorbe la majeure partie du choc, le corps roule sur le pare-brise avant d'être éjecté vers l'arrière, parfois à plusieurs mètres de hauteur. Contrairement aux idées reçues, lors de ce type de frontal, les dommages occasionnés sur le véhicule sont minimes. Par contre, l'humain meurt sur le coup.

Norman opéra un tour complet sur lui-même et écarta les bras.

— Je ne comprends pas bien pourquoi Cunar n'a pas cherché à éviter le véhicule. Cette route est parfaitement droite. Comment manquer l'arrivée d'un bolide ?

Le technicien leva le doigt.

— Parce que la voiture roulait phares éteints, tout simplement. Et j'en ai la preuve !

Il se plaça au bord de la route, à l'endroit où luisaient encore d'infimes éclats de phare.

— La voiture de Cunar a été retrouvée de l'autre côté du champ d'éoliennes, dans le parfait alignement entre l'endroit où nous nous trouvons et l'entrepôt. Il a donc traversé par ce terrain pour gagner le lieu de rendez-vous et s'est fait percuter de profil, ici même.

— De profil ?

— La branche droite des lunettes était complètement pliée vers l'intérieur et la vis reliant la branche à la monture portait des fragments de peau. La tête a donc percuté la tôle de façon latérale, au niveau de la tempe droite. Cunar marchait vers son objectif, sans faire face au véhicule. Il ne l'a pas vu.

— Oui, mais le bruit du moteur ? demanda Lucie.

— Cette nuit, le vent soufflait fort. Les tracés audiométriques fournis par les exploitants des éoliennes indiquent des pointes de bruits jusqu'à soixante-dix décibels. Combinés avec le souffle du vent, ils se confondent parfaitement avec le ronflement d'un moteur qui tourne à très bon régime. L'ouïe et la vue ont trahi Cunar, ainsi qu'une sacrée part de malchance...

L'homme dont la jeunesse fleurissait au travers d'une acné tenace rangea délicatement les sachets dans sa mallette.

— Mon rapport détaillé et le bilan préliminaire de la bio arriveront sur le bureau de votre capitaine avant la fin de journée, mais sachez aussi que les quatre cinquièmes du phare ont disparu. J'ai fouiné partout sur vingt mètres, rien hormis ces débris ridicules.

— Possible que seule une partie du phare ait été brisée ! conclut hâtivement Lucie.

— Non ! Les dessins et la concavité des éclats indiquent qu'ils proviennent d'extrémités différentes d'un phare gauche. Ces morceaux ont bel et bien disparu ! Un chauffard qui prend la peine de gommer avec tant d'attention les traces de son passage et d'embarquer un cadavre, vous ne trouvez pas ça audacieux vous ?

Il jeta un coup d'œil à sa montre.

— Bon ! Excusez-moi mais je file ! J'ai encore quatre-vingts kilomètres à me farcir avant de rédiger le rapport. Et, comme tout le monde, j'aimerais pouvoir profiter de mon réveillon !

Vingt secondes plus tard, il disparaissait dans un crissement de pneus alors que le capitaine Raviez sortait de l'entrepôt. Moustache sombre sur visage fermé.

— Allons rejoindre le chef, proposa Norman.

Lucie marqua un temps d'hésitation.

— Il risque de tiquer en me voyant. Tu ne crois pas que je devrais rester sagement dans la voiture ?

Norman haussa les épaules avant de fondre dans sa veste de cuir. Des tourbillons invisibles frappèrent les éoliennes, leur arrachant des hurlements sinistres...

9

Le capitaine Raviez arborait une moustache gigantesque. La proéminence poilue d'un brun terreux mangeait la totalité de sa lèvre supérieure et s'étirait en pointes de fouet entretenues avec une laque spéciale. L'élégance d'Hercule Poirot sur la carcasse de Clint Eastwood.

Raviez se revendiquait Dunkerquois pur et dur, friand de bière et de carnaval. Mais une fois ses cent kilos comprimés sous son uniforme de flic, il dégageait la froideur d'une falaise. Le genre de type à éviter, si possible...

Il grillait une roulée à l'entrée du confinement qui abritait la Mort. Comme à son habitude, il brilla d'éloquence.

— Je vous ai vu interroger le Lillois. Qu'est-ce que tu fiches ici, Henebelle ?

— C'est moi qui l'ai amenée, capitaine. Une entreprise a été tagguée à une dizaine de kilomètres d'ici, alors on a fait un petit détour... Vous êtes seul ?

— J'attends les collègues de la brigade canine. Le commissaire est parti pour l'autopsie de la fillette et Colin interroge la mère. On a lancé l'enquête de proximité. Sale affaire pour une veille de Noël !

Il écrasa sa cigarette à peine entamée sous sa botte

de cuir. Ses doigts tremblaient. De froid ou de nervosité ?

— Qu'est-ce qu'on a ? osa Norman. D'après le technicien de la scientifique, Cunar aurait été renversé ?

Le capitaine hésita, releva le col de sa veste polaire et lança :

— Reste dehors Henebelle ! Norman et moi allons...

— Capitaine ! Je ne l'ai pas amenée ici pour qu'elle fasse le piquet ! Elle va travailler sur l'affaire.

Raviez déshabilla Lucie d'une onde visuelle.

— Tu sais pertinemment que l'accès aux scènes de crime est réservé aux officiers de police judiciaire, n'est-ce pas, Henebelle ?

— Oui, mais je sais aussi que trois cerveaux carburent mieux que deux...

Raviez agita la bouche de droite à gauche comme pour un rinçage de dents.

— Une chance pour toi qu'il n'y ait plus grand monde. Bon, suivez-moi ! Les Lillois ont terminé la cartographie et leurs relevés depuis l'aube, mais marchez quand même sur les planches.

Henebelle et Norman échangèrent un regard crispé au moment où l'attaque d'halogènes à batterie leur écorcha les rétines. Des diamants de poussière vibraient dans l'air en une pluie désordonnée. Le bâtiment résonnait comme une carcasse meurtrie, une tombe muette abandonnée aux ravages du temps. Norman frissonnait, à l'opposé de Lucie qui bouillait intérieurement.

— On a retrouvé le corps de la petite ici, sous cette fenêtre, commenta le capitaine.

Il se posta à proximité d'une silhouette en craie. L'esquisse d'une vie arrachée.

— Marques quasi invisibles de strangulation. Aucune

trace de pénétration ou de sévices particuliers. Avec les variations de températures nocturnes, le légiste a peiné pour estimer l'heure de la mort. Entre minuit et trois heures du matin, selon lui. La porte d'entrée n'était pas verrouillée. Ce bâtiment doit être abattu, il servait à stocker des bobines de câbles. La mère a appelé au commissariat à trois heures du matin, inquiétée par l'absence de nouvelles de son mari. Le couple devait remettre une rançon deux heures plus tôt, à cet endroit précis.

Raviez se pencha vers la fenêtre. Ses traits se crispèrent sous les aplats de lumière.

— La femme de Cunar achète et vend des entreprises dans le textile, elle a licencié plus de cent dix employés en moins d'un an. On la prétend froide comme la mort, sans pitié pour l'emploi. Elle et son mari reçoivent sans cesse des lettres de menaces, des appels à n'importe quel moment de la journée ou de la nuit. Hommes, femmes, même des enfants ! Un bon point, ça nous oriente vers des premières pistes de recherche.

— Que donnent les prélèvements de la Scientifique ? demanda Norman.

Raviez contracta les mâchoires.

— C'est plus que louche, du jamais vu. Des tonnes d'empreintes digitales, mais aucune exploitable.

— Comment ça ?

— Les traces sur la vitre, le sol et la poignée d'entrée ont été aspergées de cyanoacrylate de méthyle. Le colorant fluorescent a réagi, ce qui prouve la présence de graisses et que, par conséquent, l'assassin ne portait pas de gants. Et pourtant, l'empreinte résultante ne possède aucune crête papillaire ! Il n'y a que... le contour des phalanges, partout. Comme les marques d'un fantôme.

Norman se rapprocha de la vitre crasseuse, l'air abasourdi.

— À quoi ça rime ? À ma connaissance, il est impossible de ne pas posséder de sillons digitaux ! Ils nous suivent de la naissance à longtemps après la mort ! Sauf si...

— L'assassin a les mains brûlées ou un truc du genre, compléta Lucie.

Raviez acquiesça.

— Ce n'est pas la seule bizarrerie, ajouta-t-il. On nage en plein délire...

Au travers des filets de poussière, Henebelle et Norman se mirent d'accord d'un mouvement de sourcil : le capitaine n'était pas dans son assiette.

— Le corps était disposé d'une façon... comment dire... étrange. La fillette était assise sur le sol, les jambes légèrement écartées et les mains entre les cuisses. Les cheveux parfaitement coiffés, avec une raie au milieu. Malgré le froid, elle ne portait pas de blouson, juste une robe de chambre fine comme de la cellophane... Sa peau, ses vêtements puaient le cuir. Une odeur imprégnée, tenace. Quand je suis arrivé...

Secoué d'un frisson qu'on pouvait aisément imputer au froid, Raviez compléta :

— ... j'ai eu l'impression que la petite était vivante ! Elle... elle souriait, les yeux grands ouverts et la tête tournée dans ma direction... comme un pantin effrayant !

Le cœur de Lucie s'emballa. Il y avait dans cette scène de crime une dimension qu'on ne pouvait pas trouver dans les livres : le ressenti, cette sensation d'extrême froideur qui vient vous comprimer les poumons. Et, par-dessus tout, la douloureuse impression d'arriver trop tard.

Elle baissa les paupières.

Un sourire, une raie sur les cheveux... Tu as donc pris la peine de créer un impact fort. Tuer ne t'a pas suffi, il fallait que tu rajoutes ta petite touche personnelle. Tu...

— Vous saviez que l'enfant était aveugle de naissance ? reprit Raviez. Une... dysplasie-septo-optique... Moins de quatre cents cas dans le monde, d'après le légiste. Une méchante maladie orpheline...

La jeune femme glissa le menton sous le col de sa parka, tandis que Norman explosait.

— Une enfant handicapée ! Il s'en est pris à une enfant handicapée ! Elle n'aurait jamais pu l'identifier ! C'était gratuit, putain !

Le capitaine Raviez se lissa la moustache du bout des doigts pour en chasser les gouttes de condensation.

— La colère, la vengeance, voilà ce qui a poussé ce monstre à agir ! Envers Cunar, à cause de l'échec ! Imaginez un peu. Vous êtes à deux doigts de réussir. Cet argent frissonne déjà entre vos doigts. Et là se produit l'impossible : l'homme censé vous remettre la rançon se fait renverser. La suite est simple à imaginer. À ton avis, Henebelle ?

Lucie s'intercala entre les deux hommes.

— Deux solutions s'offrent au chauffard... Ou fuir, ou s'arrêter... Sa conscience lui ordonne de sortir de son véhicule... Le type sur le sol est salement amoché, peut-être mort... Même si le conducteur se décide à appeler une ambulance ou la police, un élément va remettre en cause sa façon de penser : le magot qu'il découvre à proximité du corps... Les dés sont jetés, plus d'hésitation : il ne prévient pas la police et prend la fuite... À ce moment, le ravisseur voit rouge, ses rêves s'écroulent d'un coup... Plus d'avenir... Alors il s'approche de la petite et lui serre la gorge...

— Quelle est ta théorie sur la disparition du corps de Cunar ?

— Je... n'en sais rien... Qui l'a embarqué ? Le tueur ? Le chauffard ? Trop risqué. Dans ce genre de situation, à mon avis, on prend l'argent et on fuit le plus loin possible sans se retourner...

Norman intervint.

— Le type de la Scientifique assure que le sang de Cunar a été essuyé, que des morceaux de phare ont disparu. Les optiques, même à l'état de débris, permettent d'identifier un type ou une marque de véhicule, et notre chauffard devait le savoir. Il a voulu limiter les risques d'identification, décidant alors d'effacer les traces de son passage. Il emporte aussi le corps pour s'en débarrasser plus loin, le tout au nez et à la barbe du ravisseur.

— C'est aussi mon point de vue, appuya Raviez. Quant aux lunettes, elles ont atterri loin du lieu d'impact et il ne les a pas vues. Je dirais que notre chauffard est réfléchi, organisé, et franchement culotté. Quant au fait qu'il roulait feux éteints à grande vitesse sur une voie sans issue... Je ne vois pas d'autre solution que la course-poursuite...

— Ou alors un type qui veut impressionner sa nana et qui vient tester ici la puissance de sa voiture, ajouta Lucie. Ou un chauffeur pressé avec des phares hors d'usage, paumé dans la zone industrielle. Les raisons peuvent être multiples.

— Un beau merdier, en tout cas ! s'exclama Raviez.

Des aboiements de chien claquèrent.

— La brigade canine, fit-il en oscillant entre les planches. Les truffes vont retracer le chemin emprunté par Cunar et nous confirmer la théorie du corps embarqué. Norman ! Il faut contacter la gendarmerie et solliciter leurs plongeurs de la brigade nautique. Si le chauffard voulait se débarrasser du corps, il a dû l'abandonner dans le lac du Puythouck ou le bassin maritime. Henebelle, prends la voiture et rentre au commissariat. Appelle les assurances et les garages des environs. Relève l'identité des personnes qui ont signalé un véhicule endommagé sur l'avant. Tu me travailles aussi les types de la Scientifique pour qu'ils m'envoient par fax leurs premières conclusions, même des esquisses, le plus vite possible.

Il désigna une camionnette plantée le long d'une voie perpendiculaire.

— La presse est déjà au courant. Pas un mot surtout ! Et préparez-vous à allonger vos journées. Dans moins d'une heure, des préfets, des ministres, des divinités parisiennes vont nous tomber sur le dos parce qu'il s'agit d'un meurtre d'enfant ! Il faudra assurer ! C'est parti !

Lucie gratifia le capitaine du mouvement de menton réglementaire, récupéra les clés et les papiers du véhicule avant de disparaître. Elle bouillait intérieurement. Sa première scène de crime et des responsabilités la même journée. Des lectures théoriques qui se matérialisaient. L'appel du sang. Un meurtre tordu. Avait-on exaucé ses prières ?

Elle s'injuria mentalement. Comment pouvait-elle, à cet instant précis, ressentir une forme de plaisir alors qu'une enfant handicapée venait d'être assassinée ? Alors qu'elle sortait de l'arène de sa mise à mort ?

En route pour les brumes perpétuelles de Dunkerque, elle se concentra sur les prémices de l'enquête. Elle devinait déjà les manchettes des journaux. « Meurtre sauvage d'une petite aveugle... » ; « Strangulation... » ; « Le commissariat de Dunkerque en ébullition ».

La colère... Selon Raviez, la colère avait contraint le meurtrier à frapper, à poser ses doigts déterminés sur la gorge tendre.

Elle souriait, les yeux grands ouverts.

Pourquoi avoir placé le corps contre le mur, dans une position propre, ordonnée ? Pourquoi ce sourire sur les lèvres d'une fillette emportée par la souffrance ?

Lucie pressa son volant avec amertume. Il manquait les photos de la scène, le rapport d'autopsie, les analyses biologiques, toxicologiques qui tomberaient bientôt. Des éléments essentiels auxquels elle n'aurait pas accès à cause de la barrière du grade.

Mais rien ne pouvait lui enlever de la tête que le raisonnement de Raviez clochait. Le meurtre n'avait rien de désorganisé. Elle poussa un carré de chocolat sur sa langue.

Tu te fais trop de films. Qui se mutilerait le bout des doigts pour éviter de laisser des empreintes digitales ? Mais alors, cette absence de sillons digitaux ? Ce...

D'un coup, elle écrasa la pédale de frein et opéra un demi-tour serré. Un courant glacial lui courait le long de l'échine. Glacial mais agréable.

Le capitaine se détacha d'un groupe de gendarmes lorsqu'il vit la torpille blonde accourir dans sa direction.

— Henebelle ! Qu'est-ce que tu fiches encore ici ?

Lucie chercha son oxygène.

— Vous disiez que... la petite souriait... n'est-ce pas ? Quel type... de sourire ? Discret ? Bouche... ouverte ? Lèvres serrées ? Montrez-moi !

— À quoi tu joues ?

— Montrez-moi... capitaine !

— Tu m'agaces, je te dis que c'est un sourire. Qu'est-ce que tu veux avec ça ?

— Lorsque votre cerveau ne contrôle plus vos muscles zygomatiques, pendant le sommeil par exemple, votre bouche se distord naturellement... Mais le fait de sourire impose un effort prolongé de nombreux muscles, qui ne peut être maintenu lorsqu'une personne est morte.

— Je sais bien ! Il est clair que notre assassin a placé les lèvres de cette façon juste après la mort, et que la rigidité cadavérique a fait le reste.

— Dans ce cas, on devrait éliminer l'hypothèse de la colère. La colère est une pulsion brève et incontrôlée. Une fois celle-ci dissipée, les assassins regrettent très souvent leurs actes, ils cherchent à tout prix à fuir, à se débarrasser de ces images de violence qui leur hantent l'esprit.

Le capitaine fit signe au lieutenant-colonel de gendarmerie de patienter.

— Arrête ton baratin de bouquins avec moi. Colère et vengeance ! Rien d'autre ! Volonté de choquer, de blesser plus encore suite à un accès de rage !

— Ce que vous dites est contraire au...

— Assez ! Retourne au commissariat et fais ce que je t'ai dit !

Lucie ne se laissa pas impressionner. Il fallait aller au bout.

— À vos ordres capitaine. Mais vous savez que la rigidité cadavérique débute au minimum une heure après la mort. Une heure capitaine ! Il lui a maintenu la bouche pendant une heure dans le plus grand calme, alors qu'un chauffard s'envolait avec son argent. Soixante minutes, nez à nez avec un cadavre de fillette aux yeux grands ouverts !

10

Le long d'une rue de Dunkerque parallèle au port de plaisance, une Fiat au bout du rouleau stoppa dans un étranglement de freins.

— S'il te plaît !

Des torsades claires évadées d'un bonnet en laine voletaient dans l'air salin. Sous cette blondeur clairsemée, seuls deux petits yeux s'échappaient d'une écharpe serrée par les soins d'une main protectrice. Une main de maman soucieuse.

— Oui madame ?

La conductrice montra par la fenêtre ouverte un sac bondé de jouets.

— Je compte amener tous ces cadeaux à l'hôpital Herbeaux pour le Noël des enfants, mais je suis complètement perdue dans cette grande ville. Je viens de loin ! Tu pourrais m'indiquer la route ?

Éléonore, treize ans, ajusta la bretelle de son sac à dos et s'approcha au bord du trottoir. À peine seize heures vingt et la nuit tombait déjà. Au retour de la pharmacie, il lui faudrait accélérer pour ne pas inquiéter la famille.

— C'est pas très loin d'ici, mais je sais pas trop comment vous expliquer. Il faut reprendre la direction du centre-ville, longer le port et après je crois que c'est indiqué. Vous savez, j'y vais souvent à l'hôpital. Les enfants vont être contents pour les jouets !

Le sourire franc de la femme disparut brusquement derrière une carte lorsqu'un couple enlacé parvint à sa hauteur. Elle dit, le souffle court :

— Les plans routiers, je n'y comprends absolument rien ! A25, RN252, du chinois ! Et puis tu sais, mes yeux ne sont plus tout jeunes ! On fait un pacte ? Tu grimpes dans la voiture, tu m'indiques où se trouve l'hôpital, je cours déposer ces superbes jouets à l'accueil et après je t'emmène à bon port. En cadeau, pour te remercier, je t'offre le gros Marsupilami qui est dans mon coffre. Tu es un peu grande pour la peluche, mais tu as bien un petit frère ou une petite sœur ? Cela ferait un très joli cadeau pour son Noël !

Éléonore s'écarta du flanc de la voiture. À l'école comme à la maison, on répétait qu'il ne fallait jamais monter avec des inconnus. Que les étrangers se drapent d'une fausse gentillesse, offrent des bonbons, savent convaincre les enfants. Chaque année, au carnaval, on lui interdisait de sortir seule. La mer drainait encore les cicatrices de quatre adolescentes violées puis assassinées sauvagement. Mais devait-elle craindre cette vieille femme ridée avec ses cheveux gris, son gros cache-nez rouge et ses mains abîmées ? Éléonore s'étira le bout des gants avec les dents.

Mince ! Fallait que ça tombe sur moi !

— Je peux pas monter, m'dame. Ma mère m'a interdit !

La femme agita un sachet de porte-clés jaune poussin. Des *Bart Simpson* en miniature.

— Ceux-là, c'est pour les petits leucémiques. Je leur ai promis avant seize heures trente, vois-tu ? Je ne suis pas la Mère Noël, cependant je connais l'importance que revêt une promesse à leurs yeux. Des gens m'ont déjà expliqué pour la route. Mais la débrouillardise n'est pas ma plus grande qualité ! Allez, s'il te plaît ! Je n'ai plus beaucoup de temps ! Mes enfants, mes petits-enfants m'attendent pour le réveillon !

Éléonore sautilla, pieds joints. Que faire ? Désobéir à maman ? Jamais ! Oui, mais c'était pour le bien des enfants. Des malades, comme elle. Et puis, on disait de ne pas accompagner des messieurs. La règle ne s'appliquait pas aux vieilles dames au cœur tendre !

— D'accord, répondit-elle. Mais ensuite vous me déposerez à la pharmacie ? Je ne dois surtout pas arriver en retard à la maison ! Ou maman va me tuer !

— Tape là ! Monte derrière. Mais fais attention aux poupées. Je ne voudrais pas que tu les abîmes.

La fille à la frimousse camouflée par une écharpe, à la physionomie noyée dans des vêtements épais, méconnaissable en définitive, se glissa parmi les poupées des sièges arrière. De grands yeux au teint de nacre la fixaient. Les narines d'Éléonore battirent, une odeur entêtante de cuir comprimait l'air.

— Tu peux ôter ton bonnet jeune fille ! Il ne risque pas de neiger dans la voiture !

L'enfant s'exécuta. Des rivières blondes se répandirent par-dessus ses épaules.

Magnifique... pensa la femme. *Superbe... Superbe*...

— Elles sont très belles vos poupées. On dirait presque de vrais visages !

— Je les confectionne moi-même avec d'excellents matériaux. Tu sais, il faut plus de cinquante heures pour en fabriquer une.

Éléonore tiqua. Le ton de la femme avait subitement mué. Moins grésillant que tout à l'heure. Plus dur. Beaucoup plus dur. L'enfant posa ses mains sur ses genoux et se tut.

Personne ne prêta attention à la scène. Les occupants des rares voitures circulant dans la rue étaient trop absorbés par le caractère féerique et anesthésiant du réveillon.

Aussi anesthésiant que le tampon d'éther qui, plus loin sur un parking désert, s'écrasa sur le nez d'Éléonore et l'abandonna sur les frontières vacillantes de la folie...

11

La sonnerie du fax arracha Lucie au monde des songes. Il lui fallut une bonne dizaine de secondes pour comprendre qu'elle s'était endormie assise, la tête rejetée sur le côté, devant les photons crépitants de son écran d'ordinateur. L'horloge digitale indiquait seize heures trente. Vingt minutes d'un sommeil féroce en plein dans l'exercice de ses fonctions. Elle chercha sa salive, le temps de s'apercevoir que les persiennes des bureaux voisins étaient abaissées. Un voile synthétique qui l'avait préservée des regards extérieurs.

Combien de temps traverserait-elle les mailles du filet sans se faire pincer ?

Elle jeta un œil dans le couloir et se rassura à la vue des espaces vides et des bureaux inoccupés. Quelques collègues dans l'*open space* du fond, mais *a priori*, personne ne l'avait vue.

Si ça continue, tu vas t'endormir en marchant !

Lucie se faufila jusqu'au bureau de Raviez. Derrière la porte, le fax du capitaine soufflait les premiers résultats de la police scientifique. Après un regard à droite, à gauche, la jeune femme tourna la poignée...

Les gonds grincèrent, libérant des rubans olfactifs de tabac.

Si on te surprend ici, tu diras que le fax hurlait par

manque de papier... Oui, c'est ça. Le moustachu voulait à tout prix ses rapports en rentrant, alors tu es venue remettre du papier dans la machine...

Gorge serrée, elle s'empara des premiers feuillets confidentiels. Elle hésita un instant, prise de suées tenaces, rabattit légèrement la porte et remonta un peu les persiennes. Elle risquait gros à fouler le territoire du capitaine. Mais les truites sont curieuses par nature, l'enquête l'avait ferrée.

Ce n'est pas de la fiction ni l'un de tes bouquins théoriques, idiote ! Tu tiens entre les mains le destin volé d'une handicapée. C'est ça qui te fait vibrer ?

Tais-toi ! Laisse-la faire ! Elle exerce juste son métier !

Faute de temps, la jeune femme ne s'intéressa qu'aux termes soulignés, aux conclusions de fins de sections et annotations manuelles rajoutées après l'impression, laissant de côté le baratin scientifique.

Les premières pages, rédigées par Stanislas Nowak, le technicien, concernaient l'accident et confirmaient les déductions établies sur place. Les débris de phare n'avaient pas permis d'identifier le type de véhicule. La largeur des traces ainsi que le dessin des pneus, des plus communs, altéraient très peu le large spectre des possibilités. En bref, aux courbes et termes techniques près – énergie cinétique, coefficient de frottement, constante gravitationnelle – une voiture sans ABS, aux pneus moyennement usés, avec le frein arrière droit défectueux, avait percuté un obstacle de façon non intentionnelle, à une vitesse avoisinant les cent dix kilomètres par heure. Quant à l'analyse du sang sur l'asphalte et des morceaux de chair sur les lunettes, on n'en parlait pas dans ce rapport.

Elle cueillit les deux feuillets suivants, les mains moites. Le rapport biologique allait révéler l'aura du meurtre, cette radiance d'éléments invisibles oubliés autour du cadavre.

Elle survola le paragraphe traitant des empreintes de pas prélevées dans l'entrepôt. Rien de bien déterminant, là non plus. Son oreille frissonnait à chaque sonnerie de téléphone ou élévation de voix portés par les murs du couloir.

Si ça continue, tu vas succomber à une crise cardiaque ! Retourne à ton bureau affronter ta routine !

Le fax vomissait avec une lenteur exagérée ses rectangles de connaissance. Parfois il s'interrompait et reprenait, la mémoire interne saturée.

Dépêche-toi bon sang !

Le corps en ébullition, elle pinça la feuille encore chaude, chassa d'un souffle une mèche torsadée et dévora les lignes. On y parlait de poil et d'analyse ADN.

Quel poil ?

De nombreux termes soulignés, écrits en gras, en italique. Lucie entreprit de lire la page avec plus d'attention. Le tic-tac de sa montre lui porta les nerfs à fleur de peau. Ils allaient débarquer, d'un instant à l'autre.

« Nous avons analysé le poil prélevé par le légiste au fond de l'œsophage de Mélodie Cunar. »

Le brigadier plissa les paupières. Le terme « confidentiel » lui rappelait amèrement qu'elle outrepassait ses droits, ce qui mit le feu à sa lecture.

« La portion de graine à la base, la racine ouverte et le bulbe creux prouvent que ce poil provient d'un être vivant ou décédé sous une cinquantaine de jours... L'examen microscopique a révélé un indice médullaire de 0,54, ce qui est beaucoup trop important pour un être humain... traités à l'acide nitrique ont révélé la présence de moelle... séquençage de l'ADN mitochondrial par amplification génétique PCR... L'autoradiographie obtenue a été transmise au département des Sciences Animales de l'INA P-G, à Paris... Grâce à leur banque de données génétiques des races animales, ils ont pu mener une étude comparative avec les caryotypes enregistrés... »

Une porte qui claque. Le cœur qui s'emballe. Fausse alerte.

« Le résultat vient de nous être retourné, voilà à peine une heure, sous... sont formels à 99,99 %. Le poil prélevé au fond de l'œsophage est un poil de canidé... *Canis lupus*... Un poil de loup... »

Lucie tressauta, remonta le paragraphe pour en réabsorber les vagues d'encre. Avait-elle bien lu ?

Un poil de loup avait été prélevé dans la gorge de la fillette.

La jeune femme se jeta sur la suite, désormais trop absorbée par sa lecture pour percevoir les claquements de semelles, à l'extérieur.

« La sous-espèce reste à définir. Ce poil a été envoyé au Laboratoire de biologie des populations d'altitude de Grenoble qui participe au programme de recensement des espèces de loups, le programme *Trace Loup*... Réponse pour vendredi... difficilement expliquer la présence de ce poil. Ingestion volontaire ou forcée ? »

Fin de page. Le meilleur restait à venir. Lucie se rongeait les ongles, les doigts avec. Le fax clignotait, les données transitaient sur la ligne dans un murmure électronique. Comment une machine si perfectionnée pouvait-elle être si lente ?

Cette fois, des éclats de voix s'élevèrent. La cavalerie bleue débarquait !

L'appareil déplia sans se presser sa langue blanche. Impossible de rester plus longtemps ! La jeune femme pesta et se faufila dans l'embrasure, prenant à peine le temps de rabattre la porte. Puis se jeta sur sa chaise à roulettes, foudroyée par la panique. Trop tard peut-être. Ses joues brûlaient d'un rouge volcanique au moment où le capitaine Raviez lui pressa l'épaule d'une main ferme...

12

Nathalie Coutteure accueillit Vigo Nowak avec une mine ravagée par des cernes à la Guy Bedos. Sa mince silhouette, pressée dans un pantalon côtelé et un pull à col roulé, renforçait encore l'impression de fatigue et de lassitude dégagée par la jeune femme. Vigo s'était toujours demandé comment cette fine fleur résistait aux coups de reins sauvages d'un marteau-piqueur qui avoisinait le quintal.

— Sale tête Nathalie !

— *Idem* pour toi... Pas jolie jolie ton arcade...

— Oh ! Un battant de porte en pleine figure. Ça ne fait pas du bien.

Dans un recoin du séjour, un sapin naturel plus large que haut se perdait sous un feu d'artifice de couleurs. Le poids des boules et des anges en plastique arquait ses branches en une grimace de chlorophylle.

Typique du cache-misère, s'amusa Vigo. *Moins on a d'argent et plus on décore le sapin de Noël.*

Il s'installa dans un vieux fauteuil et désigna le feu à charbon rougeoyant.

— Pas trop risqué d'utiliser cette épave ? Je croyais que l'installation n'était plus aux normes.

Il se leva, fit le tour de la bête.

— Oh là ! Avec un conduit d'aération dans cet état,

tu devrais te méfier ! Tu sais combien de personnes meurent intoxiquées au monoxyde de carbone rien que dans la région ?

— Ma mère me l'a déjà dit, ne remue pas le couteau dans la plaie. Mais la chaudière a rendu l'âme et ce n'est pas avec notre chauffage électrique qu'on va s'en sortir. Cette solution temporaire nous évitera juste de ne pas geler le soir de Noël ! Avec du bon scotch tissé, le conduit tiendra le temps qu'il faudra.

— En parlant de bon scotch, tu m'en verses un petit ? J'ai besoin de me réchauffer.

Nathalie le servit et promena ses mains au-dessus du volcan de charbon.

— Je regrette que Sylvain t'ait parlé de nos soucis, confia-t-elle à voix basse.

— Je ne suis pas votre ami que pour partager les bons moments.

— Ces bons moments sont devenus bien rares ces derniers temps. Dans moins de trois heures, le réveillon débute, et je ne me suis pas encore apprêtée pour plaire à mon homme. Avec ce qui nous tombe dessus, ce Noël n'entrera certainement pas dans le catalogue de nos meilleurs souvenirs ! Nous sommes poursuivis par la poisse !

Vigo se cala dans l'épave de cuir et croisa les jambes.

— La poisse ? Tu connais Jean-François Daraud, un coureur cycliste ? Durant sa carrière, il a eu trente-cinq accidents, quarante fractures et trois comas, ce qui lui a valu de rester presque deux mille jours à l'hôpital. Le tout sans que ce soit jamais de sa faute ! Il roulait tranquille, et des gens, des animaux venaient le percuter, comme si l'aimant de son destin attirait le malheur sans échappatoire possible. Un autre exemple ? Ray Sullivan, garde forestier américain, frappé sept fois par la foudre.

Certains destins attirent le bonheur, d'autres le malheur. Vous êtes loin de ces cas de figure Sylvain et toi, non ? Alors pourquoi tu parles de poisse ?

Devant le désarroi de la jeune femme, il lissa ses cheveux vers l'arrière et demanda :

— Le réparateur est passé pour la chaudière ?

— Heu... Oui, il nous a établi un devis...

— Quand compte-t-il la changer ?

— Dans trois jours...

Vigo la vit déglutir.

— Combien ?

— Trop... Beaucoup trop...

Sylvain apparut sous l'arche donnant accès au salon. Pas rasé, en survêtement. Il arbora un large sourire.

— La petite s'est endormie... Salut Vigo !

— Sly ! Tu devrais te changer, tu sais ! Encore une heure avant que la banque ne ferme !

Nathalie leva un sourcil interrogateur en fixant son mari.

— De quoi il parle ?

Sylvain haussa les épaules en guise de réponse.

— Je possède huit mille euros à l'abri sur un PEL, expliqua Vigo. Vous me donnez le montant du chèque dont vous avez besoin et on règle l'affaire.

Avant que Nathalie ne réagisse, il s'arracha du fauteuil pour lui appliquer un index sur les lèvres.

— Tu te tais, Nat ! Cet argent dort sur un compte, il profite à des investisseurs, des banquiers qui trament leurs coups en douce, dans notre dos. J'en ai assez de donner de la confiture aux cochons ! On nous force à épargner, à souscrire à des produits financiers inutiles. Et si je meurs demain, à quoi m'aura servi tout cet argent ? *Carpe diem*, disait l'autre ! Ce chèque, vous allez l'accepter !

Nathalie bascula sur le côté et toisa son mari d'un œil mauvais.

— Dis quelque chose grand benêt, au lieu d'écouter ! On ne peut pas accepter !

Mais le pli sur les lèvres de Sylvain ne désépaississait pas. Finalement, le plan de Vigo était astucieux et les mettait définitivement à l'abri des soupçons. « On ne s'embête pas à racler les fonds de tiroir lorsqu'on possède deux millions d'euros. » Voilà ce que déduiraient les flics si, par on ne sait quel miracle, ils remontaient la piste des billets.

— Vous me cachez des choses vous deux ! s'énerva Nathalie. Je connais mon mari. Chaque fois que ses yeux brillent comme des lingots, c'est qu'il a des nouvelles à m'annoncer ! Tu étais au courant Sylvain, avoue !

— Absolument pas chérie ! Je te le jure !

Il lui posa un baiser sur la bouche avant d'ajouter, tout en glissant vers la salle de bains :

— En ce moment, le sort s'acharne sur nous. Même les marins les plus aguerris envoient un SOS au cœur d'une tempête dévastatrice !

— T'as sorti ça tout seul ?

Le temps que Sylvain se change, Vigo cuisina Nathalie avec sa maîtrise de baratineur et la convainquit d'accepter son aide.

Lorsque les hommes s'éloignèrent, les yeux brillant de secrets, la jeune femme voulut verrouiller la porte d'entrée avant d'aller se préparer.

Mais la clé avait disparu. Nathalie était pourtant certaine de...

Lasse de ces interrogations et parce que approchait l'heure de tous les excès, elle se rendit dans la salle de bains.

Ce soir, elle voulait remonter l'onde du temps et s'embellir comme au premier jour.

Pour une dernière danse... Sa toute dernière danse...

13

Les félicitations du capitaine Raviez ! Lucie, Pinot simple flic, n'en revenait pas encore. L'autopsie avait confirmé ses affirmations. Les lividités – des taches sombres qui apparaissent sur les morts aux endroits où le corps est en contact avec une surface – prouvaient le déplacement du cadavre au moins trois quarts d'heure après le dernier souffle. Ce qui impliquait que l'assassin était resté sur place après son office, longtemps, très longtemps, afin de figer ce sourire effroyable sur les lèvres de l'enfant.

Le moustachu, d'un commun accord avec le commissaire, la plaçait officiellement sur l'enquête, sous les ordres directs du lieutenant Norman. Pas de tâche vraiment définie. Une espèce d'électron libre à la fois observateur, preneur de notes et donneur de coups de téléphone. Bref, des mains en plus pour palier le manque d'effectifs.

Une clé des champs qui lui valut le droit, contre toute attente, d'assister à la première réunion de *debriefing*. La magie de Noël pénétrait-elle les esprits de ses supérieurs ?

Pour le moment, l'excitation surpassait l'appel de l'oreiller. La plongée dans les méandres de l'enquête criminelle s'érigeait en une forme nouvelle de défi, un accouchement cérébral après ces années de paperasse, d'opérations répétitives et transparentes. Elle vivait enfin sa passion, matérialisait en quelque sorte ses lectures, ses explorations abyssales et s'en réjouissait.

Ce n'est pas un jeu Lucie, ni une chasse au trésor. Il n'y a que mort et désolation au bout du chemin. Es-tu consciente de cela au moins ?

Elle le prend comme un jeu si elle le veut. Avec ou sans règles. Si le seul moyen qu'elle ait pour s'épanouir passe par la voie du sang... Ainsi soit-il !

Alors qu'elle gagnait la salle de réunion, le spectre tenace de sa garde nocturne lui ôta son sourire. Elle devrait, sous peu, affronter les plaintes, les voisins râleurs, les tordus de la bouteille. Exercer sa réelle fonction, en définitive. Elle se prit à rêver du lit moelleux qui l'accueillerait à l'aube. Comment tiendrait-elle une nuit complète sans s'endormir ?

— *Start !* jeta le commissaire Valet comme s'il annonçait le départ d'un tiercé.

Valet. Un masque de glace sur un corps en ébullition. Le ton sec comme un chardon. Meneur d'hommes et d'idées.

Dans la salle de réunion, à ses côtés, les lieutenants Colin et Norman, Raviez, Henebelle, un lieutenant-colonel de la gendarmerie et Clément Marceau, le responsable de la cellule de dactyloscopie. Des feuilles dans tous les coins. Des cartes de la région. Flandres, Audomarois, Boulonnais, Calaisis. Des faciès croqués par la fatigue et des bâillements discrets.

— Le lieutenant-colonel de gendarmerie Michiels, ici présent, pilote les opérations de recherche du corps de Bertrand Cunar, attaqua le commissaire. Notre étroite collaboration permettra de coordonner les différentes lignes d'investigation et de pallier le manque de ressources. Je ne vous présente plus Clément Marceau, notre pro de l'empreinte. J'ai insisté pour qu'il soit à nos côtés, vous allez comprendre pourquoi. Bon ! Raviez, tu résumes la situation ? Très brièvement s'il te plaît !

Clic de souris. Une photo de la fillette, prise sur la scène du crime. Une lourdeur malsaine balaya la pièce, creusa les visages. Lucie retenait sa salive alors que Raviez, impassible, se mettait à relater les faits.

Il détailla les découvertes dans l'entrepôt, confirma que le sang découvert sur l'asphalte appartenait bien à Cunar et que les chiens de la brigade canine avaient perdu la trace du chirurgien au niveau des marques de pneus, ce qui induisait l'embarquement de son corps...

— Très bien, dit le commissaire. Les éléments de l'enquête à présent. Lieutenant Colin ? Qu'a donné l'interrogatoire de la mère ?

Colin. Quarante-deux ans, des airs de fossile. Rongé par les soucis, l'envie de bien faire. Sacrifié sur la croix du travail.

— Très choquée psychologiquement, difficile à interroger. Suivie à l'hôpital Herbeaux. La petite fille a été enlevée la nuit du dix-neuf décembre, alors que le père opérait à Londres et que la mère était en congés. En cette période de l'année, Le Touquet ressemble à une ville fantôme. Boutiques fermées, quasiment aucun résident, plages désertes. Des alarmes veillent sur la majeure partie des villas inhabitées mais les Cunar la branchent uniquement quand ils s'absentent. Le ravisseur s'est infiltré à l'arrière de leur jardin, a brisé la vitre en cognant sur de l'adhésif pour éviter le bruit. Il s'est payé le luxe d'emmener des tas de vêtements et des chaussures pour la petite. Une fois réveillée, la mère a trouvé une lettre dans le lit vide, signalant qu'il ne fallait en aucun cas prévenir la police, ni avant ni après la remise de rançon, au risque de représailles. Le ou les ravisseurs réclamaient deux millions d'euros... Le mari est rentré d'urgence. Durant trois jours, d'autres lettres, postées de Dunkerque, Petite-Synthe et autres patelins du coin ont suivi, indiquant aux Cunar la marche à suivre pour récupérer Mélodie. Le mari a puisé dans un compte en Belgique, billets non marqués, en coupures de cent euros. Vous connaissez la suite.

— Les Cunar habitent au Touquet toute l'année ? interrogea Raviez.

— Il s'agit juste d'un port d'attache. Les parents s'absentaient très souvent, le père ne rentrait que le week-end. Ils confiaient leur fille à Martine Cliquenois, à la fois infirmière, femme de ménage, seconde maman, dévouée à Mélodie jour et nuit. Elle skiait dans les Alpes au moment du rapt... Les Cunar possédaient aussi une chienne, Claquette, un yorkshire...

— Tuée ?

— Évaporée.

Le lieutenant Colin trempa ses lèvres dans un café brûlant, avant de continuer.

— Des tonnes d'empreintes ont été relevées sur place, mais la scène hypercontaminée risque de les rendre inutiles ou inexploitables. J'ai sous la main la liste des cent dix employés que madame Cunar a licenciés dans l'année 2003, ainsi que la copie des lettres d'insultes qu'elle et son mari ont reçues. Certaines manuscrites, d'autres réalisées à l'aide de coupures de magazines. Nous allons orienter en priorité nos recherches vers la piste des licenciés. Le labo travaille à cent pour cent sur l'étude des lettres. Avec les prélèvements ADN de ces employés et les traces que nous relèverons sur les papiers ou enveloppes, il sera facile, par comparaison, de savoir si notre meurtrier fait partie du lot. Il...

Le capitaine Raviez le coupa, des feuilles volantes plein les mains.

— Je pense qu'on peut faire une croix dessus ! Il y a une demi-heure, j'ai reçu les premiers résultats du labo...

Lucie glissa discrètement une main devant son visage, sentant que ses joues s'empourpraient. Ces conclusions, elle les connaissait en partie, parce qu'elle avait volé de l'information confidentielle. Le lieutenant Norman nota son embarras avant de détourner la tête.

Raviez poursuivit.

— Les timbres des lettres envoyées par le ravisseur ont simplement été collés avec un produit de grande surface. L'ESDA [1], quant à lui, est resté muet. Je crains donc que la piste des lettres ne nous mène pas très loin. Nous avons plus de chances en recherchant les anciens employés au contact d'un loup...

— Pardon ? s'étonna Valet.

— Commissaire, vous avez assisté à l'autopsie et savez que le légiste a trouvé un poil collé au fond du larynx, immédiatement envoyé au labo. J'ai les résultats...

— Alors ! s'énerva le chef.

— Ils sont formels. Il s'agit d'un poil de loup ! Vivant ou mort dans les deux mois !

Le commissaire glissa ses deux mains ouvertes sur sa face de roche avant d'annoncer :

— De la pure folie ! Qu'est-ce qu'un... Passons, nous verrons après. Clément, embraye sur les

1. *Electro Static Document Analyser*. Appareil capable de révéler les impressions involontaires, invisibles à l'œil nu, marquées sur une feuille de papier.

empreintes digitales s'il te plaît. Restons dans cette atmosphère de fiction ! Ouvrez grandes vos oreilles !

Clément Marceau, monsieur Empreintes. Cheveux en brosse, lunettes rondes métalliques devant deux yeux pénétrants comme des rayons X.

— Un cas troublant, ma foi. Les empreintes digitales existent grâce aux orifices des glandes sudoripares, ouverts aux sommets des crêtes constituant le labyrinthe digital. Normalement, je dis bien normalement, les crêtes papillaires subsistent même dans les conditions les plus défavorables. Tiragé de peau, pression sur le doigt, déformations. Qu'on se brûle superficiellement, se coupe, qu'on ait des ampoules ou des verrues, les détails papillaires se reconstituent sans cesse à l'identique. De la vie intra-utérine à longtemps après la mort, nous conservons toujours les mêmes empreintes ! Et elles sont indélébiles ! Il...

— Et pourtant notre individu n'en possède pas ! abrégea le commissaire.

— Exact, pas au moment où il a agi en tout cas. Des groupes de travail d'Interpol spécialisés dans le domaine de la dactyloscopie ont dressé un inventaire des cas possibles d'« invisibilité digitale » permanente ou temporaire. J'ai ici une liste des principaux produits chimiques qui détériorent à plus ou moins long terme le derme et effacent ainsi l'identité. Des acides, des bases fortes, un tas de dérivés. On trouve aussi les brûlures par le feu, les plus destructrices. Un procédé plus doux, bien connu des esthéticiens, est ce qu'on appelle la microdermabrasion à microcristaux pulsés. Il s'agit d'appareils spécialisés qui lissent la peau et peuvent, à leur puissance maximale, effacer temporairement les crêtes. Pour les autres possibilités, il en va de l'imagination de chacun des tarés qui peuplent notre planète.

Certains vont se frotter les doigts sur du papier de verre pendant des heures, d'autres vont se trancher la peau avec une lame de rasoir. Ce n'est pas du baratin, ça s'est déjà vu avec des tueurs en série américains, bien plus informés sur les techniques de la police scientifique que la plupart d'entre nous. Comme vous voyez, l'éventail des possibilités est large !

Le capitaine Raviez roula les pointes de sa moustache avant d'intervenir.

— À mon avis, l'invisibilité digitale de notre ravisseur est involontaire. Pourquoi se serait-il mutilé les doigts alors qu'il lui suffisait de porter des gants ? En plus, il faisait extrêmement froid la nuit dernière. Les gants de laine étaient de mise.

— Vous avez raison, répondit le technicien. Les cas de mutilation volontaire se retrouvent à quatre-vingt-dix-huit pour cent chez les tueurs sadiques très méticuleux, qui éprouvent le besoin de toucher leurs victimes et les objets qui les entourent. Cela ne semble pas le cas ici, étant donné que la petite n'a pas subi de sévices sexuels.

— D'autant plus qu'il aurait effacé ses traces de pas s'il avait été aussi méticuleux, intervint le commissaire. Pour résumer, nous recherchons quelqu'un aux doigts brûlés ou rongés par l'acide ?

— À peu près, sauf que nous ne disposons que de traces de pouce et d'index, embraya l'expert. Et les marques de brûlures, surtout chimiques, peuvent être difficiles à déceler si l'on n'a pas le nez sur la zone touchée. Bref, il ne faut pas vous attendre à tomber sur Elephant Man. Quant au fait qu'il ne portait pas de gants... Ses mains seraient devenues insensibles au froid ?

— Mouais... On n'a plus qu'à interroger tous les

employés des usines chimiques du coin... Merci pour les infos Clément. Tu es libre si tu le souhaites...

L'homme ne se fit pas prier. Il disparut avec un « Joyeux Noël » discret au bord des lèvres. Le commissaire poursuivit.

— Intéressons-nous un peu au chauffard... Henebelle, à toi ! Tu as appelé les assurances, les garages du coin ?

Lucie décrocha ses yeux de l'image projetée sur l'écran. Un chatouillement inconscient l'interpellait dans ce cliché, sans qu'elle pût en capturer la substance. Quoi exactement ? La position du corps ? La couleur de la robe de chambre ? Le sourire effrayant ?

Elle poussa une liste au milieu de la table.

— Euh... Cette nuit, des accidents ont été signalés aux assurances, mais les constats ne sont pas encore remontés jusqu'aux agences. J'ai demandé une copie dès qu'ils les recevront. Quant aux différents réparateurs automobiles des environs, rien qui corresponde à ce que nous recherchons. Des voitures amochées sont arrivées, mais les accidents ont eu lieu bien avant cette nuit. De toute façon, si notre chauffard a eu l'intelligence de gommer les traces de son passage, il ne se serait pas dénoncé de cette manière.

— Peu importe, il faudra quand même les rappeler ! On ne doit écarter aucune piste. Tu t'en chargeras !

— Bien commissaire...

Bien chef. Oui chef. À vos ordres chef...

— Messieurs, les résultats de l'autopsie à présent, de façon très succincte et simplifiée. La strangulation a causé la mort aux alentours de minuit. D'après le légiste, la pression autour de la gorge était extrêmement faible. Les lésions vasculaires et, je cite, vertébromédullaires sont peu nombreuses alors que les enfants marquent plus facilement que les adultes. Le praticien a été particulièrement surpris, affirmant que l'assassin a juste mis la force nécessaire pour la tuer, sans aucun acharnement, ce qui tendrait à exclure l'acte de rage précipité. Comme l'avait fort justement remarqué Henebelle, le tueur s'est attardé au moins trois quarts d'heure après la mort pour fixer le sourire et disposer le corps – il orienta un stylo vers la photo – de cette façon. Ensuite – il piqua du nez dans ses feuillets –, ah oui, le poil de... loup... Je n'en reparlerai pas puisque Raviez l'a fait... L'estomac vide et les aires ganglionnaires légèrement atrophiées impliquent une carence en nourriture de plusieurs jours... Le cuir chevelu présentait de nombreuses lésions superficielles, apparemment provoquées, vu le parallélisme des marques, par un brossage intensif des cheveux... très intensif, presque à sang...

— Pourq... voulut intervenir Norman.

— Laissez-moi juste terminer, trancha le commissaire en agitant la main. Dernier point. On a trouvé un indice intéressant durant le déshabillage. Des microfibres, piégées dans les sillons des semelles. D'après les analyses, il s'agirait de fibres issues de l'écorce de résineux.

— Le tueur habiterait à proximité d'une forêt de pins ? avança le lieutenant-colonel de gendarmerie.

— Pas forcément. Les experts ont comparé les prélèvements avec les pins de la région et les structures organiques ne coïncident pas. Les recherches sont en cours – il sortit un paquet de cigarettes. OK ! On planche une demi-heure sur les éléments dont on dispose. Lisez en diagonale les copies des différents rapports, imprégnez-vous-en. Formulez vos questions. Après on dresse un bilan des idées au tableau. En route !

Les nez s'écrasèrent sur les feuillets. Six cerveaux bouillonnants à la poursuite d'un tueur.

Le dernier regard que lança Lucie sur l'écran la priva subitement d'air. Elle serra les poings en cachette sous la table.

L'image de cette enfant aveugle qui souriait, bien coiffée, avec ses chaussettes blanches, sa robe de chambre beige ornée d'un ruban rouge lui apparut soudain comme un symbole évident.

Un symbole que seule une femme pouvait déceler.

Un frisson lui hérissa tous les poils...

14

Sous la voûte nocturne, les deux plus hauts terrils d'Europe – cent cinquante millions de tonnes de charbon – s'érigeaient tels les mamelons terrifiants d'un poitrail démoniaque. Vigo gara sa voiture au pied d'un pont abandonné, dans un renfoncement mangé par les herbes sauvages et le macadam torturé.

— Les terrils ? Tu as bien choisi, confia-t-il.

— Hormis les chasseurs au printemps et quelques botanistes courageux, personne ne s'aventure ici. Le site est envahi de bosquets quasiment infranchissables, de murs de ronces effarants. J'ai noirci mon enfance dans le charbon, je connais le coin comme ma poche. Tu as du matériel pour creuser ?

— De quoi enterrer Godzilla. Allez, en route.

Vigo ouvrit le coffre sous la palpitation d'un faisceau discret. Au fond de l'espace clos, des couvertures, des cordes, des pelles, un amas de choses inutiles. Et au milieu du chahut, la douceur métallique d'un futur en fleurs.

— Tu veux vérifier ? demanda Vigo avec un clin d'œil malicieux.

— Laisse-moi les contempler une dernière fois. Je les aime déjà ces petits, tu sais ?

Vigo plongea la clé dans le cadenas et dévoila la mer d'espoirs.

— Devoir les enterrer, c'est comme si je creusais ma propre tombe ! plaisanta Sylvain. On se prend un ou deux billets ? Allez, cinq cents euros chacun ! Ça ne se verra pas ! De quoi passer un joyeux Noël !

— Pas question ! Goûte au fruit défendu et tu succomberas à la tentation !

Sylvain gratifia une roue arrière d'un violent coup de pied.

— Arrête avec tes phrases à coucher dehors ! Ce magot m'appartient autant qu'à toi ! Si je veux me servir, je...

— On ne touche pas j'ai dit ! menaça Vigo en brandissant la lampe. À ce que je vois, tu as plutôt bien encaissé le choc d'hier soir !

Sylvain grimaça et déplaça une liasse sous laquelle jaillit un reflet bleuté.

— Et ce couteau ? Tu le laisses dedans ?

— Bah ! Disons qu'il s'agit du gardien du trésor ! Allez, en route !

Pelle et pioche sur l'épaule, Sylvain s'enfonça dans les mousselines du soir tombé, suivi de Vigo qui veilla à claquer doucement le capot arrière. Ils escaladèrent une grille avant de pénétrer sur les terres magnétiques des terrils onze et dix-neuf.

Au pied des titans assoupis, la flore se déployait en remparts de verdure. Les acolytes contournèrent le terril du onze et s'enfoncèrent au milieu des branchages. Sylvain stoppa un instant. Pas un son... Juste leurs halètements... Et pourtant, il lui semblait percevoir des raclements, des morsures de métal. À tendre l'oreille, on entendait encore des fantômes dévorer à coups de pioche les boyaux de minerais. Les âmes des gueules noires poursuivaient leur labeur dans l'éternité des ténèbres...

Sylvain frissonna, engoncé dans son blouson.

— Il y a une zone avec moins d'arbres à quelques mètres d'ici, fit-il. On pourra y cacher la valise en toute sécurité.

— J'hallucine. J'habite à quatre cents mètres et je dois t'avouer que je n'ai jamais mis les pieds ici !

— J'adore cet endroit. L'été, je m'y aventure presque tous les week-ends pour observer le coucher du soleil. Une immense boule de feu qui embrase une mer de champs. Tu sais, quand tu grimpes au sommet de ces terrils, sur ces montagnes de charbon, tu prends la réelle mesure de ce qu'ont pu endurer nos grands-parents, au fond des mines. Trouve-moi une seule région capable de mêler la douleur de son histoire à la beauté de sa géographie avec une telle intensité.

— Tu aurais dû jouer dans *Les Feux de l'amour* ! Bon, dépêchons-nous ! La famille m'attend pour Noël !

La couche superficielle du sol, en partie gelée, opposa une résistance farouche au mordant de l'acier, puis l'argile souterraine retrouva sa mollesse sous les assauts décidés de la pioche. Les deux hommes prirent soin de creuser plus que nécessaire avant d'enfouir la valise hermétique.

— Ces terres qui ont enseveli nos grands-parents voient renaître leurs petits-fils sous les mêmes coups de pioche, envoya Vigo. Ainsi soit-il ! Allez, rebouchons !

Des pelletées de terre engloutirent le trésor sous une cape brune.

— Voilà, souffla Sylvain. On écrase avec les pieds pour tasser la terre, quelques branchages et le gel fera le reste. Très bonne opération de chirurgie esthétique ! Plaie quasiment invisible !

— Déguerpissons maintenant ! Ta femme va se douter de quelque chose !

Sylvain ne bougeait pas. Il dessinait des huit sur le sol avec le faisceau de sa lampe.

— Tu es bien pressé... Pourquoi tu garderais la clé du cadenas ? Tu as forcément un double, alors tu peux me donner celle-là. Une clé chacun, il n'y a pas de raison que...

D'un bras, Vigo lui coinça la tête.

— Sly ! Mon Sly chéri ! Qui pourrait te protéger de toi-même si je ne le faisais pas ? Je te laisse la clé et demain tu viens piocher dans le magot ! L'instant d'après ta femme, tout le quartier et le président de la République sont au courant. Tu me prends pour un idiot ou quoi ? Tu as intérêt à te maîtriser !

Sylvain se redressa et arracha Vigo de terre.

— Tu m'agaces sérieusement à ne pas me faire confiance ! Si je te dis que...

— Lâche-moi bon sang ! Tu ne sens pas ta force !

À présent, Sylvain maintenait Vigo écrasé contre sa poitrine, façon sardine à l'huile.

— La clé j'ai dit ! Une clé chacun !

— Pauvre... taré... C'est de cette façon... qu'on remercie un ami... qui vient de te sortir du pétrin pour ta chaudière ?

— Ça t'arrange aussi ! Tu te mets à l'abri des soupçons !

Une poussée brusque propulsa Vigo contre des mâchoires d'épines.

— J'ai partagé *ton* accident ! s'offusqua Sylvain. Tu pourrais au moins avoir la décence de nous mettre à pied d'égalité !

Vigo éteignit la lampe puis se figea en un totem inquiétant.

— Tiens... Prends cette putain de clé... Mais tu as

tout intérêt à ne jamais toucher à cet argent avant qu'on le décide ensemble...

— Sinon quoi ?

Sylvain s'empara de la pièce de métal et s'éloigna sans se retourner. Son cœur battait jusque dans sa gorge. Le jeu de la lumière avait maquillé Vigo de reflets démoniaques. Qui savait de quoi ce type était capable ? L'épisode de l'hématome sur l'arcade témoignait assez de sa folie.

Pas un mot ne perturba le trajet du retour. Juste des tensions oculaires et de la salive lourde.

Vigo déposa Sylvain, l'œil brillant. Une fois seul, il sortit de la boîte à gants la clé d'entrée qu'il avait dérobée et la fourra dans sa poche...

15

Valet écrasa son troisième mégot avant de décapuchonner un marqueur. Le commissaire était une statue élancée aux lignes grecques, un athlète antique avec, parfait anachronisme, une cigarette pendue en permanence à la main droite. Du beau gâchis quoi.

Il divisa d'un trait vertical le tableau, notant d'un côté « Chauffard » et de l'autre « Ravisseur ».

— Nous allons énumérer les idées qui nous semblent importantes. Je vous demanderais aussi d'énoncer des axes de recherche possibles.

Valet, malgré son expérience de terrain, appliquait encore l'une des méthodes apprises à l'école des commissaires, censée faire jaillir différentes pistes par la croisée des cerveaux. Tout le monde connaissait le topo, sauf Lucie. Phrases courtes et efficaces. Pas de baratin inutile. Du brut de brut.

La moustache Raviez ouvrit le feu.

— Ravisseur : vétérinaire, reporter animalier ou peut travailler dans un zoo. Au contact d'un loup.

Le commissaire inscrivit « loup ⇒ Interroger zoos », et ajouta « Vérifier activité anciens employés de Mme Cunar ».

Colin prit la parole.

— Ravisseur : enlèvement au Touquet, rançon à

Dunkerque. Poste des lettres de différentes villes autour de Dunkerque. A-t-il agi seul ou avec un complice ?

— Chauffard : sang-froid, lucidité, annonça le lieutenant-colonel de gendarmerie. Un minimum instruit sur les techniques d'identification...

Raviez leva un bras gourmand.

— Doucement ! Doucement ! tempéra le commissaire. Vas-y Raviez...

— L'assassin s'est attardé sur les lieux du crime, ce qui prouve son absence de remords, de dégoût. Ajoutons sa mise en scène sordide à notre intention, cette manière d'agencer le corps. Je résumerais par « Rituel ou défi ? »

Quel voleur d'idées ! grinça Lucie en contractant les orteils. *Tu pensais tout le contraire ce matin !*

Valet hésita avant de noter la remarque. Il ajouta « Maîtrise ses sensations » puis se tourna vers l'assemblée, en attente de suggestions.

— L'invisibilité digitale proviendrait-elle de la manipulation de produits dangereux ? questionna Colin. On peut inscrire « chimiste/scientifique/esthéticien ou en rapport » et aussi « Voir usines chimiques ZI de Grande-Synthe ou Dunkerque ».

— Très bien, apprécia le commissaire. Ajoutons aussi « cordonnier/tanneur/marchand de cuir » à cause de la forte odeur de cuir imprégnée sur la victime. Quoi d'autre ? Lieutenant Norman ?

Les idées jaillissaient de partout. Lucie constata l'efficacité de la méthode. Les mots importants écrits au tableau dressaient une espèce de profil, mettaient en valeur des voies d'investigation privilégiées. Mais le brigadier n'osait toujours pas intervenir. Et si elle se plantait ? La honte !

— Oui commissaire ! répliqua Norman. Notez que le tueur est capable d'identifier le chauffard. D'après les rapports, l'entrepôt et le lieu de l'accident sont séparés de même pas quinze mètres. L'accident s'est déroulé devant les yeux du tueur. Protégé par la nuit, il pouvait observer dans l'anonymat et donc relever le numéro d'immatriculation pour récupérer l'argent plus tard. À mon avis, notre ou nos chauffards risquent de rencontrer quelques soucis.

— Nos chauffards ?

— Pourquoi pas ? Le tueur, probablement armé, n'est pas intervenu. Pourquoi ? Peut-être par manque de cran face au surnombre. Tuer une gamine sans défense est plus dans ses cordes que d'affronter un, deux ou plusieurs gaillards !

— Bonnes déductions. Notons « Plusieurs chauffards ? » ; « Assassin a vu plaque immatriculation ».

Le commissaire recula de trois pas pour observer le tumulte cérébral éclaté sur le tableau.

— Pas mal... D'autres idées ?

— Moi j'ai quelque chose... osa Lucie d'une voix timide.

— Nos oreilles vibrent d'impatience de t'écouter, Henebelle !

La jeune femme déglutit avant de se lancer.

— Nous avons tous constaté la position très intrigante de la victime. Vous pouvez allumer à nouveau le rétroprojecteur, capitaine ? Montrez-nous la photo présentant la petite de face, s'il vous plaît.

Raviez s'exécuta avec des gestes retenus, peu habitué à recevoir des ordres d'en bas. Lucie s'adressa à Colin.

— La mère est-elle venue constater l'identité du corps ?

— Oui. Je l'ai accompagnée à l'institut médico-légal.

— Et elle n'a vu que le visage de sa fille ?

— Bien sûr ! On évite de montrer le corps dans sa totalité, tous les psychologues te le diront.

— Je sais. Quels vêtements le ravisseur a-t-il emmené, le soir de l'enlèvement ?

— J'ai la liste. Cette robe de chambre et ces chaussures que tu vois sur la photo en font partie, si c'est ce que tu voulais savoir. Pourquoi ces questions ?

Le brigadier se décrocha de son siège.

— Connaissez-vous les poupées *Beauty Eaton* ?

Le commissaire haussa les épaules et ventousa ses mains sur son bureau en signe d'impatience. Lucie chercha sa salive avant de poursuivre.

— Évidemment... Il s'agit de poupées d'origine canadienne, très à la mode dans les années soixante-dix et quatre-vingt. Elles ont bercé mon enfance et celle des femmes de ma génération. Des poupées en vinyle à la coiffe soignée, avec une raie au milieu. Un joli sourire, de grands yeux. Habillées en robe de soirée ou de chambre soyeuses. Toutes portaient des chaussettes blanches, rabattues sur les chevilles, comme Mélodie...

— Et alors ? grogna le capitaine Raviez. Tu veux nous faire croire que l'assassin s'est inspiré d'une poupée, simplement parce que la victime porte des chaussettes blanches et sourit ?

— Vous demanderez à la mère, mais je suis persuadée que la petite ne dormait pas en robe de chambre. L'hiver, on s'attendrait plus à un pyjama chaud. Alors pourquoi lui troquer son pyjama pour cette tenue plutôt estivale ? Pourquoi tant de considération alors qu'il ne l'a pas nourrie pendant trois ou quatre jours, ni même vêtue d'un blouson en dépit de la température ?

Raviez battit le vent en signe de désapprobation. Lucie ne lâcha pas le morceau, malgré les claquements d'ongles du commissaire.

— Observez ce petit ruban rouge, au niveau du col...

Cinq têtes se tournèrent vers la photo avant de se rabattre vers la jeune femme.

— Le signe ne trompe pas. Toutes les *Beauty Eaton* portent un ruban rigoureusement identique, disposé de la même façon. Un ruban rouge à l'emplacement du cœur...

Cette fois, les bouches fondirent sur les visages pétrifiés.

Le commissaire s'empara du marqueur noir et nota, en plus gros que tout le reste, côté ravisseur : « Victime = poupée. *Beauty Eaton* ! » Il s'enflamma :

— Colin, avant de partir, tu appelles l'hôpital pour vérifier les dires d'Henebelle ! Demande à la mère ou à la nourrice si la petite possédait une robe de chambre beige à ruban rouge !

Colin hocha la tête et envoya un clin d'œil admiratif à Lucie.

— Si tu as raison Henebelle, continua le commissaire, on est tombés sur un sacré allumé aux doigts rabotés, fan de loups et de poupées. J'avoue que ça me fiche un peu la frousse. Plus on avance, plus le profil de notre tueur s'oriente vers celui d'un... psychopathe. Jamais nous n'avons parlé du magot en lui-même, comme si cela nous paraissait secondaire... Regardez la colonne du chauffard, presque vide !

Il porta une nouvelle sucette à cancer entre les lèvres avant de conclure.

— Bonnes pistes de départ, séance intéressante... Je serai là demain pour fouiner dans le STIC, afin de chercher l'existence de signatures de crimes identiques. Je dois aussi dresser un premier rapport pour le juge d'instruction. Les volontaires pour m'aider seront les bienvenus. S'agissant d'un crime d'enfant, on me met la pression de partout, on n'a pas le droit de foirer !

— J'ai bloqué une équipe pour les recherches de demain, confirma le gendarme. Une partie du lac du Puythouck doit encore être scannée avec la technique de recherche en bande. Pour le bassin maritime, on compte utiliser, dès le jour levé, le sonar d'une des vedettes de la brigade. Les corps sont plus difficiles à repérer que les véhicules, mais la zone est plate et on devrait s'en sortir. Par contre, si le cadavre a été entraîné au large, on ne le retrouvera pas de sitôt.

Valet hocha la tête. Le lieutenant Norman enfila son duffle-coat en annonçant :

— J'ai déjà annulé ma réservation au ski et je serai à vos côtés demain, commissaire. Histoire d'interroger les fichiers, de faire émerger les affaires en rapport avec des animaux, genre trafic, disparition, plaintes diverses. Ce poil de loup me laisse perplexe.

— Est-ce qu'on arrivera un jour à te faire partir en vacances ? OK pour demain ! Henebelle, je t'ordonne de rentrer chez toi immédiatement après ta garde ! Tu as la tête d'une gonzesse qui s'est chopé une maladie tropicale ! Profite de ton Noël pour te reposer ! Vendredi, on ouvre grand les portes de l'enfer. Bon travail !

Lucie acquiesça avec un sourire contenu. Colin parut presque désolé d'annoncer :

— Je ne serai à vos côtés qu'après-demain. Je descends à Paris voir mes parents. C'est prév...

— *Idem*, glissa Raviez. Pas Paris mais...

— Ne vous justifiez pas. La journée a été longue, alors fichez-moi tous le camp ! Et bon réveillon !

Lucie appréciait l'homme. Dur mais humain. Séduisant par-dessus tout...

Le gendarme Michiels s'isola pour répondre à un appel téléphonique alors que la salle de réunion se vidait. Le commissaire Valet s'appesantit sur le tableau, scanna chaque idée, les conséquences qu'elle impliquait en terme d'hommes, de délais. Il buta sur les mots soulignés comme *Beauty Eaton* et *rituel*. Ça y est... Il s'en était chopé un... Un frappé du ciboulot qui risquait de lui donner du fil à retordre. L'absence d'empreintes digitales, le poil de loup dans la gorge, la forte odeur de cuir... Des éléments qui sortaient du cadre habituel des enquêtes qu'il dirigeait... Un moyen, peut-être, de frapper un grand coup. À condition de ne pas faillir. En clair ? L'attraper le plus vite possible...

Il porta une cigarette entre ses lèvres, mi-soucieux, mi-satisfait.

Au fond de la pièce, le lieutenant-colonel de gendarmerie se décomposait. Il restait là, hagard, le téléphone à la main.

— Quelque chose qui cloche ? s'enquit le commissaire en faisant rouler la pierre de son briquet.

Le gendarme piocha une cigarette dans le paquet de Valet et la piégea entre ses dents.

— J'ai arrêté de fumer voilà une semaine, mais j'ai très mal choisi la période...

Des volutes claires le bâillonnèrent quelques secondes. Puis il annonça, d'une voix goudronnée :

— Une femme vient de débarquer à la gendarmerie, en pleurs. Elle affirme que sa fille de treize ans, Éléonore, a disparu dans les rues de Dunkerque...

16

Vigo Nowak habitait à moins d'un kilomètre de chez ses parents, à la périphérie de Lens, dans une maison des Mines identique en tout point aux milliers de clones perchés sur les interminables rues parallèles. La plupart des habitants de ces anciens corons se chauffaient encore au feu à charbon et buvaient de la soupe le soir. Dans moins de dix ans, les dernières gueules noires, lampistes ou porions, s'éteindraient dans l'anonymat, les yeux rivés vers cet horizon de sueur et ces vitres teintées de houille qui résumaient si bien l'histoire de leur vie.

L'ambiance des alentours, voies désertes, terrils endormis et treuils hors d'usage, suggérait celle d'un mouroir, mais le loyer dérisoire et le coin d'un calme aquatique attiraient les plus récalcitrants. En définitive, on se sentait ici dans un lieu hors du temps, épargné par les affres de la grande civilisation.

Chargé de paquets emballés, Vigo remonta une allée de caillasse et entra sans frapper chez ses parents. Le mobilier s'affichait à l'image du lieu, sobre, sans fioritures. Par-ci une lampe de sûreté Davy, par-là un chevalement en allumettes. Au-dessus d'un vaisselier, la piste de 421 usée, le tapis de belote enroulé. La mine avait causé tellement de dégâts qu'elle continuait, des années plus tard, à empoisonner les lieux d'une symbolique douloureuse.

— Les hostilités ont déjà commencé à ce que je vois ! s'écria-t-il en posant ses présents au pied du sapin synthétique.

— Retard, *Gaillette* [1] ! sourit France, sa mère, en lui tendant une flûte de champagne. Ton frère et ton père traînent dans le *patio*. Ils discutent tiercé, pour ne rien changer ! Mais... Qu'est-ce que tu t'es fait au front ?

— Un coin de porte, rien de bien grave. Tu es sublime maman... Elle te va à ravir !

France décrivit une arabesque élégante.

— Ton père a grogné quand il m'a vu revenir avec cette robe. L'un des rares plaisirs que je me fais dans l'année, et il réussit à me le reprocher ! Quelle pièce celui-là alors ! Allez, rejoins-les ! J'ai encore des préparatifs !

Vigo lui lança un baiser et se faufila dans le *patio*. S'il avait hérité des lignes élancées et dansantes de sa mère, Stanislas, son frère, tirait plus sur la silhouette ramassée du patriarche. Des os courts et épais, des épaules de boxeur et des mains semblables à des gants en latex gonflés. Son visage luttait contre les morsures du temps en entretenant un potager de boutons d'acné.

— Encore à parler de chevaux ? dit Vigo en pinçant son père à la taille.

— Pour sûr ! répondit Yvan en faisant claquer sa jambe de bois sur le carrelage. On prépare la course de d'main. Mais y a une tripotée d'favoris. Ça va pô payer !

Son père débitait les lettres avec un parler tel que les mots semblaient écrasés par un rouleau compresseur. Le ch'timi tuait les « a » et les « o » pour les remplacer par des sons bâtards.

1. Mot ancien pour désigner un morceau de charbon. Les familles du bassin minier ont pour habitude de donner à leurs enfants des « noms jetés », en rapport avec leur physique ou leur caractère.

— Ah ! l'opium du peuple de France ! Vous devriez arrêter le tiercé, ça rend marteau ! conseilla Vigo avec un sourire.

— Dis ça à un autre, *Gaillette* ! répliqua aussitôt Stanislas, son frère, une pile de cartons à parier et un stylo PMU entre les mains.

— Vous perdez votre temps à courir après la réussite, en bonnes vaches à lait pour l'État ! Des gens qui jouent toute leur existence ne gagneront jamais un centime, d'autres vont tenter une fois leur chance et décrocher le pactole. Je vous le répète, on ne provoque pas la chance ! C'est elle qui vous provoque !

Yvan envoya un coup de coude complice à Stanislas.

— V'là *Gaillette* qui s'met à faire d'l'esprit. Y en a qui carburent aux amphétamines, d'aut' aux bidets. Tu préfères quô ? Cause-nous plutôt boulot. Cha avance ta r'cherche ?

— La sécheresse, admit Vigo. La région ressemble à une forêt brûlée, une saleté de pyromane appelée récession économique s'amuse à ravager les entreprises...

Il tirailla le menton de son frère.

— Mauvaise tête Stanislas. Grosse journée pour toi ?

— Ouais. Une sale histoire...

Vigo engloutit d'une lampée son champagne. Une légère appréhension lui serra la gorge : le spectre d'un corps en immersion flottait dans son esprit.

— Quel genre d'affaire ?

— On a retrouvé une fillette assassinée. Pas trop envie d'en parler maintenant. Ils m'ont pris la tête avec leurs rapports !

— Pas jojo pour une veille d'Noël, compatit le père Yvan en saisissant un paquet de tabac posé sur une chaise.

Vigo poussa un ouf de soulagement. Une affaire de fillette tuée ? Rien à voir avec son histoire. Il fouilla dans la poche intérieure de sa veste et fourra un Salomon sous le nez de son père.

— Laisse tomber ton brûle-poumon et goûte-moi ce nectar ! Tu m'en diras des nouvelles. En voilà un pour toi aussi Stan.

— Belle bête ! apprécia le père en craquant une allumette. Sers-me une gout' d'whisky fiston !

— Où t'es-tu procuré de tels barreaux ? s'étonna Stanislas. Salomon ? Ça vaut une fortune !

— Un ami qui revenait de Cuba m'en a rapporté une poignée...

Une nappe de fumée se déroula lentement. Les verres tintèrent, l'alcool ambré jouait en vaguelettes contre les parois translucides. Après quelques gorgées et maintes élévations de voix, Yvan se mit à déambuler, tête haute, menton tendu, le cigare cloué aux lèvres et un petit doigt en l'air.

— Faut vraiment pas grand-chose pour ressembler à un pingouin ! Un whisky, un bon cigare au bec, une cravate, et hop !

Yvan prit le ton d'un jet-setter tropézien.

— Si ces messieurs veulent bien prendr' l'peine de m'suivre ! Nous allons nous diriger vers l'salle d'réception, n'est-ce pas, où nous attendent caviar et champaaaagne. Un chauffeur va bichonner vos Lolo Ferrari, vous z'inquiétez pas. Ce... cigare est un grand cru, cher ami !

Ses mots mâtinés de patois se noyèrent dans des éclats de rire...

Une fois les huîtres et le foie gras au fond des estomacs, ils se décidèrent à déballer les cadeaux. L'alcool avait commencé son lent travail de corrosion, enflammant les corps et embrouillant les esprits. Vigo et

Stanislas se trémoussaient au milieu de la salle à manger sur un air de Kubiak, sous l'œil d'une France amusée. Yvan déblatérait, comme tous les ans, des vers de Jules Mousseron.

Qu' fait gai dins les corons,
L'été, l'matin du diminche.
In n'intind qu'rir's et canchons,
Sitôt qué l'journée cominche.

France baissa le son de la chaîne hi-fi, provoquant une vague de protestations, et piocha deux enveloppes au pied du sapin.

— On sait plus quoi vous acheter avec ch'père, rougit-elle, alors voilà un peu d'argent. Ce n'est pas grand-chose mais vous en ferez ce que vous voudrez. Joyeux Noël mes fils !

Elle les pressa contre sa poitrine. Yvan remua l'air d'un geste d'approbation en mâchouillant son cigare. Ses fils, sa fierté.

— Deux cents euros chacun ! Fallait pas m'man ! reprocha Stanislas. Vous avez assez fait pour nous. Les études, les sacrifices et tout le reste. Je sais ce que cet argent repré...

— Tais-te ! fit Yvan. Si on t'donne une telle somme, c'est qu'on peut. Empoche-me ça avant que j'regrette ! J'suis peut-être qu'un pauv' pensionné, mais mes enfants n'ont jamais manqué d'pain... La grand' fierté d'notre région, c'est ce cœur d'or qu'on a chacun au fond d'nous. On est tous nés d'la même veine d'charbon...

— J'espère vous rendre un jour la monnaie de votre pièce, souffla le jeune policier d'une voix chevrotante.

En attendant... Voilà pour vous. Et ce petit paquet pour toi frérot !

— Ah ! Un jeu vidéo ! sourit Vigo avant même de déballer son cadeau. Tant qu'on y est – il collecta les boîtes multicolores étalées sur le sol –, ce n'est pas grand-chose cette année, désolé, mais les fins de mois sont un peu difficiles en ce moment... Je me rattraperai au Noël prochain, promis !

Vigo avait longtemps hésité, dans la journée, à offrir un voyage de rêve à ses parents. Mais il connaissait sa mère, sa langue déliée. Le lendemain, les ragots rouleraient dans les chaumières. Comment un fils au chômage pouvait-il payer un tel cadeau à ses parents ?

Son père hérita donc d'une boîte de cigares, des Coronas, ainsi que de petit matériel de pêche, sa mère de boucles d'oreilles d'ambre et son frère d'un filtre à appareil photo permettant de créer des effets spéciaux.

Moins de deux cents euros d'achats. Le prix du sacrifice pour préserver les apparences...

— Je propose qu'on trinque, proposa Vigo en remplissant les verres d'un montbazillac 1999. Au bonheur, au destin, à notre bonne santé !

— Not' bonne santé, ouais ! envoya Yvan en levant le rebord de son pantalon et dévoilant l'appendice de bois.

Patte-en-bois devait sa longévité à l'accident qui lui avait coûté la jambe. Après trois semaines au fond du trou, une berline chargée de charbon lui avait broyé le tibia, lui évitant de croupir dans les veines souterraines et de cracher noir à la quarantaine.

Quatre heures plus tard, au petit matin, le patriarche ronflait devant la télévision, assommé par le genièvre de Houlle. Stanislas était écrasé sur la table, alcoolisé au point de s'enflammer, un verre devant lui. Sa dizaine de neurones encore en état activaient sa main qui gribouillait sur un coin de feuille. Vigo dansait seul, un pied battant au rythme du timbre feutré de Bono. Sa chemise n'était plus qu'une boursouflure de sueur et d'alcool mélangés, ses cheveux de jais luisaient à chaque éclair des lampes clignotantes. Il s'approcha de son frère avec l'idée de lui vider son verre, de s'enivrer jusqu'à saturation, de s'offrir une biture à la Nicolas Cage dans *Leaving Las Vegas*.

Dans une semaine, il descendrait vers la capitale pour arpenter les boîtes branchées du Paris nocturne, histoire de se gaver de filles et de champagne. En mettant le prix, il côtoierait les premières lignes de la jet-set, accrocherait leur sympathie et remplirait un beau carnet d'adresses. Avec le travail des esprits et la complicité du temps, il monterait en puissance dans ce microcosme à paillettes, à l'ombre de la société et de ses pauvres moutons de Panurge.

Cet argent était la poudre qui allait propulser le boulet de canon.

Le battement d'un tam-tam cognait sourdement dans sa tête. Sous l'emprise de l'alcool, dans cet état second, il se sentait capable de tout. Les quelques bières ingurgitées la veille l'avaient aidé à garder son sang-froid, à émousser sa conscience le temps de compresser ce cadavre dans son coffre et de l'abandonner au fond d'un marécage.

Et les molécules éthyliques l'aideraient à nouveau très bientôt... Il pressa inconsciemment les somnifères enfouis au fond de sa poche...

Il manqua de tout régurgiter lorsqu'il aperçut l'esquisse sous le stylo de son frère.

Des simulacres d'éoliennes, des lampes bordant deux traits parallèles, la représentation cubique d'un entrepôt. Et une forme allongée, démantibulée aux côtés d'une voiture.

Épris de bouffées étouffantes, il secoua son frère par l'épaule.

— Où as-tu vu ça ! Ce dessin, que représente-t-il ?

Stanislas redressa la tête, le souffle bruyant, l'haleine enflammée. Ses pupilles ressemblaient à deux bulles d'encre éclatées. France réapparut de la cuisine, l'air sévère.

— Ton frère dormira ici ce soir ! ordonna-t-elle. Et ça se croit flic ? Il est incapable de rentrer à Lille. Pourquoi faut-il toujours que ça se finisse de la sorte ? Et écoute l'autre ronfler ! Plus bruyant qu'un paquebot !

Elle disparut en grommelant, le tablier autour de la taille. Vigo renforça son étreinte mais Stanislas voguait sur la crête des flots éthyliques.

— Réponds, bon Dieu ! Que représente cette scène ?

— *Konfidenzial ! Konfidenzial !*

— Réponds putain !

Le policier trapu retint des relents nauséeux, enfonça son crayon sur le cube représentant l'entrepôt avant de marmonner :

— C'est là ! C'est là que... la petite fille... s'est fait buter ! Parce... qu'un enfoiré... beurrrh... a renversé... son père... en pleine nuit... et s'est enfui... avec le magot... La petite fille aveugle...

Vigo s'empara du litre de genièvre et remplit un verre à ras bord. Son corps ne lui obéissait plus et ses jambes flageolaient. Il s'accrocha au coin de la table, tirant une partie de la nappe pour se redresser de justesse. Stanislas se mit à rire sauvagement, les dents grinçantes tel un djinn maléfique, le visage semblable à une ombre de folie. Le stylo allait et venait sur la feuille, toujours au même endroit, si bien que la mine finit par transpercer la surface de papier.

Une flèche joignant la fenêtre de l'entrepôt et la voiture barrait le dessin.

— Il a... tout vu ! pesta Stanislas. Le tueur... a tout vu ! Ce n'est pas... la police qui... va retrouver le chauffard... mais l'assassin en personne ! Tu avais... raison, frérot. On ne peut... pas tromper... la chance ! On ne peut pas !

Ses entrailles crachèrent un rire méphistophélique.

Vigo vomit instantanément...

17

L'ampoule crasseuse du plafond tressautait, pleurant des ombres fugitives sur les briques étouffées par des sillons charnus de moisissure. L'air empestait l'urine, la poubelle fermée, la décomposition d'organes putréfiés. Malgré l'absence de corps pourrissant ou de matière fécale au creux de cette gorge humide, l'odeur persistait, suintant des murs en une sueur grasse et luisante.

Éléonore se tenait recroquevillée sur un matelas délabré, infesté de poils et percé en maints endroits par des ressorts réduits à l'état de fils de fer agressifs. Sa tête brûlait affreusement. Elle avait trop pleuré, ses yeux piquaient et les larmes avaient creusé un lit de sel jusqu'au bord de ses lèvres, se mêlant à la morve qui dévalait de son nez. Elle cracha les poils d'animaux collés sur sa langue et son palais, évitant de peu un vomissement.

Petit à petit, les images clouées au fond de son inconscient s'étaient organisées, propulsant le passé aux premières loges. La voiture... La vieille dame aux cheveux argentés... Les poupées à l'arrière... Le murmure de la radio et ce chiffon infect écrasé sur ses narines.

Ces vapeurs à vomir, puis le grand trou noir...

Une fois arrachée à sa torpeur, Éléonore avait fouillé dans la poche intérieure de son blouson à la recherche de son téléphone portable. Ses espoirs avaient volé en éclats lorsqu'elle avait compris qu'on le lui avait subtilisé, rompant ainsi son seul lien avec le monde de la lumière.

On la retenait prisonnière au fond d'une gueule obscure à l'haleine de cadavre. Une nouvelle fois, le flot des larmes l'emporta.

Sa vue se brouillait de flashes déments, de scénarios dignes des pires histoires de Stephen King : la quantité incroyable d'imaginaire qu'est capable de débiter le cerveau d'une gamine de treize ans ! Une petite voix qu'elle s'efforçait de repousser en plissant les paupières lui murmurait des tréfonds de l'âme que sa fin approchait, qu'elle allait mourir dans des souffrances inhumaines.

Elle constata soudain la blancheur nacrée de ses doigts, les séismes incontrôlés qui investissaient ses membres et le grand vide qui se déroulait dans son crâne. Les signes ne trompaient pas, l'hypoglycémie contaminait peu à peu son organisme. Une éruption de panique bloqua l'air au seuil de ses poumons. Elle finit par cracher, à s'arracher la gorge, comme après une apnée interminable.

Elle s'efforça de contrôler sa respiration comme le lui avaient enseigné les médecins. Sa maladie l'avait rendue plus mûre que les enfants de son âge, son caractère et sa force psychique s'étaient forgés de chaque victoire arrachée à ses propres faiblesses. Avec précaution, malgré ses tremblements, elle souleva son pull, son tee-shirt et plongea les yeux sur l'écran de la pompe accrochée à sa taille par une ceinture de nylon. L'indicateur de débit clignotait, la cartouche assurant la distribution d'insuline était vide. Il lui restait pourtant huit heures d'autonomie après son départ pour la pharmacie. Comment avait-elle pu rester inconsciente si longtemps ? Le sommeil naturel avait-il relayé son anesthésie ?

À trente minutes près, on l'aurait retrouvée morte, blanche comme l'os.

Appliquant un protocole qu'elle connaissait par cœur, elle détacha de sa ceinture de survie une boîte contenant six seringues prédosées pour sa morphologie et son type de diabète. Elle chercha une zone où piquer l'aiguille sous sa peau – son ventre, ses cuisses et le haut de ses bras n'étaient plus qu'un champ ravagé par des rougeurs et des boursouflures.

L'insuline à action rapide chassa dans la minute le masque de mort qui, déjà, avait rigidifié ses traits. La chaleur diluée empourpra son visage. Dans une autre pochette de cuir, elle puisa une tablette de glucose qu'elle laissa fondre sur sa langue...

La vie fleurit de mille pétales, victorieuse au cœur des chrysanthèmes.

Mais pour combien de temps ? Les cinq doses restantes, ces dix millilitres plus précieux qu'un trésor de diamants, épargneraient son organisme quarante heures au plus, peut-être moins si on ne la nourrissait pas.

Encore quarante heures avant de mourir... Non... Encore quarante heures à vivre !

Le coup de fouet du glucose éperonna ses muscles et arqua son corps. Elle s'arracha du matelas et tambourina sur une porte en bois. Pas de poignée. Arrachée, semblait-il. Non, on ne lui rendrait pas sa liberté. Jamais. On allait la...

Elle tourna brusquement la tête pour réprimer cette idée. Son regard tomba alors sur des irrégularités, au bas des parois. Elle plissa les yeux, refusant de croire ce qu'elle voyait. Ses mâchoires craquèrent de dégoût.

Non, c'est pas possible... Un mauvais cauchemar. Ce ne peut être qu'un mauvais cauchemar...

Des écorchures. Des dizaines de raies pourpres lacéraient les briques effritées. Entre les sillons, des restes d'ongles, de peau séchée.

On avait gratté. À sang.

Éléonore tomba à genoux, les deux poings serrés sur la poitrine.

D'autres personnes avaient été enfermées, abandonnées sur ce matelas, leur désespoir gravé pour l'éternité en griffures profondes.

Non, non... Calme-toi... Ce... sont peut-être des animaux... Des chiens... De gros chiens seraient parfaitement capables de faire ça... Oui, les poils sur le matelas ! Des animaux !

Elle ne se laissa pas le temps de réfléchir. Il ne pouvait s'agir que d'animaux, pas d'humains ! Comment pouvait-elle être aussi stupide ?

Aussi rassurée que peut l'être une emmurée vive, elle plaqua une oreille contre la porte. Elle percevait, de temps à autre, la plainte languissante d'un outil électrique. Perceuse, scie circulaire, un truc du genre. Le bruit coulait de partout et nulle part à la fois, étouffant la pièce d'un linceul sonore. Cependant, les sens d'Éléonore s'accordèrent sur un point : chaque hurlement de l'outil coïncidait avec un frétillement de l'ampoule. L'engin en question pompait, dès que nécessaire, un maximum d'électricité.

Une nouvelle fois, Éléonore voulut crier à l'aide. Elle s'élança sur son matelas et hurla de toutes ses forces. Puis elle recommença. Encore... Encore... Et encore...

Pour couronner le tout, des lames de rasoir lui lacéraient la vessie. La maladie perfide qui l'habitait la contraignait à boire et uriner sans cesse. Elle serra les jambes et contracta les abdominaux pour se retenir. En se souillant, elle déchaînerait à coup sûr les foudres de la femme. Cette cave, si lugubre, si sombre et croulante, ne pouvait être que la tanière d'une folle.

La folle avec ses poupées anciennes.

La brûlure qui dévorait l'intérieur de son ventre fut telle qu'Éléonore dut abdiquer et se libéra contre le mur opposé à sa couche. L'odeur infâme du liquide chaud ajouta un degré à la puanteur ambiante.

Elle se replia sur son matelas et fixa l'ampoule teintée en rouge. Les variations d'intensité lumineuse lui assuraient que sa ravisseuse ne viendrait pas et qu'elle ne craignait rien pour le moment. Mais dès que la danse des ombres s'arrêterait... Dans le bas du ventre, Éléonore perçut une grande douleur, comme si on la dévorait à l'intérieur. La terreur... La terreur la gangrenait dangereusement.

Elle inspira un grand coup et orienta son attention vers sa pompe à insuline. Elle libéra la sangle de sa taille, retira précautionneusement le cathéter qui fouillait sous la peau de sa poitrine et enfouit l'appareil désormais inutile dans sa poche.

Au sentiment de peur s'ajoutait à présent la volonté de s'échapper.

Non, lui imposa une voix. *Si tu essaies de te sauver, tu la mettras en colère et elle te tuera.*

Tu dois essayer, contredit une autre. *Reste ici, et elle te tuera quand même, parce que tu as vu son visage !*

Éléonore se prit la tête dans les mains. Il fallait fuir. Dès que le voile rouge craché par l'ampoule se figerait, elle se glisserait derrière la porte et attendrait l'ouverture. Elle était mince et rapide, très bonne en sprint malgré son handicap. La femme aux cheveux d'argent semblait grande et gauche. Et vieille, par-dessus tout. Elle ne la rattraperait pas.

Et si les portes sont fermées à clé ?

Tu passeras par une fenêtre. Tu sauteras. Ou tu te cacheras... N'oublie pas, n'oublie jamais que tu es plus rapide qu'elle...

Éléonore se débarrassa de son blouson qu'elle moula en forme de buste sur le matelas. Avec la luminosité trompeuse, les jeux d'ombres, elle disposerait d'une fraction de seconde supplémentaire à son avantage, le temps que la femme s'aperçoive du stratagème.

Elle se précipita à côté de la porte afin d'évaluer ses chances de fuite. Roulée en boule dans l'angle, au ras du sol, elle échapperait dans les premiers instants au champ de vision de la folle. Sauf si l'autre se méfiait et auscultait auparavant les angles. Fort probable..

Non, non, je ne peux pas faire ça, pensa-t-elle. *Elle me tuera sans hésitation !*

Éléonore se mordit les lèvres et essaya d'élaborer des solutions alternatives. Si seulement elle pouvait se procurer une arme ! Trouver un bâton, un morceau de verre, utiliser ces ressorts.

Mieux ! Des seringues d'insuline ! Dix millilitres d'insuline rapide administrés en une fois provoqueraient dans les secondes qui suivraient des vertiges puis, avec un peu de chance, un coma diabétique...

Après l'injection, il faudrait déguerpir sans se retourner, pousser la machine cardiaque dans ses ultimes retranchements. Dans quel endroit de l'enfer l'avait-on emmurée ? Certainement loin de toute civilisation. L'effort de la fuite brûlerait du sucre, du combustible, affolerait ses muscles exigeants. En plus, il devait faire nuit. Comment s'orienterait-elle ? Sans aucun secours, privée de son liquide miracle, elle sombrerait très rapidement. Troubles de la vue, tremblements, perte de connaissance et... coma...

Elle opta pour la prudence et fourra deux seringues d'insuline sous son tee-shirt. Le gage de sa survie.

Restait six millilitres... De quoi assommer la vieille un bon bout de temps...

Éléonore retint sa respiration. L'onde sonore venait de cesser. La lumière s'était figée en un soleil d'hiver au cœur d'un cylindre de glace.

Elle a fini son travail, trembla la fillette. *Et maintenant elle va penser à moi. Elle a dû entendre les coups sur la porte, tout à l'heure ! Elle va descendre, plus furieuse que jamais !*

Éléonore se tapit dans l'angle, recroquevillée au maximum. Elle pressait les trois seringues dans sa paume fermée, les rostres d'acier prêts à mordre le premier centimètre carré de chair offerte.

Elle va vérifier par terre en rentrant, elle va te voir et te tuer, petite idiote !

Elle se précipita sur son matelas. Peut-être que si elle était sage, si elle obéissait, si elle ne la contrariait pas... Non ! Non ! Elle se releva, s'assit encore. Se laisser faire. Agir. Se laisser faire. Agir. Risquer, subir. Mourir.

Ces voix dans sa tête la rendaient folle. À quatre pattes, elle se rua sur son blouson qu'elle fit tournoyer par la manche au-dessus d'elle. D'un mouvement d'épaule, le vêtement changea d'axe et vint percuter l'ampoule qui éclata en une pluie tranchante. La gueule noire des ténèbres engloutit l'espace, digérant tout ce qui raccrochait l'être humain à la vie.

À tâtons, au bord des larmes, l'ombre dans l'ombre longea un mur, piétina l'urine avant de gagner son poste de fortune.

Prête à tout pour prolonger ses quarante heures de vie...

18

Une nuit dans un commissariat ressemble à l'électrocardiogramme d'un arythmique qu'on essaierait de réanimer à grands coups d'électrochocs. Une alternance de platitudes et de pics violents sur laquelle Lucie Henebelle calquait sa courbe de vigilance. Ou plutôt de somnolence. Car, malgré l'avalanche d'événements de ces dernières heures, la barre du sommeil la matraquait. À chaque coup de téléphone ou grincement de porte, elle se surprenait en équilibre sur sa chaise, le menton écrasé contre la poitrine et la bouche ouverte. Émergeant avec des tourbillons de flashes cauchemardesques. Des gueules de loups, des doigts sans peau, le sourire d'un cadavre de petite fille.

Les deux jeunes venus déposer plainte pour cambriolage durent la prendre pour un zombie, une shootée à l'Haldol échappée d'un hôpital psychiatrique. Ou alors la matérialisation charnelle d'une machine à bâiller.

Il lui restait trois heures à tirer avant le grand plongeon dans son lit. Plus de dix mille secondes. Dingue comme un réflexe naturel, dormir, peut virer à l'obsession. Fort heureusement, les jumelles resteraient chez sa mère la journée, le temps qu'elle recharge les batteries.

Des lasers crépitants tournoyaient derrière ses iris. Le commissaire, avant son départ tard dans la nuit, l'avait informée qu'une jeune diabétique, issue d'une famille modeste, avait disparu en début de soirée. Affirmer qu'il s'agissait d'un enlèvement et, de surcroît, envisager que le même auteur se tapissait derrière le rapt de Mélodie Cunar et d'Éléonore Leclerc ne manquait pas d'audace. Mais le doute avait vite titillé le brigadier. L'agencement du corps de la petite Cunar, cette ritualisation poussée au point de dissimuler sous le sourire d'une *Beauty Eaton* la cruauté de l'exécution – après vérification de Colin, la robe de chambre appartenait bien à la petite, mais le ruban rouge avait été ajouté – s'érigeaient en témoins hurlants d'un esprit machiavélique. Une âme noire en liberté quelque part, dans les brumes rampantes de Dunkerque.

À quoi pensait l'assassin en palpant cette gorge innocente ? Pourquoi avoir brossé les cheveux, s'être attardé si longtemps à proximité d'un cadavre sans le moindre accès de rage, alors que l'argent s'évanouissait dans la nature ? Voir l'enfant puiser ses ultimes bouffées d'air, là, sous ses yeux, lui avait-il procuré une érection ?

Il a cherché à atteindre un but, l'expression d'un fantasme. D'abord avec les vêtements, puis par son emprise sur la fillette. Cette odeur de cuir revêt peut-être une signification particulière. Les odeurs et couleurs contribuent à accentuer le délire, à matérialiser un univers fictif. Puis il y a eu... le passage à l'acte... L'argent n'était-il qu'un prétexte inconscient à l'enlèvement, un moyen de franchir le pas ? Et maintenant... la limite est brisée, la chrysalide a mué en un frelon avide de piquer... Voilà pourquoi il a recommencé...

Lucie renia rapidement ces idées saugrenues. Une fois encore, sa conscience déviait vers les pavés littéraires, les traités de criminologie piégés dans les contreforts de sa mémoire. Sa passion exacerbée pour les tueurs en série, le culte secret qu'elle leur vouait l'obsédait de plus en plus. Edmund Kemper, Richard Ramirez, Ted Bundy... Macabres idoles... Comment pouvait-on trouver une quelconque... fascination pour ces êtres abjects ?

Son mal de crâne s'aggravant, elle piocha dans son blouson un tube d'aspirine et plongea deux comprimés dans un gobelet rempli d'eau. Elle extirpa par la même occasion le contenu de ses poches. Papiers de chewing-gum, tickets de courses, son petit carnet aux feuilles cornées, le reste d'une plaque de chocolat ainsi qu'un mini-miroir.

Elle se réveilla définitivement face au reflet renvoyé par le film d'argent. Ses yeux n'étaient plus que deux bouffissures, ses traits tiraillés tendaient la peau à faire saillir ses pommettes. Après un coup d'œil discret en direction des gardiens de la paix, elle palpa ses seins. L'interruption de l'allaitement avait suffi à les faire fondre comme beurre au soleil, reléguant sa poitrine dans un modeste 85 B, contrairement à son cul qui, lui, ne s'était pas privé. Les indispensables kilos du haut glissaient amèrement vers les disgrâces du bas.

D'un violent revers de main, elle propulsa le miroir jusqu'au bout du comptoir. Avec une tête pareille et un corps démoli par l'accouchement, elle ne risquait ni de plaire à un homme ni de combler cet appétit sexuel qui s'épaississait dans ses veines.

Tu vis cloîtrée, tu ne croises même plus la lumière du jour avec les filles, comment espères-tu rencontrer le bonheur ? Si ça continue, une cornette de bonne sœur va te pousser par-dessus la tête !

Alors c'était ça, sa vie ? Galères le jour, tempête la nuit ?

Après que les bulles eurent digéré sa migraine, un bon

café, ses idées noires, elle entreprit de feuilleter son carnet avec une lenteur exagérée, histoire de dilater le temps.

Derrière les parcelles de papier se cachait la mise à plat d'un chaos intérieur. Un nombre de litres de lait à acheter, des adresses de pédiatres, des marques de couches, la date d'un premier sourire ou celle de son dernier rendez-vous chez le gynéco. De tout, de rien. La lecture de ces annotations lui renvoya l'image de fragments éteints, un flux chaud de pensées qui lui firent prendre conscience à quel point le temps filait.

Au fil des pages, elle retraçait le dédale de son passé, tantôt émue, tantôt en colère, associant à chaque mot une idée, un souvenir accompagné d'odeurs, de rires, de pleurs. Elle rêvait d'un bonheur simple, ses filles, des crédits payés, un jardin avec de la rhubarbe, des tomates-grappe, des framboises, mais elle ne récoltait que la misère d'un présent en feu. La solitude, les nuits blanches, la quête du mal...

Tiens ! Je les avais complètement oubliés ceux-là ! Les taggueurs fous, ces chômeurs désespérés au point de se venger sur de la tôle ! Oh non ! Je dois encore taper le rapport ! Plus tard... Norman oubliera peut-être de me le réclamer... Et puis, tout le monde s'en fiche !

Les malheureux qui s'accumulaient sur le pavé étaient certainement plus à plaindre qu'elle. La région battait de l'aile, on licenciait à grands coups de fourche. Roubaix, Armentières, Valenciennes noircissaient les statistiques. Des spécialistes qui jouaient avec les chiffres assuraient que le chômage se stabilisait alors qu'il grimpait en flèche. Lucie le voyait bien. Un roulement de mécontentement tonnait jusque dans le port industriel de Dunkerque.

Le brigadier somnolent frôla l'arrêt cardiaque lorsque

claqua la porte située sur le côté du comptoir. Une femme chargée de matériel de nettoyage apparut. L'âge indéfinissable, maquillée à rendre jalouse une carrière de craie, des gants de caoutchouc jaunes qui grimpaient par-dessus les manches d'un pull ringard. L'icône du mauvais goût jaillie du cœur des ténèbres.

En voilà une qui est vraiment à plaindre ! se rassura Lucie. *Quoique... Elle a de jolis yeux, une silhouette élancée. Elle plaît peut-être aux hommes, après tout ! En tout cas, elle doit faire l'amour plus souvent que toi. Parce qu'à ce stade, ton seul adversaire reste la momie égyptienne !*

La femme sursauta à son tour en se retournant.

— Oh ! Ex... cusez... moi, bafouilla-t-elle en baissant le regard. Je... ne travaille ici que depuis quelques jours... Dans les entreprises où j'avais l'habitude de faire le ménage, on trouvait rarement quelqu'un à cette heure...

— Ici la nuit n'existe pas, sourit Lucie en cassant un carré de chocolat. La délinquance n'a pas d'horaires fixes.

— Ça ne vous dérange pas si je lave derrière le comptoir ? Tout doit être nickel pour dans deux heures, sinon... Vos chefs sont loin d'être des enfants de chœur. Vous ne devez pas rigoler tous les jours, au milieu de tous ces hommes...

Lucie répondit d'un mouvement de tête, preuve qu'elle n'écoutait pas. Les brefs éclats de lucidité qui traînaient encore dans son crâne fusionnaient sur la dizaine de centimètres carrés où elle avait noté sa dernière remarque, soulignée d'une triple rangée de stylos-billes : « Les taggueurs sont réfléchis... Ils ont réparé l'erreur susceptible de nous mettre sur la voie. »

Ils étaient deux à tagguer, se souvint-elle. Le zèle avait

aveuglé Laurel mais son complice Hardy avait probablement gommé la faute avec des fonds de bombes. Pourquoi avoir effacé le message ?

Bah ! Ce ne sont que des vengeurs masqués inoffensifs qui ont juste voulu témoigner de leur colère, sourit-elle en rabattant la couverture du carnet.

Son mouvement s'interrompit net. Une aigreur venait de lui triturer l'estomac.

Pas à cause du café ou du chocolat... Non, autre chose...

Cette justesse d'esprit d'effacer un tag compromettant, au cœur de la nuit, dans ce déferlement de haine.

Cette justesse d'esprit de ramasser des morceaux de phare compromettants, au cœur de la nuit, en plein désarroi.

Deux impulsions identiques, la même nuit, à quelques kilomètres d'écart.

Une coïncidence troublante.

— Des hypothèses, tout ça ! maugréa-t-elle.

— Vous m'avez parlé ? demanda la femme de ménage.

— Euh... Non... Je pensais à voix haute...

— Ça m'arrive souvent moi aussi. La solitude rend marteau parfois...

Lucie était déjà replongée dans ses déductions. Norman... Le lieutenant Norman avait soulevé la possibilité que les chauffards soient plusieurs, pour lever le corps, parce que l'assassin n'était pas intervenu.

Encore un point commun.

Lucie s'humidifia les lèvres. Un détail clochait. Pourquoi les taggueurs se seraient-ils rendus dans le champ d'éoliennes, phares éteints ?

Quelqu'un leur a peut-être fait peur. Surpris, ils ont pris la fuite et se sont faufilés dans le maillage de la zone industrielle. Une course-poursuite, comme Raviez l'avait signalé !

Une fois Cunar renversé, ils avaient découvert le magot. Du pain béni pour deux chômeurs. Cet argent pouvait-il mieux tomber ?

Lucie se tortillait sur son siège, indifférente aux allers et retours de serpillière sous ses pieds et aux tonnes de parfum discount dont s'était aspergée la femme de ménage. La scène défila une énième fois devant ses yeux. Le chauffard qui cherche à éviter Cunar. Le choc. La disparition du corps et du magot. Tout se tenait.

La liste des licenciés ! Les taggueurs en font certainement partie ! Et donc les chauffards aussi !

Lucie quitta son poste et s'élança à l'assaut des marches, direction le premier étage. Norman avait demandé à ce qu'on lui faxe la liste des personnes licenciées de l'aciérie Vignys, « pour la forme ! » avait-il plaisanté. Combien de noms ? Une centaine, se rappelait-elle.

Lucie n'eut pas assez de toutes ses dents pour rager. Porte de bureau close. Hors de question de déranger la cavalerie en pleine nuit, car si elle se trompait...

Mais elle ne se trompait pas.

Les taggueurs avaient été trop rigoureux, trop prudents. S'ils n'avaient pas biffé cette inscription ou ramassé les morceaux de phare, jamais le lien n'aurait été établi.

Sans s'en rendre compte, ils avaient signé leurs actes.

La perfection était leur signature...

19

À plusieurs reprises, des crampes violentes avaient contraint Éléonore à se coucher sur le sol. Depuis combien de temps se cachait-elle derrière cette porte, les seringues pressées au creux de la main ? Quatre, cinq heures ?

Nuit ? Jour ? Peu importait. Seul comptait un nombre. Trente-cinq. Trente-cinq heures à vivre. Maximum.

Durant cette période d'agonie mentale, des kaléidoscopes sanglants avaient circulé dans sa tête, des fins violentes de films, des bribes d'informations où l'on parlait d'enlèvement, de pédophilie, de mort. Dernièrement, ses parents l'avaient encouragée à regarder le journal de vingt heures, à suivre de près le procès du Monstre de Charleroi, pour qu'elle puisse se rendre compte du danger encouru de parler à des inconnus. Aujourd'hui, ce déferlement d'horreur la frappait de plein fouet. Si elle survivait, le grand enseignement qu'elle tirerait de cette expérience serait que « ça n'arrive pas qu'aux autres ».

Sa gorge en manque d'eau brûlait. Éléonore avait uriné deux nouvelles fois dans le coin opposé, mais l'odeur ne la dérangeait plus. Dans ses mains, l'insuline compressée sous plastique, cette incroyable capacité d'insuffler la vie d'un simple mouvement du pouce. Les injections faisaient partie de son quotidien, au même titre que se brosser les dents. Une tâche comme une autre, voilà tout. Sauf qu'oublier de se brosser les dents n'avait jamais tué personne.

D'un coup, le frémissement de l'ouïe prit le dessus sur ses quatre autres sens. Un sursaut, là, à l'extérieur ! Puis le court passage de la perception à la réalité : des bruits de pas ! Lourds et terrifiants. Dans l'obscurité, elle devina une dernière fois le matelas. Il était encore temps de renoncer, de se donner une chance de vivre. Parce que là, si elle ratait son coup...

Éléonore s'accroupit au maximum, arrière-cuisses sur mollets, prête à se propulser vers l'avant. Ses muscles éprouvés par l'attente ne lui épargnèrent pas des douleurs que même les torrents d'adrénaline ne parvenaient à vaincre, le sang gorgeait ses tempes.

Lorsque les gonds grincèrent, sa vessie creva et la souilla jusqu'aux talons de ses chaussures. L'entrebâillement de la porte... Un cône oblique de lumière rouge... À l'entrée du cachot, une ombre d'une taille démesurée... Le monstre des ténèbres...

— Ne fais pas semblant de dormir ! Je t'ai entendue, petite coquine ! Viens me rejoindre ! Nous avons une mission à accomplir !

Maintenant ou jamais. Éléonore planta les mandibules d'acier dans la cheville droite et pressa avec hargne les trois poussoirs.

Ses espoirs de fuite n'eurent pas le temps de se matérialiser. Une araignée de doigts puissants se referma sur sa chevelure au moment où elle se faufilait hors de sa prison. Stoppée net dans son élan, elle crut que son crâne allait se fendre en deux. Elle hurla de toutes ses forces.

— Petite garce ! hurla plus fort encore la silhouette.

Éléonore ne put esquiver la gifle qui manqua de lui arracher la tête. Des points lumineux se déversèrent sous ses paupières lorsqu'elle percuta un mur avec violence. La femme pesta en fracassant les seringues sur le béton.

— Qu'est-ce que tu m'as injecté ? Je vais te saigner, sale putain ! Attends un peu !

Des claquements sourds, des cris distordus, les raclements d'une lame. De plus en plus proches. Les yeux d'Éléonore s'ouvrirent pour graver une image de folie sur leurs rétines. Le fauve se dressait devant elle, le visage dans l'ombre, l'haleine rance, un couteau cranté brandi au-dessus de la tête.

C'était la fin. Le bras s'abattait déjà.

La dernière pensée d'Éléonore se porta vers sa mère...

L'arme frappa à moins de dix centimètres de sa joue gauche. Dans un long cri rauque, la géante s'écrasa sur le sol.

Tremblant de tous ses os, Éléonore s'agrippa à un anneau fixé dans le mur et parvint à retrouver un équilibre fragile. L'ampoule rouge grossissait, rétrécissait, au rythme des afflux organiques qui lui frappaient les membranes. Désorientée, terrorisée, Éléonore focalisa son attention sur le rectangle de bois entrouvert, au bout de la pièce identique en tout point à la cave d'où elle sortait.

Une autre porte.

Elle serra les poings, chevaucha la masse inerte et se rua vers son point de fuite. Déjà, l'oxygène sifflait dans ses poumons. La peur lui rongeait tout l'intérieur du ventre, décuplant sa volonté de s'échapper. Le rempart de bois franchi, elle remonta un interminable couloir en demi-lune tapissé de toiles d'araignées, éventré de lourdes portes, perforé d'ampoules, qui suggérait les vertèbres ensanglantées d'un animal démoniaque. Parfois, dans les parois, des trous illuminés d'une faible lumière. Éléonore osa un regard oblique. Des bocaux... Des choses gluantes, à l'intérieur... Pas le temps de voir, trop haut. Elle poursuivit sa fuite sans plus détourner les yeux.

D'un coup, le sol devint mou, craquant. Ses pieds disparurent...

Des écorces. Une mer d'écailles de pin jonchait le sol en amoncellements brunâtres. Dans l'œil de la tourmente jaillit l'odeur du cuir. Éléonore se souvenait... Cette puanteur cloisonnée dans l'habitacle de la voiture trouvait son origine ici, au cœur des catacombes, derrière l'une de ces portes... L'estomac retourné, la fillette ralentit. Des grattements... Elle percevait des grattements. Là, partout, autour. On creusait...

Ses mains pressaient ses hanches, sa gorge asséchée par les émanations de cuir cherchait un oxygène aussi rare que la lumière.

— Y a... Y a quelqu'un ?

Sa voix installa un silence instantané. On l'écoutait derrière l'une de ces forteresses de bois... Et si les ténèbres retenaient d'autres enfants, apeurés au point de se taire au moindre son de voix ?

— Répondez ! Qui est là ? Répondez !

Elle hésita, sautilla pour essayer d'atteindre un loquet trop haut.

— J'y... arrive... pas... j'y arrive pas !

Elle se retourna, haletante. Toujours personne.

— Je... m'appelle Éléonore... Je vais vous aider !

À l'aide du pied, elle groupa une montagne d'écorces au bas de la porte pour s'en servir comme d'un rehausseur. Même sur la pointe des orteils, elle ne réussit à se grandir que de quelques centimètres. On dit que la volonté ébranle les murs. Pas ici.

— Je... Je suis désolée...

Elle accéléra à nouveau, focalisée sur son objectif : le bout du tunnel.

Je... préviendrai... la police... Dès que... je serai... loin d'ici... On va venir... vous... sauver...

Les perspectives convergèrent enfin sur un escalier de pierre en colimaçon qui s'engouffrait vers d'autres profondeurs ou s'envolait vers l'obscurité. Sans réfléchir, elle grimpa aussi vite que sa charpente d'oisillon le lui permit, manqua à maintes reprises de se rompre le cou en dérapant sur les pierres humides. Plusieurs niveaux. D'autres couloirs fuyaient vers des noirceurs interdites. Combien de portes, de caves ? À quoi pouvaient servir ces oubliettes macabres ? Dans quel labyrinthe mythologique l'avait-on enfermée ?

La poitrine en feu, elle progressait, coûte que coûte, les yeux rivés à présent sur le carré lumineux apparu quelques mètres au-dessus. Elle allait y arriver !

À dix marches de la liberté.

L'éclipse d'ombre qui déchira la lumière et s'abattit sur son visage ruisselant brisa d'un coup sa volonté de vivre. Du mélange abject de sons qui coula de la bouche étrangère, Éléonore ne comprit que ces mots :

— ... je m'en doutais...

20

La sonnerie du téléphone parut d'abord lointaine, évaporée dans la brume des songes, puis de plus en plus proche. Lucie resta en apesanteur sur la frontière de l'éveil, avant de s'apercevoir que cette montée dans les aigus sourdait du monde réel. Le papillon fragile quitta son cocon, chevaucha des monts de thrillers étalés sur le sol et se précipita sur l'appareil sans prendre le temps de s'étirer. L'indicateur lumineux du répondeur clignotait sur « 3 ». Comment les cataractes du sommeil avaient-elles pu l'emporter au point de la rendre insensible aux appels téléphoniques ?

Joyeux Noël ! s'apprêtait-elle à vociférer. Elle se sentait en forme, débordante d'une énergie solaire. Combien de temps avait-elle dormi ?

— Lucie ? Pierre Norman à l'appareil ! Qu'est-ce que tu fiches ?

— Qu'est... Pierre ? Mais qu...

— Il faudrait peut-être te presser ! Direction le zoo de Lille, je passe te prendre dans dix minutes ! Il y a le feu ici ! Tu es sûre que ça va ?

Lucie bâilla à en perdre les mâchoires.

— Hmm... Excuse-moi Pierre, mais je dormais. Je ne comprends pas bien ce que tu veux dire. C'est Noël, et le commissai...

— Noël ? Tu as bu trop de champagne ou quoi ? C'était hier ! Nous sommes vendredi, neuf heures trente du matin. Habille-toi en civil ! J'arrive !

Les pupilles de Lucie s'arrêtèrent sur le cadran de sa montre. Le calendrier indiquait « 26 décembre ».

— Mais...

Elle raccrocha, s'apercevant que Norman avait déserté la ligne. Vingt-sept heures de sommeil sans interruption... Ce qui expliquait cette sensation de fraîcheur, ce goût de fleur épanouie sur ses lèvres.

Tu m'étonnes ! Hibernatus *est un plaisantin à côté de toi !*

Les pensées acculées aux portes de son cerveau explosèrent.

Les jumelles ! Mince !

Elle écouta les messages de sa mère, composa dans la panique son numéro afin de lui demander des nouvelles des filles, promit qu'elle passerait dès que possible, ramassa le courrier qui traînait dans la boîte depuis plusieurs jours et entrebâilla la porte d'entrée.

Factures... Factures... Factures...

Génial ! Joyeux Noël à vous aussi...

Elle se glissa sous une douche brûlante.

Quelle mère irresponsable tu fais, quelle fille indigne ! sourit-elle en s'attardant dans les vapeurs torsadées. *Que va penser maman ? Et patati, et patata ! Je l'entends déjà !*

Sous les filets d'eau, la jeune femme remua les épaules, agita la poitrine d'impulsions sèches et précises, se lissa le ventre du plat de la main et esquissa des mouvements de jambes à la Marilyn Monroe. Un mètre cinquante-neuf de fraîcheur, une vraie star des bains.

Pas si mal que ça ma grande ! Plus tout à fait croquante, mais presque ! Encore de quoi faire dresser quelques bistouquettes !

Une pulsion inconsciente, une libido saturée de désirs la poussèrent à traîner sous le jet revigorant. La porte était ouverte, Norman pouvait entrer...

Justement...

Tu es sotte, qu'est-ce qui te prend ? Ce type ne t'attire pas particulièrement ! Et quand bien même ? On ne s'attaque pas à la hiérarchie !

Son corps disparut sous une cascade de mousse. Ses pensées s'aimantèrent vers le lieutenant. Le policier roux faisait partie de ces êtres hybrides, ces centaures mystérieux dont on ignorait s'il fallait éprouver de l'attirance ou de la répulsion en les approchant, les sentant, les caressant.

Tut ! Tut ! Tu es complètement folle ! Voilà que tu parles de caresses maintenant ! Pire qu'une droguée en manque d'héroïne !

À demi honteuse, elle fit coulisser le pan de plexiglas. Son cœur battait agréablement, des danses organiques raffermissaient ses muscles. Elle songea à ce Noël particulier, consommé au creux de la couette. Tout un symbole sur le désordre de sa vie...

Soudain, devant, des tons sombres prirent forme dans la tourmente des volutes, une esquisse furtive s'évapora devant l'entrée de la salle de bains.

Pas l'ombre de Norman. Quelqu'un d'autre. Une physionomie beaucoup plus imposante. Monstrueuse.

Lucie s'enroula en catastrophe dans une serviette, prise de bouffées asphyxiantes.

— Il... Il y a quelqu'un ?

Pas de réponse. Avait-elle rêvé ?

Non ! Bien sûr que non ! Un inconnu est entré chez toi !

— S'il vous... plaît ! Qui... est là ?

Elle se glissa contre le lavabo, longea le mur humide, recroquevillée dans sa serviette.

— Toujours pas prête ? Ha ! Les femmes !

Lucie se figea au son de la voix qui montait du salon. Elle identifia sur-le-champ la signature vocale du capitaine Raviez. *Pas possible ! Non ! Il... il n'a pas pu te voir ! Imagine la honte !* Les poils de ses avant-bras se hérissèrent.

— Je... J'arrive capitaine ! Je m'habille ! Pre... Prenez un café dans la cuisine !

Une orange épluchée le reste définitivement, même s'il nous prend l'envie de remettre maladroitement la pelure pour manger le fruit plus tard. Lucie était une orange pelée...

— Je te dépose au zoo ! cria le capitaine depuis le salon.

Lucie eut du mal à retrouver ses esprits. Un zoo... Avait-elle manqué un épisode ? Raviez poursuivit.

— Norman était obnubilé par ce poil de loup, alors il a fouiné dans les fichiers hier toute la journée. Deux plaintes ont été déposées par le directeur du zoo de Lille ! Des vols ont eu lieu. Notamment celui d'un loup !

— Un... un loup volé ?

Raviez inspectait le salon d'œillades gourmandes. Les tapisseries sombres, les statues africaines difformes, les doubles rideaux aux teintes passées. Des livres partout. Sur la table, au-dessus du téléviseur, sous les coussins du canapé. Des couvertures sang, des titres effroyables. *Histoire du cannibalisme. Sur le fil du scalpel. Psychologie de la torture.*

Intrigué, il s'approcha d'un meuble en teck dont les vitres d'origine avaient été remplacées par des vitres teintées. Il colla son nez sur la surface noire et aperçut, au travers de son propre reflet, une masse opaque, indéfinissable. Piqué dans sa curiosité, il tira sur la poignée. Fermé à clé...

— On a eu le retour des experts du programme *Trace Loup* ! continua-t-il en auscultant le meuble sous divers angles. La sous-espèce de loup est un *Canis lupus albus*, la même que celui disparu ! Et ce n'est pas tout ! Le mois dernier, on leur a volé quatre singes capucins ! Ceux restant ont été massacrés ! Tu imagines le délire ?

Lucie prit un temps de réflexion avant de répondre.

— C'est dingue ! Le loup, puis les singes ? Et... un massacre vous dites ? Qu'en pensent les collègues lillois chargés de l'affaire ?

Tout en surveillant l'entrée de la salle de bains, Raviez jeta un œil dans un tiroir entrouvert. *Manuscrit de saint Marc*. Dessous, un grimoire séculaire intitulé *Magie noire, commerce avec le diable*. Puis une illustration originale du *Serpent Ouroboros*, la queue dans la gueule, se dévorant indéfiniment. Raviez découvrit en se baissant une boîte en carton, la tira vers lui et la referma aussi vite qu'il l'ouvrit. Lui, le costaud de service, frissonna instantanément.

— Capitaine ?

— Euh... Pas... pas grand-chose ! Le dossier s'est perdu dans leurs tiroirs... Norman en a profité pour étendre ses recherches sur les autres zoos de la moitié nord.

— Alors ?

— Scénario identique au zoo de Maubeuge, voilà

presque six mois ! Cinq wallabies massacrés, deux volés !

Lucie secoua sa chevelure dans une serviette-éponge, les sourcils froncés.

— Des wallabies ? Ces espèces de kangourous nains ?

— Exactement ! Un taré cherche peut-être à recréer une arche de Noé chez lui !

Lucie se massa les tempes. Un lourd sommeil l'avait éloignée de l'enquête mais à présent le fil de l'investigation lui revenait violemment au visage. Des souvenirs affluaient par bribes floues. Le corps assis de Mélodie Cunar, les mains entre les cuisses. La *Beauty Eaton*. Le poil de loup dans la gorge. Elle demanda :

— Du nouveau pour les fibres de résineux retrouvées sous les semelles de la petite ?

— Ah ! Oui ! Ils n'ont pas chômé au labo ! Pin des Landes !

— Des Landes ? Ce qui signifie que...

— Non, on ne croit pas que l'assassin se soit rendu là-bas avec l'enfant ! On pense plutôt qu'il s'agit de ces écorces de pins que l'on répand dans les jardins pour éviter les mauvaises herbes ! On en trouve dans toutes les jardineries ! On suppose que la petite Cunar en a foulé avant de se retrouver à l'entrepôt !

— Mais... je pensais... que Norman devait venir ? Il...

Raviez songeait encore au contenu de la boîte en carton. L'encens, la chandelle noire, la poupée de tissu bourrée de mousse de lichen, perforée d'aiguilles de couturière. Et cette mèche bouclée, dans une enveloppe.

— Tu dis ?

— Je pensais que Norman devait venir !

— Une réunion m'attend à dix heures trente aux bureaux de la PS de Lille, pour essayer de dénouer ce sac de nœuds ! Donc c'est moi qui t'emmène ! Heureuse ?

Une fois moulée dans un jean et un pull à col roulé, les cheveux lissés d'un baume démêlant, Lucie se jeta dans la cuisine à l'assaut d'un paquet de biscuits.

— Je meurs de faim ! « Qui dort dîne », une belle arnaque !

Il ne me regarde pas comme d'habitude... Il a vu la tarte aux poils !

Le brigadier frémit lorsqu'une main se posa sur son épaule.

— Joyeux Noël avec un peu de retard, Henebelle...

— Vous aussi capitaine...

Il se racla la voix.

— Tu... tu as pas mal travaillé jusqu'à présent, du vrai boulot d'enquêtrice ! Je t'ai fourré assez souvent des bâtons dans les roues mais tu sais, au commissariat, on ne peut pas...

— Ne vous justifiez pas. C'est inutile.

— Très bien. Notre chef a rapatrié des effectifs de congés, mais tu restes sur le coup. Loin des tâches pénibles de l'enquête de proximité. Une chance pour toi, non ? En tout cas, je ne regrette pas de te savoir dans mon équipe...

Son ton prenait la douceur du miel, ses gestes appuyés la dangerosité d'un dard. Lucie fit volte-face, un biscuit aux lèvres.

— Ah ! J'allais oublier bon sang ! J'ai tellement dormi ! Il faut appeler Norman ! Je pense avoir un début de piste pour l'identification du chauffard !

Raviez fit frémir sa moustache au-dessus du café brûlant. Son alliance claqua sur la porcelaine.

— Tu plaisantes ou quoi ? On est carrément secs là-dessus, et toi tu...

Elle lui expliqua les conclusions jaillies lors de son délire nocturne au commissariat. L'entreprise tagguée par deux plaisantins, le graffiti effacé, la quasi coïncidence temporelle et spatiale avec l'accident de Cunar, la volonté et l'intelligence d'effacer les traces.

Raviez liquida son café d'une gorgée bruyante. Des sillons lui barrèrent le front. Une maîtresse par ride, rapportaient les ragots.

— Combien de suspects sur cette liste ? demanda-t-il, soudain intéressé.

— Une centaine...

— Wouah ! À supposer que tu aies raison, autant chercher une aiguille dans une botte de foin – il cacha sa brosse sous un bonnet de rappeur. Je te conseille de m'imiter si tu ne veux pas te transformer en iceberg...

Il tapota sur les touches de son portable.

— Bon... J'appelle Norman pour qu'il jette un œil à cette liste. Ça peut valoir le coup d'aller interroger les patrons de cette entreprise, passer avec eux les noms au crible, dénicher les ouvriers syndicalement les plus impliqués et ceux susceptibles de commettre ce genre de délit. Après nous aviserons suivant les effectifs disponibles et le nombre de personnes à interroger. Mais je reste un peu sceptique.

Lucie acquiesça, les mâchoires contractées. Après qu'il eut raccroché, elle demanda :

— Et la petite Éléonore, des nouvelles ?

— Aucune. Son portable doit être détruit car il n'émet plus de signal, ce qui appuie la thèse de l'enlèvement. Soixante-dix gendarmes ratissent les environs depuis hier. Le gros problème vient du diabète de la petite, de type I, le plus contraignant. D'après la mère, l'insuline dont elle dispose, en comptant sa pompe et ses seringues de secours, ne lui autorise qu'une cinquantaine d'heures d'autonomie. Or voilà plus de trente-six heures qu'elle a disparu. Nous surveillons hôpitaux et pharmacies du coin. Pour le moment, aucun cas suspect signalé. Le commissaire est sur les dents. La presse s'est jetée sur l'affaire. Ces abrutis présentent l'enquête comme une série macabre à suspense. Tout juste s'ils n'affichent pas un décompte horaire au bas de l'écran à chaque journal télévisé. Tu sais, un truc du genre H-20 !

Lucie imaginait les gens, blottis derrière leur écran à attendre chaque édition du journal comme s'ils s'abreuvaient d'une émission de télé-réalité. Des reflux nerveux glissaient le long de sa colonne vertébrale. Au-delà de l'ultimatum, une nouvelle victime les attendrait peut-être au détour d'un entrepôt, parée d'un sourire *post mortem.*

Ça te plairait, n'est-ce pas ? Avoue ! Tu en aurais enfin un face à toi, sorti tout droit de tes livres ! Un vrai de vrai !

Non !

Elle se prit la tête dans les mains et demanda :

— Les ravisseurs de Mélodie Cunar et de la diabétique ne font qu'un, n'est-ce pas ?

Raviez perdit de sa bonne humeur apparente.

— On n'écarte pas la possibilité. Un point commun troublant existe entre ces filles. Toutes deux étaient atteintes d'une maladie grave et côtoyaient les hôpitaux. L'une à Dunkerque, l'autre au Touquet. Peut-être une coïncidence, vas-tu me dire, mais on baigne dedans depuis le début, alors pourquoi pas ? Sans oublier l'aspect temporel des événements. Malgré la différence d'âge et de statut social, avoue que deux rapts d'enfants réalisés dans le même coin, à des intervalles très rapprochés, explosent les statistiques.

Lucie engloutit son deuxième biscuit et se nettoya le palais d'un claquement de langue avant de demander :

— À votre avis, pourquoi enlever une enfant atteinte d'une maladie qui, sans soins, la conduit irrémédiablement vers une issue fatale ?

— C'est effectivement *la* question qui nous taraude... Tu as complètement retourné le commissaire avec tes histoires de poupées et de rituel. Il se met à penser comme toi et prie pour que ce soit juste une fugue, un délire de la puberté. Sais-tu pourquoi ?

Lucie rassembla sa crinière blonde sous un bonnet de laine noire.

— Je crois... Il craint que le ravisseur de Mélodie Cunar ait pris goût à son délire et que... Il pourrait se sentir obligé de recommencer, pour atteindre un but, matérialiser un fantasme en rapport avec des poupées... On peut considérer le rapprochement entre les deux enlèvements comme une montée en puissance de ses pulsions. Le choix d'une victime peut prendre des semaines, voire des mois chez certains psychopathes, or notre intéressé a agi quasi instantanément. Donc deux possibilités : cette jeune fille faisait partie de son environnement quotidien ou alors il a frappé complètement au hasard... Je... – elle se tapota la tempe de l'index – je ne vais pas vous ressortir tout le tintouin sur les milliers de cas psychiatriques dressés par les experts comportementaux. Il faut d'abord que son profil mûrisse dans ma tête.

Raviez haussa ses épaules carrées.

— Que son profil mûrisse dans ta tête ? Ha ! ha ! Elle est bien bonne celle-là ! Tu joues les *profilers* sans un seul diplôme en psychologie ! Tu parles de profil alors que tu n'as aucune expérience dans l'enquête criminelle, tu n'as jamais assisté à une autopsie ou même côtoyé de véritables tueurs !

— Ça, c'est vous qui le dites...

Elle laissa parler le silence, semant le plus grand trouble.

— Et puis vous savez, la plupart de ces experts restent cloisonnés dans leurs bureaux sans jamais se déplacer. Je me passionne pour la psychologie criminelle depuis de nombreuses années. Recueils, traités, conférences. Les diplômes ne sont que des morceaux de papiers !

— Chacun son job ! Le nôtre, c'est le terrain, les indices et les preuves ! On n'arrête pas quelqu'un avec du baratin d'étudiant !

Il pointa un doigt vers une armoire bondée de DVD, de livres en vrac.

— *Seven... Huit Millimètres... Vendredi 13...* Et là ? Des bouquins sur le cannibalisme, les psychopathes. C'est dans ce mont d'absurdités que tu puises ton inspiration ?

Il se dirigea vers le tiroir contenant la petite boîte en carton. Lucie lui barra le chemin.

— En partie, oui, abrégea-t-elle. Nous y allons ?

— Et dans ce meuble aux vitres teintées, qu'est-ce que tu caches ? Une tête coupée ?

— Je cherche des réponses à certaines questions que je me pose depuis toute petite... Et ça ne regarde que moi...

Alors que la jeune femme s'engageait dans le hall, paquet de biscuits à la main et plaque de chocolat dans la poche, Raviez poussa une dernière remarque. La plus fracassante de ces six derniers mois...

— Au fait, Henebelle... Tout à l'heure, dans la salle de bains... Très beau cul...

21

Au plus fort de décembre, le zoo de Lille revêtait des allures de ville fantôme, de Pompéi d'acier et de béton pétrifié par les morsures du froid. À l'arrière-plan, les tourelles de la citadelle Vauban égratignaient le ciel tels des Vésuve menaçants tandis qu'au cœur de la cité, des rafales de glace remontaient les allées vierges et chromaient les barreaux des cages vides en un souffle mortel. Il fallait baisser les yeux pour découvrir, au fond des fosses boueuses, des taches sombres, velues, des boules de fourrure immobiles, comme des manteaux enroulés.

Au rythme lent imposé par son accompagnateur, Lucie contourna le parc des gibbons. L'atonie des primates, dans l'amalgame des branches, leur conférait des allures de cosses pourries. Puis le brigadier dévia le long d'une profonde niche où un ours placide l'accompagna d'un regard gourmand. Dans tous les sens du terme.

Une charpente d'une cinquantaine d'années précédait le policier, un moulin à paroles qui rappelait pourquoi il valait mieux, parfois, préférer la compagnie des animaux à celle des humains. Deux de ses canines affûtées pinçaient sa lèvre inférieure quand il fermait la bouche. Une particularité qui, un siècle plus tôt, lui aurait valu la vedette dans une foire aux monstres. « Venez découvrir l'homme-morse ! »

Un hurlement ébranla la chape de silence. Lucie tressaillit. Les loups...

— Voilà pourquoi je fais ce métier ! se réjouit Roy Van Boost, le vétérinaire du zoo. Vous ne les entendrez hurler que l'hiver, après de longues semaines à l'écart de la masse grouillante des humains. Écoutez-les... Ils appellent... Ils pleurent... Ils communiquent... La nuit, c'est encore plus impressionnant... Mes bébés...

— Pourquoi, vous venez souvent la nuit ?

— L'obscurité recèle tous les secrets de l'humanité...

Instinctivement, Lucie se pelotonna plus encore dans son blouson, les poings bien au fond des poches. Ces déchirements véhiculaient un malaise palpable, ramenaient au-devant les peurs ancestrales. Les forêts lugubres, leurs elfes malfaisants. Aux côtés de l'être aux dents de vampire et à l'humour aussi noir que ses vêtements, elle se crut dans l'intestin d'une lande maudite.

Curieusement, elle en ressentait une grande excitation.

Lorsqu'ils s'approchèrent de la fosse, les hurlements cessèrent. Lucie garda ses distances, étonnée devant l'absence de barrières de sécurité. Van Boost défiait l'à-pic d'un équilibre fragile, les semelles dévorant le vide.

— Venez, jeune fille, n'ayez pas peur ! On profite de la trêve hivernale pour effectuer des travaux ! Plus de barrières ! Venez, venez, vous ne les observerez jamais de si près !

Lucie sonda les alentours. Personne, hormis ces présences velues aux yeux de statues. Elle hésita à avancer. Il coulait dans les prunelles du vampire des nappes insondables.

Et s'il te poussait dans... la gueule du loup ? Il n'y a pas un chien ici... Arrête tes bêtises ! Tu délires !

Elle examina les bras de l'homme, à moitié mangés par les poches de son trois-quarts en cuir.

C'est vrai ça ! Il n'a jamais sorti les mains de ses poches !

— Alors mademoiselle ! aboya-t-il dans un nuage de condensation. Vous attendez le dégel ?

Lucie se décida. Armée, elle pourrait intervenir en cas de nécessité.

Face aux loups ? Tu n'aurais même pas le temps de dégainer que ces sales bêtes t'auraient arraché le bras !

Elle affronta le vide, les pieds en léger décalage pour se donner un point d'appui solide. Au cas où...

— Mademoiselle, je vous présente *Canis lupus albus*, puissant habitant de la toundra eurasienne. Cinquante kilos de hargne, des prédateurs parfaits avec un odorat quatre-vingts fois supérieur au nôtre. Ils vous avaient sentie avant même votre entrée dans le zoo.

Il déshabilla Lucie de traits incisifs. Un regard de serpent, bourré d'écailles froides.

— Fixez-les au fond des yeux. Vous y lirez des siècles de haine envers l'homme.

Comme celle que l'on déchiffre dans tes pupilles à toi ?

Trois paires d'iris noirs cerclés de jaune se groupaient au pied du mur artificiel, les museaux bleu argenté braqués au ciel, les babines ourlées sur le rose des gencives. Des crocs comme des sabres.

Peu rassurée face à la matérialisation de ses cauchemars, Lucie tenta un pas en arrière, mais l'homme lui attrapa l'épaule et la ramena au-devant du vide. Il rengaina si rapidement qu'elle n'eut pas le temps d'apercevoir sa main.

— Qu'y a-t-il jeune femme ? On n'aurait pas la frousse de ces gentilles bêtes quand même ?

Lucie s'efforça de garder son calme. À deux doigts de craquer. *Titre principal de notre édition : un brigadier de police dévoré par des loups.*

Le corps déchiqueté d'une femme de vingt-neuf ans vient d'être retrouvé dans une fosse à loups. En dépit de l'absence de barrières, le policier imprudent s'est approchée du vide et a malencontreusement glissé sur une plaque de gel. Le vétérinaire du zoo, Roy Van Boost, témoigne...

— Je... Ils m'intimident un peu, admit Lucie. Pourquoi nous haïssent-ils tant ?

— Dans les temps anciens, les loups et les hommes vivaient en parfaite harmonie, à l'exemple de Romulus et Remus élevés par une louve. Le Moyen Âge et ses hordes sanguinaires ont marqué le tournant de cette entente. Dans l'Enfer de *La Divine Comédie* de Dante, le loup représente la cupidité, l'imposture, le mal. Pendant cette période, l'homme l'a chassé, martyrisé et exterminé. Des mythes non fondés sont nés, la Bête, le loup-garou, la réincarnation du diable... Les siècles suivants ont été sans pitié pour les *lupi*. Croyez-moi, toute cette souffrance infligée par l'humain se trouve aujourd'hui inscrite dans leurs gènes, les loups ont muté et naissent avec le chromosome de la haine.

Lucie hocha la tête, simulant un intérêt soudain.

— À présent, pouvez-vous me parler des disparitions ?

L'homme retroussa ses babines. Ses canines étaient trop parfaitement pointues pour que ce fût naturel. Il les taillait...

— Étrange votre intérêt soudain pour mes animaux, miaula-t-il. Vos collègues lillois sont venus ici pour gober des mouches, mais vous... vous êtes différente – il renifla l'air dans un plissement de nez –, je le sens... Qu'est-ce qui vous amène réellement ?

— On enquête sur... un trafic d'animaux, improvisa Lucie. Comment le loup et les singes capucins ont-ils disparu ?

Le vétérinaire la perfora d'un regard noir.

C'est quoi ce type ! Il s'épile aussi les sourcils !

— Commençons par le loup, siffla Van Boost du bout des canines. Le vol a eu lieu voilà plus de deux mois, à la mi-octobre. Le malfrat a forcé cette porte, en bas. Anse du cadenas défoncée. J'ai retrouvé des flèches anesthésiantes, la nuit pendant une balade nocturne, dans les flancs des trois loups restants. Il a embarqué quarante-huit kilos sur les épaules avant de ressortir par la grille de derrière, celle qui ouvre sur le parc Vauban. En pleine nuit, pas de lumières, il n'avait aucune chance d'être vu. Il a dû garer sa voiture le long du canal de la Deule. En deux temps trois mouvements, l'affaire était pliée. Quel salaud ! Je suis sûr de l'avoir manqué de peu ! Et il a choisi ma préférée ! Bien vu !

— Pourquoi ?

— Il a enlevé la femelle *alpha*.

— Alpha ? Expliquez-moi s'il vous plaît. Je nage dans le brouillard en matière de loups.

— Honte à vooooous !

Ce type est complètement cinglé !

— La hiérarchie d'une meute comprend plusieurs niveaux de soumission. Les loups *alpha* sont les plus puissants, les plus agressifs. Ils mangent en premier, dirigent la meute et ont autorité de vie ou de mort sur la progéniture.

— Comment a-t-il reconnu le loup *alpha* ?

— Vous voulez savoir ?

Ses lèvres appelèrent un sourire effrayant.

— Venez... Approchez à nouveau... N'ayez crainte. Ils ne vont pas vous manger... sauf si je le décide !

Il croassa un ricanement.

Il joue avec toi, avec tes peurs, se dit Lucie sans bouger. *Intelligent et manipulateur... Je* dois *savoir pour ses mains !*

— Je veux bien m'approcher, mais je m'agrippe à vous ! s'exclama le policier. J'ai un peu le vertige ! Donnez-moi la main !

Une légère hésitation retarda le geste du vampire mais il finit par tendre sa main gantée. Une flamme de cierge noir vacillait dans ses prunelles.

— Voilà, glissa-t-il. Penchez-vous, intéressez-vous aux queues, je sais que les femmes adorent ça...

Lucie ne releva pas et lui pressa la main plus que de raison, s'assurant qu'elle formait avec lui un maillon solide. Elle tombait, il tombait. Dans la fosse, des gueules se déployaient en une forêt d'émail.

Je suis complètement cinglée d'obéir. Il suffirait qu'il...

— Assez ! clama-t-elle en se propulsant soudain vers l'arrière. J'ai vu !

— Alors ?

— Un seul des trois loups lève la queue.

— Exactement, le mâle *alpha*... Le couple *bêta* baisse tête et queue chaque fois qu'il se trouve à proximité d'un *alpha*. Il en va de même pour les *oméga*, et...

— Tout l'alphabet grec va y passer ?

— Non ! répondit sèchement Van Boost. Les meutes les plus importantes ne comprennent que six niveaux !

— C'est... prodigieux, se força à répondre Lucie.

Revenons à ces fléchettes anesthésiantes. Une idée du produit utilisé ?

Van Boost haussa les épaules.

— Bien entendu ! Vous pensez bien que j'étais en rage ! La louve, puis les singes ! Il s'agissait de tilétamine, un anesthésique vétérinaire très répandu.

Lucie s'empara de son carnet fourre-tout.

— Vous possédez de la tilétamine ?

— À votre avis ?

Lucie se retint d'exploser.

— Je suppose donc que la réponse est oui ! répliqua-t-elle d'un ton tranchant. Et comment s'en procure-t-on ?

— À la pharmacie, après présentation d'un bon de commande. La délivrance de produits vétérinaires est très contrôlée, ce qui n'empêche pas qu'on retrouve chaque semaine, en boîte de nuit, des jeunes shootés à la tilétamine ou à la kétamine. Un bon trip. Vous devriez essayer...

— La possession d'un pistolet anesthésiant nécessite-t-elle un port d'arme ?

— Un fusil hypodermique ? Les vétos ont les autorisations nécessaires pour s'en procurer, tout comme les pompiers, la police ou les équipes de fourrière.

Lucie souffla sur ses doigts engourdis, réchauffa l'encre de son stylo avant de poursuivre :

— Pensez-vous que celui qui a volé le loup et les singes ne fait qu'une seule et même personne ?

Van Boost se posa deux doigts sur la tempe et simula un coup de feu.

— Je l'ai déjà dit à vos collègues ! Pas de doute là-dessus. Même méthode pour pénétrer dans les cages ou enclos, le cadenas cisaillé. Mêmes fléchettes anesthésiantes, produit identique. Si ça continue, le directeur va devoir embaucher un gardien. Un humain qui veille sur les animaux. Amusant, non ?

Lucie alourdissait son carnet d'un pêle-mêle labyrinthique.

— Comment a-t-il tué les singes restants ?

— Bingo ! Vous avez touché le point sensible ! Bien joué brigadier ! Plus futée que vos collègues ! Comment se fait-il que vous ne soyez pas encore lieutenant ?

— Chaque chose en son temps. Répondez à la question s'il vous plaît.

— Bien chef ! Il les a endormis, puis... il les a vidés de leur sang en incisant les artères iliaques externes. Il leur a ensuite ouvert la poitrine, le péricarde, et il a ligaturé l'aorte à sa base.

Lucie se figea. Le monde de furie qui entourait l'assassin avait donc pris naissance ici, dans la tranquillité monastique du zoo.

Elle mordilla son stylo. Pourquoi prendre la peine, le temps, le risque de les mutiler ainsi ? D'ailleurs, pourquoi les mutiler ? En général, un tueur sadique mutile sa victime pour la dépersonnaliser ou alors montrer son emprise sur elle. Pour prouver que les corps transitant entre ses mains lui appartiennent, qu'il est l'artiste et que l'autre représente l'objet, le mouchoir jetable. Mais là, ces animaux ?

Dans son accès de rage, l'assassin avait contrôlé ses gestes, épargné la moitié des animaux en les embarquant avec lui. Pour quelle raison ? Les éliminer plus loin ? Les retenir prisonniers ?

Pourquoi seulement la moitié des singes ?

La moitié...

Lucie demanda :

— Avez-vous vérifié le sexe des bêtes mutilées ?

Les pupilles de Van Boost devinrent lames.

— Vous progressez, chère amie, vous progressez !

— Bon sang ! Arrêtez de jouer ! Que savez-vous que j'ignore ? Qu'avez-vous découvert ?

Van Boost tira sur le bas de ses gants pour bien les retendre sur ses doigts. Le cuir grinça.

L'odeur du cuir...

— Je n'ai rien découvert. De simples constats, voilà tout. C'est à vous de faire votre boulot.

— Dans ce cas, répondez à mes questions !

— Vous voulez savoir ? Il a embarqué les femelles et éliminé les mâles !

Des femelles... Il tuait les mâles par ce procédé pour le moins intriguant. Mais pourquoi n'avait-il pas reproduit son carnage avec les loups, pourquoi avoir juste endormi les mâles sans leur déchirer la carcasse ? Par manque de temps ! Van Boost affirmait s'être promené cette nuit-là, pour « parler » à ses animaux. Le tueur, alerté, interrompu, n'avait alors pu terminer son travail.

Devant le raclement de gorge de Van Boost, Lucie s'arracha à son film interne et se recadra dans l'axe de la conversation.

— Et... et avez-vous pris des photos des singes mutilés ?

— Je ne suis pas maso à ce point-là ! Encore que... Personne n'a tiré de photos, pas même les flics...

— Faut-il des connaissances particulières pour réaliser ce genre d'acte ? Vider une bête de son sang ? Lui ouvrir le cœur ? Lui... nouer l'aorte ?

Était-ce bien la même Lucie qui parlait ? Celle qui depuis six ans agonisait sous la paperasse, la monotonie des heures trop longues ? Celle qui cherchait l'introuvable et qui vibrait sur les pages d'un thriller ? Van Boost expliqua :

— Les poitrines, les artères étaient incisées de façon très nette. Cela ressemblait plus à un acte chirurgical qu'à un pur jeu de massacre. Vous savez, un cœur de capucin n'est pas plus gros qu'une balle de ping-pong, il faut avoir du doigté pour s'aventurer là-dedans.

— Nouer l'aorte d'un animal revêt-il une signification précise ?

— Surtout en dissection. On ligature les veines ou les artères pour pouvoir isoler, prélever, analyser les organes. C'est aussi une technique utilisée dans les actes chirurgicaux nécessitant une diminution de la pression sanguine.

Van Boost ne disait pas tout. Il retenait ses paroles, se contentait de répondre sans aucune anticipation sur les questions. Il sortit un sachet de dessous sa veste et piocha une lamelle de viande fumée qu'il lança dans la fosse.

— Je leur donne quelques amuse-gueules avant la distribution journalière de nourriture. Venez voir le couple *bêta* s'écarter du mâle *alpha* ! Même morts de faim, ils se soumettraient. C'est dans l'ordre des choses. Un exemple parfait de société soumise à l'autorité !

Lucie ne bougea pas. Elle décelait une forme curieuse de fascination chez Van Boost. Ce personnage de train fantôme jouait avec ses loups comme une fillette s'amuse avec ses poupées.

Il les domine ! Il se prend pour le chef, celui dont le sort de la meute dépend ! L'humain alpha !

Au fond de la fosse, les prédateurs attirés par les effluves de chair s'agitaient avec des grognements appuyés.

— Peut-on visiter la cage des capucins ? demanda la jeune femme en réajustant son bonnet.

De plus en plus, elle éprouvait le besoin de bouger, de s'éloigner de ce puits de ténèbres.

— À quoi bon ? Elle est vide et nettoyée désormais.

Devant l'immobilité volontaire du vétérinaire, elle enchaîna sur d'autres questions.

— Que croyez-vous que le ravisseur ait pu faire de ces animaux ? Cette louve *alpha* notamment ?

— Ne parliez-vous pas de trafic tout à l'heure ? ricana-t-il sans se retourner. Vous me prenez pour un idiot ? Quel trafiquant prendrait la peine de laisser une signature aussi sanglante et élaborée en mutilant des mâles ? Si vous me dévoiliez la véritable raison qui vous a amenée ici, je pourrais peut-être vous aider davantage, *bri-ga-dier*.

Raviez l'avait prévenue. Surtout, ne rien dévoiler sur l'affaire. Ordre formel. Elle se mordit les lèvres.

— Désolée, mais je n'ai pas l'autorité nécessaire pour...

— Pauvre petite... Pas assez de responsabilités ? Très bien ! Je n'aime pas vos cachotteries. Je n'en sais rien !

Le ton montait avec la violence d'une peur panique. Lucie dégrafa discrètement le bouton-pression de son holster au travers du tissu de ses poches. Elle ajouta :

— Pourriez-vous vous tourner, ôter vos gants et me montrer vos mains, s'il vous plaît ?

Le vampire à la chevelure de jais et au visage d'hostie effectua un demi-tour et se mit à avancer vers elle.

— Nous y voilà ! Je m'en doutais qu'il y avait anguille sous roche.

Il jeta un coup d'œil circulaire, comme pour s'assurer que personne ne l'observait, et enchaîna :

— Il s'est passé des choses étranges avec la louve, hein ? Avez-vous découvert des brebis avec la gorge tranchée ? Des veaux déchiquetés, vampirisés ? Des profanations dans des cimetières avec des pentacles ? Ou alors des corps disséqués ? Oui, c'est ça ! Des cadavres avec l'aorte ligaturée ! Racontez-moi ! Combien ? Où ?

Il s'approchait, ses mains gantées bien en évidence devant lui. Lucie voulut dégainer son arme mais elle s'embrouilla avec la fermeture de son blouson.

Trop tard, il fondait déjà sur elle, crocs en avant...

Il lui présenta ses deux mains dégantées. Parfaitement propres, les sillons digitaux resplendissants. Des bagues cabalistiques ornaient chacun de ses doigts, sauf les pouces.

— Alors, brigadier... Quel est le problème ? Un peu nerveuse ?

Lucie peina à retrouver son calme. Ses narines soufflaient de petits nuages opaques au rythme du sang qui battait ses tempes. Van Boost constata sa détresse et sembla s'en réjouir. Il retourna distribuer ses friandises aux gueules hargneuses.

Au diable les ordres ! Raviez n'en saura rien ! C'est pour le bien de l'enquête ! D'une petite diabétique !

Afin de s'assurer la coopération du vétérinaire, Lucie lui expliqua brièvement les éléments de l'enquête. Le poil de loup retrouvé dans la gorge d'un corps sans vie, l'absence de sillons digitaux autour du cadavre, l'odeur de cuir...

— Écoutez ! Maintenant j'aimerais une réponse ! exigea-t-elle. Que peut-on faire d'une louve *alpha* dérobée dans un zoo ? Et de petites femelles capucins ?

— Coriace pour une femme ! Dominatrice, non ? D'accord... *Primo*, les laboratoires clandestins d'expérimentation animale. Ces malades n'hésitent pas à payer des fortunes en dessous-de-table pour les animaux les plus difficiles à obtenir, et les singes ont la cote parce qu'ils se rapprochent le plus de l'être humain, génétiquement et morphologiquement...

Lucie avait déjà lu ça quelque part. Des têtes de singes piégées dans des appareils stéréotaxiques, le crâne découpé et le cerveau à l'air. Des chiens privés de la liberté d'aboyer par des techniques de *debarking*, consistant à leur découper les cordes vocales au laser.

— Dans ce cas, pourquoi n'avoir volé que quatre singes alors qu'il pouvait embarquer les huit ?

Van Boost cligna d'un œil.

— Très perspicace... *Secundo*, comme vous le disiez vous-même, le trafic d'animaux. Fini les toutous à mamy. Aujourd'hui, les jeunes sont branchés mygales, pythons, scorpions, singes. La plupart de ces animaux ne sont pas vaccinés et sont détenus de façon illégale. Une vraie catastrophe !

— La louve pose toujours problème !

— Pas forcément. Les singes pour la compagnie, le loup pour l'argent. Les combats illégaux de chiens, ça vous dit quelque chose ?

— Bien entendu.

— Un acheteur pense peut-être pouvoir dresser un *alpha*, lui limer les crocs et le faire passer pour un chien de combat. Ça s'est déjà vu au fin fond des pays slaves, il y a une vingtaine d'années. D'après les rumeurs, ces combats sanglants auraient repris en Allemagne et dans certains pays de l'Est.

Lucie imaginait les bêtes qui se déchiquetaient dans la moiteur d'une cale de navire, sous les clameurs de barbares. Des loups, poussés aux limites de leur férocité, attaqués par deux, trois chiens en même temps.

— Et en France ?

— Peu probable...

La thèse ne tenait pas debout. Que faire avec les

wallabies volés au zoo de Maubeuge ? Des combats de boxe ?

— Reste-t-il d'autres options ? s'impatienta Lucie.

Van Boost laissa entrevoir les bijoux pendus à son cou. Des croix celtiques, un corbeau, le squelette de la Mort.

Mince, quelle idiote tu fais ! C'est un gothique ! Un papy qui fréquente les boîtes lugubres et les cimetières !

— Notre voleur a peut-être, comme nous tous, un visage caché, un goût prononcé pour l'obscur, le morbide...

La salive afflua sur la langue du brigadier.

— C'est-à-dire ?

— Je vais vous donner l'adresse d'un ami qui habite le Vieux Lille et lui demander de vous recevoir. Il vous fera visiter la « chambre »... Cela devrait vous mettre sur la voie...

— Me mettre sur la voie ? Arrêtez vos devinettes, bon Dieu ! La vie d'une jeune fille est en jeu !

— Voilà qui est intéressant ! S'agirait-il de la petite diabétique dont on parle à la télé ? Elle habite Dunkerque et vous aussi, étrangement... Tic-tac... Tic-tac... Si je comprends bien, son sort se trouve entre mes mains ?

Lucie serra les mâchoires. L'arrogance du vétérinaire lui sortait par les yeux. Van Boost dit finalement :

— Quel est votre péché mignon, mademoiselle, ce pour quoi vous vibrez secrètement ? Dès qu'on parle de sang, de corps mutilés, vos yeux s'allument, vos traits se lissent. Racontez-moi un peu... Donnant, donnant...

Lucie hésita... Il lui fallait de l'info, du concret. Donnant, donnant...

Tu l'auras cherché !

Elle lui exposa une partie de ses territoires secrets. Une partie seulement...

D'un coup, le gothique devint doux et conciliant, admiratif même. Il dit :

— Vous m'avez parlé d'une odeur de cuir tout à l'heure. Très forte, non ?

— Exact.

— Je pense qu'elle provient du tannage des peaux...

— Le tannage des peaux ?

— Vous avez peut-être face à vous un taxidermiste, un empailleur d'animaux à l'esprit particulièrement frappé, chère amie ! Allez chez Léon, vous comprendrez tout de suite ce que je veux dire...

— Vous le saviez ! Vous le saviez, depuis le début, n'est-ce pas ?

Il rabattit les pans de son trois-quarts à la manière d'une cape.

— Je pense que nous devrions nous revoir, fit-il. Nous avons énormément de choses en commun. Des choses... interdites...

— Je ne crois pas, non...

Van Boost agita sa langue entre ses canines avant d'ajouter :

— Vous voulez mon avis ? Vous avez en face de vous une veuve noire qui tue, déchire, mutile les mâles et glorifie les femelles au point de les rendre immortelles !

L'homme-morse leva la tête et imita le hurlement du loup. La meute prit le relais.

Un court instant, Lucie se demanda si le sang se remettrait à couler dans ses veines...

22

L'air ne circulait plus dans la trachée de Vigo Nowak. Arraché des songes par une pression atroce sur la gorge, il crut sa dernière heure arrivée.

Il allait mourir.

La masse de cent kilos perchée au-dessus de lui relâcha son étreinte avant de s'écrouler dans un fauteuil.

Sylvain Coutteure, en larmes, se balançait d'avant en arrière avec la catatonie d'un autiste. Ses yeux gonflés semblaient à présent bien trop volumineux pour ses orbites, ses joues et son front luisaient de sueur, conférant à son visage l'aspect d'un masque de latex grossier.

Vigo porta les mains à la gorge.

— T'es malade ou quoi ! J'ai... failli avaler ma langue ! Qu'est-ce... qui te prend ? Comment... Comment t'es entré ?

— Ton double de clé dissimulé sous la jardinière, pauvre tache ! Tu n'as pas vu la télé ? Le journal de treize heures ? Non, bien sûr que non ! Monsieur roupillait !

— De... de quoi tu parles ?

Un marteau-pilon à cinq doigts frappa un accoudoir.

— De quoi je parle ? De quoi je parle ! Tu sais qui

on a renversé ? Tu sais qui c'était, ce type avec son sac de sport bourré de billets ?

— Ne hurle pas comme ça ! Et calme-toi !

Vigo s'arracha du canapé et se glissa derrière son minibar, la gorge douloureuse. Depuis le réveillon, il savait pour la petite Cunar. Son frère, du fond de son ivresse, lui avait tout raconté. L'entrepôt, la rançon, la fillette assassinée. Un déferlement d'horreur qui frappait désormais chaque foyer de France au travers du petit écran. « Quel être abominable a mis fin aux jours d'une petite aveugle ? » « Quel monstre a profité de la situation pour fuir avec un butin de deux millions d'euros ? » « Que fait la police ? » Voilà les questions qui taraudaient aujourd'hui les Français.

Que fait la police... Avec une journée de recul, Vigo était persuadé qu'on ne remonterait jamais jusqu'à lui. Quels indices détenaient les flics, hormis les traces de pneus ? Aucun, d'après son frère Stanislas. Et les cinquante crétins qui sondaient le bassin maritime ou le lac du Puythouck finiraient tous par avaler leurs bouteilles d'oxygène à force d'échecs.

Le danger vient toujours d'où on s'y attend le moins. Aujourd'hui, deux menaces le guettaient. D'abord les yeux de l'assassin. Le ravisseur avait dû relever le numéro d'immatriculation et ne tarderait pas à atteindre Sylvain, avec la rage d'un feu de broussailles. Puis à remonter jusqu'à lui, par effet induit.

Second problème : Sylvain lui-même.

Peu importaient les morts, les peines, les douleurs des familles. S'imaginer derrière des barreaux lui paraissait inconcevable. Le bonheur était tellement près !

Ses uniques soucis se reliaient, en définitive, à l'abruti vautré en face de lui.

— Tu n'as rien avoué à ta femme, j'espère ? demanda Vigo d'un ton sec.

— Alors comme ça tu es au courant ! On a écrabouillé un chirurgien ! Conséquence ? Sa fille aveugle s'est fait assassiner ! Autre conséquence ? Une gamine diabétique a disparu, agonisante par manque d'insuline ! Et tout ce que tu trouves à faire, c'est de roupiller ? Mais quel diable es-tu ?

Vigo lui tendit un whisky bien tassé. Sylvain fulminait.

— Maintenant, plus de cent cinquante gendarmes arpentent le coin ! Ils coopèrent avec la police, animés d'un même but, nous mettre la main dessus ! Des chiens, des hélicoptères, toute la cavalerie ! On est cuits si...

Il engloutit son alcool.

— Allez, en route ! On le fait maintenant ! Ressers-m'en un ! Va falloir du courage !

Le visage de Vigo se comprima.

— De quoi tu parles ?

— À ton avis crétin ? On va brûler tout cet argent, se débarrasser des preuves ! Je dois laver ma conscience Vigo, tu comprends ça ? Ces liasses, je ne veux plus les voir, même en photo. Nous avons tué un innocent et indirectement sa fille ! J'aime trop ma femme et mon enfant pour leur cacher tant d'horreur. Je ne vois pas d'échappatoire. On brûle la totalité. Les deux millions d'euros. Nos secrets s'envoleront avec la fumée. C'est la seule solution...

Vigo s'agenouilla devant lui et se para d'un masque de tristesse.

— Ce qui est fait est fait ! Comment revenir en arrière, briser le marbre de nos destins ? Le passé est une épave lourde de peines et de secrets, pourquoi le ramener à la surface ? Même sans notre présence, cette fameuse nuit, qui te dit que le ravisseur n'aurait pas tué père et fille ? Les auteurs de rapts ne laissent jamais de témoins ! S'il a recommencé avec la diabétique, que pouvons-nous y changer ? Cette folie assassine coule dans ses veines ! Brûler l'argent ne servira à rien ! Laissons ce magot enterré ! Je t'en prie, gardons-le ! Pense à ta fille, à son avenir !

— Justement ! Je te l'avais dit... le soir même, dans la voiture, tu te souviens ? À la moindre entourloupe... on brûle tout ! C'était trop beau, tout ça... Rien qu'un rêve – il agita les doigts en l'air à la manière d'un prestidigitateur –, pffff... envolé...

Vigo fit glisser ses mains sur son visage tel un moine cherchant l'absolution.

— Laisse-moi tout l'argent ! D'accord, tu abandonnes ta part, mais moi, tu y as pensé ? Je... peux partir loin d'ici, à des milliers de kilomètres ! On ne se reverra plus jamais ! Tu finiras par m'oublier !

Sylvain voulut se décoller de son fauteuil mais son crâne lui paraissait déjà trop lourd.

— Pas question... On a partagé... la victoire... on partagera la défaite... Si tu ne viens pas avec moi... je le ferai... tout seul... Bon sang, j'ai la tête qui tourne ! Qu'est-ce...

Vigo s'éloigna à reculons, un rictus sur les lèvres. Son visage disparut dans la pénombre. Il liquida son deuxième verre de whisky puis raconta :

— Mon grand-père travaillait à la mine. Chaque matin de chaque interminable journée, il descendait par cinq cents mètres de fond, une cage à oiseaux sous le bras. Non pas pour se divertir de leur chant enjoué, puisque dans une gueule si noire les canaris ne chantaient pas. Que ce soit en creusant, boisant, mangeant sa maigre pitance, jamais il ne quittait ses quatre serins des yeux. Et sais-tu pourquoi ? Je parie que non !

Les paupières de Sylvain devenaient de plus en plus lourdes.

— À chaque fois que les oiseaux chutaient de leur perchoir, c'est que le monstre inodore, le grisou, guettait, prêt à engloutir les galeries sous son haleine dévastatrice. Mon grand-père sacrifiait ces petites sentinelles pour préserver sa propre vie, pour s'assurer que rien ni personne ne déciderait à sa place de l'heure de sa mort. Il voulait être le seul maître de sa destinée. Tu comprends ?

— Tu m'as... donné... quoi ?

Dans son hammam nauséeux, Sylvain eut l'impression que les yeux de Vigo changeaient de couleur. Noirs, gris, rouges. Les nuances du diable.

— Quelques somnifères, rien de plus. Des Donormyl. Tu sais, ils conseillent d'éviter l'alcool avant leur ingestion. T'as tout faux mon gars... Écoute... Il me faut du temps pour réfléchir... Ma conscience m'interdit de te laisser commettre une telle erreur. Je sais que tu me pardonneras ! N'est-ce pas Sylvain ? Dis-moi que tu me pardonneras !

— Espèce d'enc...

L'homme drogué brûla ses dernières forces pour s'arracher de son fauteuil. Il titubait dangereusement.

— Je... vais te tu...

— Merde ! Tu ne me rends pas la tâche facile ! Tu ne pouvais pas rester dans ton coin et la fermer ? Tout aurait été tellement plus simple !

Dans le chuintement d'un corps en chute libre, la mâchoire s'écrasa sur l'oreiller du canapé.

Précipitant l'issue fatale envisagée depuis le premier jour, Vigo activa la machine meurtrière...

23

Crème fraîche, lard, oignons. Blanche de Bruges. Une flammekueche et une bière enfouies dans l'estomac, Lucie décida de passer les deux heures à attendre Raviez – rendez-vous rue de la Monnaie, devant chez ce Léon à quatorze heures trente – dans la bibliothèque municipale de Lille. Vers onze heures, elle avait informé le capitaine des points importants de son entretien avec Van Boost. Les mâles mutilés, le vol de la louve *alpha*, la tilétamine, le fusil hypodermique pour endormir les bêtes. Produit et instrument qui laissaient penser à un vétérinaire. Le moustachu s'était jeté sur l'info et avait ordonné aux hordes bleues de traquer tous les vétérinaires des environs du Touquet et de Dunkerque ayant commandé récemment cet anesthésique. Priorité numéro un. Une piste à suivre de près.

Le VAL, suppositoire blanc sans chauffeur qui perforait les artères souterraines de la capitale des Flandres, abandonna Lucie sous les fondations de la gare Lille-Flandres. Dehors, la tour Lille-Europe, la « botte » gigantesque du Crédit Lyonnais, Euralille. Des blousons, des cravates, des survêtements, flocons humains indifférents. Et la fontaine devant laquelle, étudiante, elle avait rencontré Paul, le père biologique des jumelles. Elle doubla le monument d'eau en caressant la vieille pierre... et se concentra de nouveau sur son enquête. L'enquête. Rien que l'enquête.

En fin de matinée, elle avait contacté le zoo de Maubeuge au sujet des wallabies volés. Son sang n'avait fait qu'un tour. Méthodes identiques : flèches anesthésiantes dont la substance n'avait malheureusement pas été analysée, femelles enlevées, mâles mutilés, péricardes incisés et aortes nouées. Une signature qui ne trompait plus sur l'identité de son auteur.

La vieille dame, à l'accueil de la bibliothèque, opposa une légère résistance à la laisser entrer. Il fallait une carte d'adhérent, mais la carte tricolore suffit.

Lucie disposait de peu, très peu de temps pour fouiller dans ces tourelles de papiers. Alors il fallait s'appuyer sur le hasard, l'intuition. Peut-être existait-il un ouvrage qui parlait de « bêtes-vidées-de-leur-sang-par-les-artères-iliaques-et-à-l'aorte-nouée ». On peut toujours rêver.

Lucie avait l'habitude des bibliothèques, ses résidences secondaires. Elle se plaça face à un écran d'ordinateur et tapa les mots clés « singe, loup, iliaque, aorte nouée, sang ». Devant l'échec auquel elle s'attendait, elle testa d'autres combinaisons qui lui passaient par la tête. « Sacrifice, rituel, capucin, mutilation, loup ». Des listes aux titres peu accrocheurs apparurent, sans rapport réel – *a priori*, mais le temps manquait pour vérifier – avec le fil de ses recherches. Même la combinaison « aorte nouée, dissection » ne donna qu'un résultat médiocre. L'ordinateur ne trouvait jamais le terme « aorte nouée ». Étrange.

Lucie considéra sa montre. Restait seulement une heure de fouille.

Van Boost avait parlé de chirurgie, de dissection.

L'aorte nouée... Une technique utilisée dans la médecine de pointe. Pourquoi la bécane ne renvoyait-elle rien ?

Parce qu'il ne s'agit pas du terme exact ! Le domaine médical possède un vocabulaire spécifique !

Lucie ferma les yeux, les index sur les tempes. Nœud, nouer... On ne noue pas les trompes, on les ligature ! Oui ! Van Boost avait employé le mot ! Elle tapa « ligature de l'aorte ». Des titres de livres s'approprièrent l'écran.

Bingo !

Sa joie s'estompa *illico*. Face à elle, trop de traités médicaux, d'ouvrages théoriques, de pavés innommables, de thèses d'étudiants sur le sujet. Rien de décisif. Impossible de tout lire. Il y avait de quoi mettre le feu à une banquise. Que cherchait-elle exactement ? Elle l'ignorait, en fait...

Elle survola néanmoins quelques ouvrages. Photos anatomiques, entrelacs d'annotations, termes incompréhensibles. Tronc cœliaque, exérèse, anoplastie. À gerber.

Plus loin dans sa liste et sur les étagères, la biographie traduite d'un médecin russe, Nicolas Ivanovitch Pirogov, monopolisa son attention. Elle présentait sur la couverture des dessins de chiens et de chats dont le système veineux était visible. Et comme les ligatures de l'assassin avaient été réalisées sur des animaux, peut-être que...

Elle ouvrit le recueil. Comme l'avait signalé le moteur de recherche, un chapitre portait le titre : « Ligature de l'aorte abdominale ».

Lucie absorba rapidement les premières pages du pavé. Pirogov. Né en 1810, fils de fonctionnaire. Faculté de médecine à quatorze ans, médecin à dix-sept. Un destin hors du commun. On lui doit la première anesthésie à l'éther, il découvre une technique d'amputation du pied conservatrice qui porte encore son nom, contribue à la fondation de la Croix-Rouge russe, publie une thèse remarquée sur la ligature de l'aorte abdominale. Un modèle de rigueur et de dévotion.

Le brigadier se plongea dans le chapitre qui l'intéressait. Pour parfaire sa technique de ligature et avant de s'attaquer au modèle humain, Pirogov s'était entraîné sur des chats et des chiens. Des milliers de bêtes auxquelles il avait ouvert la poitrine avant de trifouiller la fameuse aorte. Lucie tiqua. Elle n'y comprenait pas grand-chose mais, *a priori*, le médecin n'incisait pas le péricarde, contrairement au tueur. Et nulle part on ne parlait d'artère iliaque. Mauvais point.

La jeune femme prolongea cependant sa lecture, passionnée par ce médecin remarquable, intriguée par les clichés sanglants qui peuplaient les pages. L'auteur de la biographie parlait souvent de l'incroyable quantité de corps disséqués ou autopsiés par Pirogov. Pendant l'épidémie de choléra, en 1848, il avait autopsié plus de huit cents cadavres. Le gigantesque congélateur naturel qu'est le grand froid russe lui avait permis de stocker à volonté de la matière première issue de la guerre. De quoi s'entraîner jusqu'à la fin de ses jours.

Quatorze heures vingt.

Mince !

Restait dix minutes pour foncer dans le labyrinthe du Vieux Lille. Lucie fourra le livre sous sa parka – urgence professionnelle – et disparut en remerciant la dame de l'accueil.

24

Rue de la Monnaie, enfin. Portable à l'oreille, le capitaine Raviez battait les plus anciens pavés du Vieux Lille d'un pas de buffle. Bien entendu, il râlait.

Lucie s'adossa à une façade d'antiquaire. En figeant l'instant, elle aurait pu devenir le personnage en lumière d'un vieux tableau flamand, tant il régnait dans ces ruelles l'atmosphère des époques sombres et oubliées.

— Ça devient difficile ! s'énerva Raviez en empochant son portable. On prive les hommes de leurs congés et on leur demande de se couper en quatre ! Interroger le personnel licencié par la veuve Cunar, enquêter dans la zone industrielle, fouiller aux abords des points d'eau conjointement aux pelotons de gendarmerie ! Sans oublier les recherches à partir d'une source infinie de fichiers informatiques et l'élaboration d'une liste des vétos qui ont commandé de la tilétamine ces derniers mois ! Il nous faudrait le double de ressources !

— À propos, que donne la piste des vétérinaires ?

— Une vaste embrouille ! Pour le moment, presque tous les vétos recensés commandent fréquemment de la tilétamine, hormis quelques-uns qui utilisent de la kétamine. Toutes nos lignes d'investigation partent en vrille, noyées dans la masse.

Lucie embraya sur un sujet qui la taraudait.

— Norman se débrouille avec la liste des licenciés de Vignys ?

— Parti sur place interroger le directeur de l'agence nordiste de l'entreprise. Il a le même sentiment que toi sur cette coïncidence troublante. C'est plutôt bon signe, mais là encore une centaine de personnes à filtrer. Pourquoi rien n'est-il simple dans notre métier ?

Le capitaine orienta sa moustache en direction d'une porte massive.

— Allons rencontrer ce Léon... En espérant que les intuitions de ton vétérinaire-vampire nous mèneront à bon port.

À voir l'étroitesse de la façade et le propriétaire – le fameux Léon –, qui sentait le renfermé à plein nez, il sembla à Lucie qu'elle s'apprêtait à empiéter sur le territoire cloisonné et secret d'un rat en fin de vie.

Le taxidermiste ressemblait au fidèle serviteur Nestor des albums de *Tintin*. Tout en raideur, monoexpressif, engoncé dans un costume rayé trois pièces qui, à défaut d'élégance, offrait au personnage la prestance d'un conservateur de reliques.

Ils traversèrent un premier local, une sorte de hall ennobli qui les jeta sous un gigantesque dôme de verre lancé au ciel par une architecture complexe, tout en jeu de courbes et de ruptures. Léon y préservait, sous une chaleur artificielle, une jungle tropicale où plantes carnivores, yuccas, lianes, palmiers et brassées de fleurs des îles comblaient l'espace d'entrelacs dépaysants.

L'Amazonie à Lille. Pourquoi pas des ananas au pôle Nord ? On aura décidément tout vu !

L'arche de verdure déversait sa chlorophylle dans

un tunnel qui ouvrait sur un second bâtiment de taille modeste, une salle parée de voiles, de faïences, d'orfèvrerie, de marbres translucides et de meubles anciens qui suggéraient une cour royale. Un dédale alambiqué de passages, de galeries en pierre, perdit les policiers dans le poumon de l'habitation fragmentée.

— Il faut être spéléologue chevronné pour trouver son chemin dans cette maison ! plaisanta Raviez.

— Je comprends que cette construction atypique vous étonne, miaula Léon en servant trois verres de vin. N'oublions pas que Lille était, comme son nom l'indique, une île ! À la fin du XVIIe, la ville enserrée dans ses remparts contraignait à construire « front à la rue ». On bâtissait des habitations peu larges, tout en profondeur, avec des pièces de taille croissante que l'on reliait par des galeries. On appelle ça le « double parcellaire », un système identique aux poupées gigognes... Vous savez, ces demeures sont, en définitive, à l'image des gens du Nord. Façade sans fioritures mais grande générosité intérieure.

Raviez se gratta le menton, Léon tendit les verres de bordeaux qu'ils n'eurent pas l'audace de refuser. Lucie se demandait quels rapports obséquieux cet être mondain entretenait avec la chauve-souris du zoo. Peut-être un culte pour la différence. Ou l'amour des animaux. Façon scalpel.

La jeune femme dépeça les lieux d'un œil néophyte, intriguée par les pavés de verre du plafond qui éclataient la lumière naturelle en étoiles translucides. Au pied de l'escalier, son regard bloqua sur des bottes en peau de serpent, façon mafieux mexicain. Qui pouvait porter des horreurs pareilles ?

Raviez, en bon flic, s'était chargé de déballer la raison biaisée de leur venue.

— J'aime partager mon vin avec des inconnus, en particulier de charmantes jeunes femmes, expliqua Léon en claquant la langue. Savez-vous pourquoi ?

Lucie leva un sourcil interrogateur. Ça y est ! Léon, le type hyperfringué des « soirées de monsieur l'ambassadeur », allait se lâcher.

— Ce trésor est le sang de mes propres vignobles, il symbolise le fruit de mon amour pour la terre. Quand mon vin glisse le long de votre palais et coule dans vos veines, c'est un peu comme si je pénétrais en vous... Mais... chut !

Une présence se découpa dans l'escalier qui dévalait de l'étage. Une face tirée par la chirurgie esthétique sur laquelle les années semblaient glisser, une peau de galet où la moindre ride se voyait traquée à coups de bistouri ou de silicone. L'onde de soie flotta le long de la rampe, doubla l'assemblée dans un nuage de fumée de cigarette et disparut dans une pièce annexe avec un roulement de fesses qui déchaîna la testostérone de Raviez.

— Ne faites pas trop attention à elle, s'excusa Léon d'un haussement d'épaules. Elle... comment dire ? ne côtoie que ceux de la haute... Elle et moi, on ne fait que se croiser ici...

Une pétasse qui pète dans la soie ! pensa Lucie. *Pas trop le style « bottes à peau de serpent ».*

— Je passerais bien mon après-midi à boire du vin, embraya Raviez, mais nous sommes en service et...

— Vous êtes pressés. Pourquoi les flics évoluent-ils constamment sur un tapis de braises ?

Parce qu'une petite diabétique est sur le point de mourir ! Et que nous, on tombe en extase devant du jus de raisin !

La salle en L dévoila une porte jouxtant une bibliothèque engourdie par la masse des grimoires de taxidermie. Les gonds grincèrent à peine que les narines des policiers se mirent à battre. Le capitaine Raviez confia à l'oreille de Lucie :

— La même puanteur de cuir qui imprégnait les vêtements de la petite Cunar... On est sur le bon chemin...

Léon invita ses hôtes à pénétrer dans la première pièce. Il émanait de ce capharnaüm un désordre de fond de grenier : on aurait dit que l'arche de Noé s'était échouée et que les bêtes en fuite avaient été aussitôt pétrifiées par le doigt divin. Les animaux figés braquaient des museaux menaçants, des langues pendantes. Les épées de photons allumaient leurs yeux de verre et lustraient les crocs acérés. Les draperies austères qui ondulaient depuis le plafond coulaient sur des formes trapues, leur conférant l'aspect de fantômes. Dans les angles morts s'entassaient des moules creux, des mannequins poussiéreux, des toiles métalliques, des planches de bois entrecroisées.

— Très... impressionnant, chuchota Raviez en roulant les yeux. On se croirait... au fin fond d'une jungle dont le cœur s'est arrêté de battre – il observa de plus près le poitrail déchiré d'un ours. Ces animaux ont un problème particulier pour que vous les entassiez ici ?

— Ce sont des rebuts, répliqua Léon, des animaux abîmés. Ceux dont les musées ou les clients n'ont pas voulu à la suite de problèmes durant la naturalisation. Parfois les peaux craquent, les poils ne retrouvent jamais leur couleur d'origine ou tombent après un bain d'acide mal dosé. Certains m'apportent des animaux tués à la chasse par une volée de plombs dans la tête ou en plein poitrail. Je tente de masquer les dégâts, mais la mort est un adversaire coriace.

Il parlait avec le même entrain morbide que Van Boost. Lucie trouvait l'endroit fascinant, étranger au monde de la lumière et plongé dans l'obscurité de l'âme. Fixant les crocs en résine d'un renard, elle demanda :

— Comment vous procurez-vous ces animaux ?

Léon se fit une joie de répondre.

— Les moins courants proviennent de zoos ou de réserves. Ils sont destinés à des musées, comme le musée d'Histoire naturelle de Lille, mon plus gros client. Pour les autres, ils sont issus du fruit de la chasse. Sangliers, cerfs, daims, renards, la liste n'en finit pas.

— D'où émane cette odeur de cuir ? intervint Raviez, piégé entre les pattes d'un ours momifié.

— De l'atelier, au fond. Ce que l'on appelle le tannage. Un bain d'acide tannique ou de tannin rend la peau plus souple, solide et surtout imputrescible.

Raviez frissonna jusqu'aux extrémités de sa moustache. Un mot venait de résonner dans sa tête.

— Vous avez dit tannin ? Le tannin ?

— Hé bien oui ! Tannin, tannage ! Tannage, tannin ! Simple comme bonjour, non ?

— Le tannin issu des vignes, celui que l'on retrouve dans le vin ?

— Bien sûr ! Le tannin est l'un des principaux constituants de base du vin rouge.

Raviez tapa du poing contre sa paume ouverte. L'évidence fleurissait depuis le début devant ses yeux. Il s'enflamma :

— Dans ce cas, le tannin provient forcément de l'écorce des arbres, n'est-ce pas ?

— Vous avez raison de le souligner, approuva Léon. Les nostalgiques, les puristes, extraient encore leur tannin eux-mêmes en broyant de l'écorce. On peut se procurer des bains tout prêts dans n'importe quel magasin spécialisé, ce qui n'empêche pas certains férus de persister... Vous savez, le taxidermiste est à la fois chimiste, anatomiste, chirurgien, couturier et sculpteur, mais surtout un grand passionné.

Raviez et Henebelle échangèrent un regard rapide. Le capitaine ajouta :

— L'écorce de pin des Landes, type celle que l'on achète en jardinerie, peut convenir ?

— Évidemment. Tous les arbres produisent du tannin en plus ou moins grande quantité. Le chêne se classe au rang des meilleurs fournisseurs, mais les résineux genre pin des Landes peuvent très bien faire l'affaire.

Tout concordait. Les fibres prélevées entre les sillons des semelles de Mélodie Cunar provenaient d'écorces de pin utilisées pour le tannage des peaux. L'assassin de Cunar avait un penchant particulier pour la taxidermie, cet art de préserver la vie animale au-delà de la mort.

— Bien joué capitaine, souffla Lucie au moustachu. Votre amour du vin est tout à votre honneur !

Raviez répondit par un clin d'œil complice. À présent, ils ne cherchaient plus un simple vétérinaire, mais un vétérinaire-taxidermiste, amoureux des bêtes à la vie à la mort.

Les policiers matraquèrent Léon de questions, avant qu'il ne les invite à le suivre dans le dédale des « recalés ». Dans la forêt de poils et de gueules, Lucie s'imaginait l'univers du tueur, un monde habité d'êtres empaillés, de caves lugubres où il entreposait ses trophées éternels. Des loups, des singes, des wallabies. Toujours des femelles. Pourquoi ? Elle songea au livre qu'elle pressait sous son blouson. La biographie de Pirogov, sa thèse sur la ligature de l'aorte. L'assassin utilisait une technique différente en incisant le péricarde, vampirisant la bête par les artères iliaques. Un recueil traitant du sujet, de cette méthode parallèle, devait forcément exister quelque part ! Il faudrait retourner à la bibliothèque, interroger des spécialistes, fouiller davantage. Disposer de temps. Précisément ce dont ils manquaient... Combien de temps Éléonore ? Combien de temps ?

Et si le tueur avait créé sa propre technique de ligature ? Oui mais dans tous les cas, il a forcément puisé sa science quelque part. Fac de médecine ? École vétérinaire ? Université ? Traités médicaux ? Internet ? Large tout ça. Trop large ! Réduis ton champ d'investigation ! Resserre les liens ! Utilise ce dont tu disposes, c'est-à-dire Léon !

— Les capucins sont-ils difficiles à naturaliser ? demanda-t-elle en se décrochant du fil de ses pensées.

— Les capucins ? Mon ami Van Boost m'a parlé de ce vol étrange. Parce que vous pensez à un taxidermiste ?

— Bien possible. Pourriez-vous répondre à la question ?

— Ces petits singes ont la peau extrêmement fragile. De plus, leur anatomie, la forme et la finesse de leur gueule notamment, s'avère complexe. Faisable, mais dans ce cas, votre homme est un as. Thèse confirmée par le fait qu'il broie son tannin lui-même.

Lucie tenta de faire jouer l'aspect chronologique des enlèvements, souvent synonyme d'évolution, de progression des esprits meurtriers.

— Les wallabies sont plus faciles à naturaliser que les loups, et les loups plus faciles que les capucins, c'est bien ça ?

— Non, les trois présentent des difficultés sérieuses. Naturaliser un loup nécessite de la patience et de l'organisation à cause de son volume important. Un singe capucin demande une dextérité extrême et des outils performants, parfaitement aiguisés. Quant au wallaby... je n'en ai jamais naturalisé mais... sa structure squelettique est complexe, tout en ruptures. L'habillage doit se révéler très délicat... Disons que celui qui naturalise ces trois animaux n'a quasiment aucune faille dans notre art.

Lucie notait les remarques sur son carnet. Elle demanda encore :

— Si notre homme n'est pas un novice, comment s'est-il procuré ses premiers animaux ? Comment a-t-il débuté ? Bref, comment devient-on taxidermiste aguerri ?

Léon répondit du tac au tac.

— Il a pu d'abord travailler sur des oiseaux. Soit capturés, soit achetés dans des animaleries. Puis il change de catégorie, avec de tout petits mammifères, genre écureuil, furet, fouine. S'il n'est ni chasseur ni en relation avec des zoos ou des fournisseurs d'animaux... Hmm... il va difficilement... plus loin...

Lucie rebondit sur son hésitation.

— Et dans le cas où il veut pousser plus loin ? S'attaquer à du plus gros ? Par passion, par folie ?

La bouche de Léon se rétrécit.

— Hormis les vols dans les zoos ?

— Hormis les vols dans les zoos...

— Hmm... Les cas marginaux existent, comme partout. N'y a-t-il pas des ripoux dans votre propre corps de métier ? En taxidermie, c'est pareil. Un infime pourcentage de tarés qui noircissent l'image de notre profession.

— Nous vous écoutons, intervint Raviez.

Léon se tourna vers le moustachu, l'œil noir.

— Les animaux de compagnie... Des fous de chats qui les empaillent par centaines. Persans, angoras, siamois, birmans. Des accros de chiens qui ne les aiment qu'une fois naturalisés. Les acheter leur coûterait une fortune. Où se les procurent-ils ? Dans les SPA ou les refuges, tout simplement. Existe-t-il meilleur fournisseur d'animaux pour les amis des bêtes ?

Lucie assimilait les informations à la manière d'un buvard qui boit de l'encre. Devant l'énervement apparent de Léon, elle termina avec une dernière question. Primordiale.

— Vider les bêtes de leur sang par les artères iliaques, ligaturer l'aorte à la base du cœur, est-ce un procédé utilisé par les taxidermistes ?

— Non, on ne dissèque pas les animaux, on les dépouille de leur peau, grande différence. On incise le poitrail sur toute la longueur en prenant garde de ne pas percer la paroi abdominale, puis on ôte la peau comme si on enlevait la chaussette d'un pied. Dans le cas où l'on n'utilise pas de mannequin, on garde le squelette. Tout ce qui est organes, sang, chair vole à la poubelle. D'autres questions ?

Les policiers firent non de la tête.

— Maintenant, allons dans l'atelier, si vous le voulez bien...

Léon glissa une main sur un de ses locataires poilus, un genre de caresse *post mortem*, écarta un rideau et dévoila l'atelier de taxidermie, sans fenêtre, un condensé de propreté et de modernisme, écrasant de monochromie. Sol et murs carrelés en blanc, une palanquée d'outils qui allaient de l'instrument de pure précision aux burins ou limes du bricoleur standard. Bref, de quoi opérer un œil de colibri ou pulvériser un tibia de mammouth. Les torsades d'effluves chimiques, l'odeur rance des peaux mortes, les poitrails d'animaux ouverts et écartelés comme la toile tendue d'un canevas chahutèrent les organes des policiers.

L'imperturbable clone de Nestor brossa d'un peigne métallique le scalp sanglant de ce qui avait dû être une bestiole quadrupède désormais réduite à deux dimensions.

— Il vaut mieux bien brosser avant le bain organométallique, envoya-t-il d'une voix mécanique, pour éliminer un maximum de saletés. Une somme de détails insignifiants qui mènent au désastre s'ils ne sont pas respectés...

Le capitaine orienta deux yeux dégoûtés vers des bonbonnes rangées derrière la vitre d'une armoire.

— Certains des produits que vous utilisez peuvent-ils endommager la peau, les mains plus précisément ?

— Évidemment ! L'eau oxygénée, l'acide formique ou l'isocianat sont très corrosifs. On joue avec la mort, mais dans la plus grande prudence. Lors des phases délicates, aucun taxidermiste ne travaillera sans gants ni lunettes. Une petite projection et hop ! Un œil qui saute !

Alors que Raviez discutait avec le faiseur de mort, Lucie fondit dans ses pensées. La jeune femme ne pouvait chasser de sa tête la phrase prononcée par Van Boost, le vétérinaire du zoo : « À mon avis, vous avez en face de vous une veuve noire qui tue les mâles et glorifie les femelles au point de les rendre immortelles. » Léon avait été formel. Quel que soit le sexe de l'animal, le procédé de naturalisation demeurait en tout point identique et l'esthétisme exigeait de supprimer les appendices mâles.

La raison du choix de l'assassin, cette barrière des sexes, n'était donc ni visuelle ni pratique, mais purement morale, en rapport avec son passé, ses impulsions, les tourbillons internes qui le contraignaient à agir. La mutilation résultait-elle de son dégoût des hommes ?

La taxidermie d'un côté, les enlèvements de l'autre. Un premier rapt en partie motivé par l'argent, mais le second ? Dans quel état retrouverait-on le corps de la petite diabétique ? Paré d'un sourire grotesque ? Serré dans une robe de chambre à ruban rouge ? Quel rôle jouaient les poupées dans cet univers de mort ? Les *Beauty Eaton* de sa génération, et de celle de l'assassin, probablement... Quel âge pouvait-il bien avoir ? Vingt-cinq, trente ans ?

Lucie observa Léon du coin de l'œil. Un être méticuleux, pluridisciplinaire, habile de ses mains et de son esprit. Un artisan de la mort capable de vider un corps de ses organes comme on épépine un melon. Quelle erreur de manipulation avait effacé les crêtes papillaires de l'assassin ? En quelles circonstances ? Il extrayait son tannin lui-même, s'attaquait à des animaux extrêmement difficiles à naturaliser, preuve de son expérience, de sa pratique assidue. Était-il parfois en proie à des accès de colère, des évasions inconscientes pendant lesquelles le contrôle lui échappait ?

Trop, beaucoup trop d'inconnues, de pistes dispersées pour tirer des conclusions fiables. Pénétrer un cerveau par la pensée ressemblait à un acte chirurgical. Et Lucie n'était à ce stade qu'une infirmière. Pourtant, ça bouillait dans sa tête. Ça bouillait fichtrement...

Elle fut ramenée à la réalité par l'odeur âcre de la cigarette. Elle se retournait à peine qu'une forme s'évanouit derrière le rideau, slalomant avec habileté dans la forêt d'animaux pour disparaître dans l'obscurité. Cette femme étrange, invisible...

— Ne vous souciez pas d'elle, fit Léon en levant une brosse chargée de poils. Ma femme est la plus curieuse de toutes les créatures qui se trouvent ici...

Et il se remit à brosser, inlassablement.

Lucie profita de la fin de l'entretien entre les deux hommes pour retourner dans le capharnaüm. Ces globes oculaires transparents, ces poignards d'émail qui défendaient les gueules agressives la mettaient mal à l'aise, la propulsaient sur les territoires de l'interdit. Cependant cette ambiance lui convenait, elle représentait le quotidien cloné du tueur, un moyen de se glisser sous son crâne...

La jeune policière se faufila entre les draps suspendus, confrontée à des créatures jaillies d'un conte de Charles Perrault. Un renard aux babines déchirées, une tête de biche à l'oreille explosée par une balle, un cerf privé de ses bois. Un musée de l'horreur tombé dans les limbes de l'oubli, au cœur des caches inexplorées du Vieux Lille. Partout le plancher craquait, l'écho de ses pas la frigorifiait. Dans une boîte en fer, elle dénicha des insectes intacts, coulés dans des blocs de résine translucide. Des araignées, des guêpes, des scarabées. Elle imagina des petites filles piégées dans cette voie lactée d'yeux effrayants, d'odeurs sauvages, à proximité d'un être aux mains brûlées, dépouillant les chairs avec la dextérité d'un chirurgien passionné. Elle voyait Éléonore se vider de ses forces par manque d'insuline, sombrer à petit feu dans un coma irréversible. Quel rôle jouait-elle dans l'univers du tueur ? Dans ce monde où les mâles n'avaient pas leur place, cet espace féminisé au point de parer un visage éteint des traits d'une poupée ?

Les poupées... Que représentent-elles ? Réfléchis... Réfléchis... Elles... elles prolongent l'enfance, ce sont des porte-souvenirs, des patchworks de vécu, des voies ouvertes vers le passé. Dans sa mise en scène, notre tueur a cherché à ramener ce passé au-devant, à le faire revivre au travers de son rituel, de ses fantasmes exprimés...

Lucie contourna un sanglier au groin bancal, aux poils rêches comme une terre brûlée. De plus en plus l'obscurité gagnait.

« Ce sont des rebuts, des animaux abîmés », avait dit Léon. Pourquoi cette phrase tambourinait-elle dans sa tête ?

— Tu t'es fait dévorer Henebelle ? Où te caches-tu ? appela le capitaine. On y va !

— Je... j'arrive !

Lorsqu'elle traversa le salon, Lucie nota que la bouteille de vin était vide. Liquidée par l'étrange « Horla » qui hantait les lieux, cette femme encoconnée dans ses serpents de fumée.

— Voici ma carte, dit Léon en la tendant à Lucie. E-mail, fax, téléphone personnel. N'hésitez pas à me contacter n'importe quand. Même la nuit. Je ne dors jamais.

— Nous n'y manquerons pas si le besoin s'en fait sentir, répliqua la jeune femme en le saluant.

Les policiers remontèrent le maillage serré du Vieux Lille en direction du Champ de Mars. Les ruelles installaient la tombée de la nuit avec une bonne heure d'avance, les langues de ce brouillard épais du Nord coulaient des toitures en reptations silencieuses, transformant le labyrinthe figé en un marécage mouvant. Manquait plus que Jack l'Éventreur...

— Ce Léon est une mine d'or ! se réjouit le capitaine en tirant sur une cigarette. Tu lui as tapé dans l'œil, grâce à toi il était doux comme un agneau et collaborateur ! Je devrais t'embaucher plus souvent !

— Mouais...

— On peut désormais affirmer que notre ravisseur se passionne pour la taxidermie depuis des lustres. Le vieux m'a fourni la liste des principaux endroits où l'on peut commander du matériel comme des yeux, des mâchoires en résine, des mannequins. On n'en trouve que quatre dans la région, dont les plus proches se situent à Lille et à Arras. En général, il s'agit de matériel assez cher et sur mesure, les vendeurs possèdent donc les coordonnées de la plupart de leurs clients. L'étau se resserre ! Il suffit que l'un d'eux soit vétérinaire et hop ! Dans le panier à salades !

Le visage de Lucie restait fermé, imperméable aux relatives bonnes nouvelles. Ses bottines mal cirées claquaient sur les pavés avec une monotonie de battement cardiaque.

— Un problème Henebelle ?

— Je... j'essaie de comprendre la raison des enlèvements, en particulier celui de la petite diabétique, sachant que l'argent n'est plus la motivation. De recadrer les éléments à notre disposition en les transposant dans l'univers de l'assassin. Vous voyez, le poil au fond de la gorge, les empreintes de pas ou de doigts sont des éléments concrets, de vraies preuves analysables par les machines, les experts, la technologie. Ce que j'appelle le *factuel*. Par contre, le fait que l'assassin semble ne s'intéresser qu'au sexe féminin, tant sur le plan animal qu'humain, cette allure de poupée imprimée au corps, ce penchant pour la taxidermie, ces mâles tués suivant un rituel ne peuvent être interprétés que par l'esprit. Ce que j'appelle le *spirituel*. On pourrait comparer le *factuel* à l'ordinateur d'échecs, et le couple *factuel/spirituel* au joueur d'échecs, bien plus redoutable.

Raviez passa une main dans sa moustache pour en chasser les cristaux de glace.

— Rien de pire pour les moustachus qu'un temps froid et humide, on a l'impression de ressembler à un brise-glace... Pour moi, c'est l'ordinateur d'échecs le plus fort, car il ne commet pas d'erreurs et suit une logique inébranlable. Je joue le rôle de l'ordinateur, j'imagine donc un homme de taille moyenne puisqu'il chausse du quarante et un, assez mûr parce qu'il possède une large expérience en taxidermie. Quarante, cinquante ans. Quelqu'un de reclus, de sauvage, un regard dans lequel se reflète la mitre du bistouri. Célibataire, bien entendu, sans enfants. Habite la campagne. Costaud parce qu'il a sorti d'un zoo un loup de cinquante kilos. Méticuleux, organisé mais très perturbé moralement, en témoignent les mutilations sur les animaux. Qu'as-tu à répondre à ça, *joueur d'échecs* ?

— *Primo*, les poupées représentent des symboles importants. Elles ont marqué la jeunesse de toutes les filles, elles attisent les souvenirs, les moments heureux de l'enfance. Les scènes de crime élaborées par certains types de tueurs ne sont que la manifestation matérielle de leur inconscient, de ce qui les perturbe. Autrement dit, trouver une victime *déguisée* en poupée sur le lieu d'un meurtre peut signifier que l'assassin – et contrairement à vous je penche pour une femme à cause de l'univers féminisé de la scène et de ces mutilations de mâles – cherche inconsciemment à raviver des passages de son enfance. Pourquoi ? Famille détruite, séparée ? Parents décédés ? Adolescence douloureuse ?

« *Secundo*, la taxidermie. Un art qui ne s'improvise pas, d'après notre Vieux-Lillois. L'assassin n'en serait donc pas à ses premiers essais avec les wallabies, les loups, les capucins. S'est-il entraîné sur d'autres mammifères, à la manière de ces collectionneurs d'animaux domestiques ? Probablement. Des chats, des chiens qu'il trouvait dans la rue, qu'il adoptait dans les SPA comme disait Léon. Il mutile les mâles, emploie sur eux un procédé très particulier qui consiste à les vider de leur sang par les artères iliaques, à leur inciser le péricarde, leur nouer l'aorte. Là aussi il a dû s'exercer. A-t-on déjà retrouvé des animaux mutilés dans des forêts aux alentours de Dunkerque, au fond de poubelles, dans des déchetteries ? D'où tire-t-il sa science ? De traités anatomiques ? Ou simplement de ses études de vétérinaire ? Vit-il sur de l'acquis ou se passionne-t-il pour la dissection ?

« *Tertio*...

— Stop Henebelle ! Stop ! Lâche-moi un peu avec tes analyses à tout-va ! J'aime pas les échecs !

— Désolé capitaine, mais j'ai des saletés qui s'incrustent dans la tête et qui y tournoieront jusqu'à ce que brillent des débuts de réponses. Pourriez-vous me prêter votre copie du rapport d'autopsie ? Depuis notre visite chez Léon, une image subliminale circule ici, dans mon crâne, et j'ai besoin de la capturer.

— Si ça peut t'aider à te sentir mieux... Mais tu as vraiment besoin d'une purge cérébrale. Tu devrais peut-être arrêter de vivre dans l'obscurité, de faire tes bidouilles de magie noire et sortir plus souvent...

— La magie noire ? Comment vous...

Ce gros curieux avait dû fourrer son nez dans ses tiroirs, apercevoir la poupée, la chandelle, la mèche de cheveux.

— Je ne te connais pas vraiment, Henebelle, rajouta-t-il, mais à te côtoyer, on se rend compte que le jour et la nuit existent aussi à l'intérieur des humains...

Sans rien dire, Lucie serra le livre de Pirogov sous son blouson et tourna la tête.

25

Les deux flics remontèrent en moins d'une heure le tape-cul goudronné qui les jeta à la périphérie de Dunkerque. Au nord, les éoliennes brassaient l'horizon dans une rotation agonisante, encerclées par les monstres industriels bouffeurs d'hommes et d'espoir. Dans ce recoin noirâtre de la France, on naissait au bord d'une chaîne de production et on mourait à l'autre bout, comptant chaque soir pour s'endormir non plus des moutons mais des portières de voitures ou des pièces de disjoncteurs.

Derrière ces catacombes de béton, ces gargouilles aux pattes d'acier, quelque part, une gamine luttait contre la mort, son calvaire égrené à l'écran devant des millions de téléspectateurs. Qu'est-ce qui allait l'emporter la première ? La hargne de la maladie, ou la lame d'un assassin empailleur d'animaux ? Qui créait les bons et les mauvais, quelle main immonde engendrait le mal, quelle autre le travaillait pour l'inoculer sur Terre sous ces facettes de démence ?

Le long d'une départementale, Raviez obliqua vers le bas-côté pour répondre à un appel téléphonique. Il sortit, s'infesta les poumons tout en poursuivant la conversation. Ses traits se défroissaient au fil de l'entretien et lorsqu'il raccrocha, son visage s'était lissé d'une couche de plénitude.

— C'était Norman ! On la tient ! clama-t-il en brandissant le poing. Clarice Vervaecke, vétérinaire à Merlimont ! Elle commande depuis des mois de la tilétamine dans une pharmacie de la ville ! « Et alors », vas-tu me dire ?

— Et alors ? Vous avez affirmé tout à l'heure que presque tous les vétérinaires se procurent de la tilétamine.

— Elle passe bientôt devant un tribunal et risque de perdre son droit d'exercer !

— Vous comptez me dévoiler la chute dans dix jours ? râla Lucie sans cacher son exaspération.

— Elle s'est fait prendre à un contrôle d'alcoolémie le mois dernier en revenant d'une boîte de lesbiennes, en Belgique. Complètement défoncée. Shootée à la tilétamine d'après la prise de sang.

— Ce qui explique pourquoi elle en commandait tant. Est-ce suffisant pour l'incriminer ?

— Avant de la maintenir en garde à vue, ils ont voulu relever ses empreintes. Tu devines la suite ?

— Pas de crêtes papillaires ?

— Exactement ! Le bout des doigts rongé par des attaques chimiques.

Raviez jeta un œil dans son rétroviseur et plissa l'asphalte.

— Le commissaire a obtenu auprès du procureur un mandat de perquisition. Une équipe d'une dizaine d'hommes, Norman en tête, vient de se mettre en route ! Avec un peu de chance... la petite sera toujours vivante... Espérons-le, ça gâcherait le *happy end*...

— *Happy end ?* N'oubliez pas que Mélodie Cunar

et son père sont morts et qu'un chauffard est toujours en cavale avec deux millions d'euros !

— Tu me fais la morale maintenant, brigadier ?

Lucie s'écrasa au fond de son siège, muette. L'annonce pénétrait en elle comme un torrent déchaîné, élaguant à grandes eaux les flammes crépitantes de l'enquête. Elle en venait presque à regretter que tout s'arrête si brusquement.

L'heure tournait, le temps diluait dans les veines d'Éléonore le poison des secondes. Se sent-on mourir quand la Faucheuse affûte, depuis de si longues années, son instrument tranchant sur l'édifice de votre vie ?

— Tu vois, ajouta le capitaine après un silence, les faits, la hargne de nos hommes, il n'y a que ça qui compte ! Ton baratin psychologique n'aura pas servi à grand-chose ! Je passe en coup de vent au commissariat et je te ramène chez toi. Tu vas pouvoir profiter de ton week-end, bien tranquille à t'occuper de tes marmots...

— Il reste quand même l'inconnue du ou des chauffards de Cunar...

— Je suis persuadé que notre suspect a tout vu, puisqu'il se trouvait à proximité du lieu de l'accident. Le numéro d'immatriculation est soigneusement imprimé au fond de sa tête et crois-moi, le commissaire n'a pas d'égal pour mener un interrogatoire musclé.

— Passez-moi un coup de fil pour le dénouement en tout cas...

Le véhicule s'engagea le long du port, effleura la Duchesse Anne avant de se garer derrière le commissariat. Des journalistes surgirent.

— Tu me laisses parler, avertit le capitaine avant d'ouvrir la portière. Et essaie de pas trop faire la gueule, ce soir on risque de passer au journal de vingt heures...

— Je souris bêtement quoi...

Depuis la fenêtre de son pavillon de Malo-les-Bains, Lucie contemplait le dos rond de la dune sous les derniers rayons du soleil. Même dans le Nord les couchers sont magnifiques, tout mêlés de bleu, d'orange, de mauve. Une légère brise chahutait le sable en tourbillons silencieux et l'emmenait vers les noirceurs océanes.

La jeune femme se demandait ce qu'allaient découvrir les équipes dans le cœur de la maison maudite. Des animaux empaillés par dizaines ? Des capucins cloués sur un piédestal de bois, piégés dans une éternité synthétique ? Des bêtes disséquées, les organes conservés dans des bocaux ? Et la petite Éléonore ? Quelles étaient les chances de la retrouver vivante au milieu d'un tel déferlement de haine ?

Le rapport d'autopsie traînait au milieu de la salle à manger, privant une petite aveugle de sa plus profonde intimité et de son droit à reposer en paix. En faisant glisser une main sur les pages glaciales, Lucie imagina les minuscules grains de lumière traverser les iris de Mélodie Cunar, avides de partager leurs couleurs, leurs nuances, leurs pulsations d'existence, s'accrocher aux nerfs optiques et rebrousser chemin juste avant de frapper aux portes de son cerveau. Elle songeait à ses jumelles, leurs grands yeux arrosés d'or céleste, leur émerveillement devant le moindre scintillement d'étoile. À chaque seconde, on respire les images, elles allument les regards, les sourires, nous arrachent de terre et tissent les fils de nos vies. L'existence de Mélodie n'avait été qu'un puits de ténèbres, un gouffre de bouffées noirâtres. Quel souvenir avait-elle gardé de son court passage sur Terre, de cette si belle planète où s'épanouissent fleurs, océans et nuages, si ce n'est cet incroyable sentiment d'incompréhension et d'injustice lorsque les deux mains froides l'avaient privée d'oxygène ?

Amèrement, Lucie entassa les feuillets, empoigna la biographie du médecin russe qu'elle enfouit au fond d'un tiroir, dans lequel elle récupéra une petite clé. Puis elle baissa les volets roulants, tira les doubles rideaux, éteignit les lumières, les veilleuses des appareils électriques. Noir complet. À tâtons, elle s'approcha de l'armoire aux vitres teintées, l'ouvrit et... franchit le pas...

Une heure plus tard, une fois ses larmes séchées, elle s'embarquait pour la maison de ses parents.

Après trois jours, elle allait enfin pouvoir embrasser ses filles, les jumelles au sommeil inversé.

Devant elle, une interminable nuit blanche en perspective...

26

Dix-huit heures trente. Les mains regroupées sous le menton, Vigo Nowak observait la masse écrasée sur le canapé. Avec une minutie d'horloger, il ressassait les lignes de son plan, analysait les étapes, les facteurs X susceptibles de compromettre son opération.

La clé d'entrée dérobée chez Sylvain, dont il avait fait un double dans une grande surface... La boîte de Donormyl... La paire de gants en latex... Et l'incroyable somme de détails qui nécessiterait l'habileté d'un jongleur...

Tout était parfait. L'engrenage réclamait sa crémaillère.

Il alla au fond de son jardin s'assurer que son voisin, un veuf sexagénaire, avait abaissé ses volets roulants, puis il rapprocha la voiture de Sylvain.

De l'autre côté de la rue, pas de témoins possibles. Les palissades de béton hautes de deux mètres n'ont ni yeux ni oreilles.

Dans l'après-midi, il avait appelé Nathalie, furieuse après son mari, à la suite de son départ précipité de la maison. Vigo l'avait prévenue que Sylvain déblatérait à ses côtés, une bouteille de whisky à la main et dans un état proche de celui d'un alambic hors d'usage.

Et maintenant, l'ami allait ramener le mari indigne.

Sylvain était horriblement lourd. Néanmoins, Vigo réussit à l'installer sur le siège passager du véhicule. Il enfila des gants de laine, un bonnet, mit le contact et s'évapora dans la nuit.

Une alarme interne lui intimait de rebrousser chemin, de stopper le massacre, de réfléchir à des solutions alternatives. Mais cette voix égoïste lui demandait de choisir entre l'humidité d'un cachot et la douceur d'une vie sucrée.

L'ingénieur touchait au but, il manquait juste le coup de tournevis décisif. Il ne commettrait pas d'erreur. Être intelligent, c'est savoir utiliser son intelligence au bon moment.

Deux kilomètres plus loin, il pénétra dans le U de la fermette isolée, verrouilla le portail et cogna du coude à la porte, soutenant un quintal par-dessous les aisselles. Nathalie, toutes griffes dehors, lui lacéra le visage de réprimandes.

— Vigo ! Dans quel état tu me le ramènes !

Elle s'en prit au baril d'éthanol.

— Et toi ! Tu joues les pochards alors que ta femme et ta fille t'ont attendu toute l'après-midi ! Regarde-moi ce crétin ! On dirait la réincarnation d'un pub irlandais !

— Laisse tomber, il ne t'entend pas ! grimaça Vigo en tirant vers l'intérieur le paquet de chair. Il a liquidé ma bouteille de whisky. Aide-moi plutôt à l'amener sur son lit ! Dis, tu n'attends personne j'espère ? Il ne faudrait pas qu'on le surprenne dans cet état !

— Qui veux-tu que j'attende à cette heure ? Tu me dois des explications !

— Le lit d'abord, les explications après...

Les bibelots, les tapis, toutes ces zones accrocheuses d'empreintes se liguaient en pièges potentiels. Vigo se sentit soudain vulnérable, faible, prisonnier de sa chair, de l'usure de son corps. Et s'il perdait un cheveu, un poil, une pellicule à proximité des cadavres ? S'il oubliait un détail crucial ? Avec les technologies de la police scientifique, le moindre geste de travers pouvait être fatal.

Ils allongèrent Sylvain, récupérèrent leur souffle avant de se rendre dans la salle à manger, le pas traînant.

Pense à la sueur... Donner un coup de serpillière avant de partir...

— Je crève... de soif... maintenant ! haleta Vigo. Je peux aller... me servir un jus... de fruits dans la cuisine ?

Nathalie se tamponna le front.

— Dépêche-... toi ! J'attends !

— Qui as-tu prévenu... du départ précipité de Sylvain... en début d'après-midi ? Il faudrait leur dire que tout... est rentré dans l'ordre.

— Personne ! Tu crois que j'expose mes problèmes familiaux au monde entier ?

Vigo jeta un œil au feu à charbon. Les briques de son stratagème s'empilaient à la perfection, un ciment de démence solidarisait l'ensemble dans une mécanique inébranlable. Il reprit confiance et se présenta avec deux grands verres remplis à ras bord.

Tu peux encore tout arrêter ! Tu peux encore tout arrêter !

À quoi bon ? S'il vit, tu es cuit. De toute façon, tu as déjà tué une fois. C'est passé comme une lettre à la poste, non ? Tu connais désormais la procédure.

Des impulsions cérébrales lui ordonnèrent de tendre le bras.

— Tiens, bois une goutte ! Ton mari est un sacré morceau !

Elle refusa le verre.

— Tu crois que j'ai soif ? Vous me donnez plutôt envie de vomir ! La seule fois où j'ai vu mon mari éméché de la sorte remonte à l'enterrement de sa vie de garçon !

Des larmes roulèrent lentement sur ses joues.

— Il est bizarre... ces derniers temps, on dirait... qu'il n'est plus le même. Qu'est-ce qu'il t'a raconté ?

Vigo serra les poings. Ses yeux cherchaient un point d'accroche, une bouée de sauvetage qui l'éloignerait du regard d'un futur cadavre. Il improvisa :

— Il a peur que tu l'abandonnes...

— Mais c'est absurde ! s'offusqua Nathalie en remuant l'air d'un geste vif. Comment il peut penser une chose pareille ?

— Priver un homme de son travail revient à le castrer. Il se sent impuissant et complètement inutile. Je connais trop bien Sylvain pour t'assurer qu'il ne supporte plus cette dépendance, que les longues journées passées à attendre le rendent marteau. Aujourd'hui il a craqué. Qui pourrait lui en vouloir ? Tu crois que c'est facile de pointer chez fous rien ?

— Non... Bien sûr que non, admit Nathalie. Mais on se raconte toujours tout !

Vigo lui cueillit une larme du bout des doigts. Une larme qui lui fendit le cœur. Les secondes s'étiraient en heures, ses paroles mielleuses coulaient de sa bouche.

— Il... il faudra que tu lui parles, confia-t-il. Aide-le davantage à traverser l'épreuve.

— Mais... Mais... c'est déjà...

Elle s'étouffa dans un sanglot. Vigo luttait contre ses anges intérieurs pour ne pas rebrousser chemin.

En finir...

Il attrapa le verre et lui glissa sur les lèvres.

— Bois une gorgée. Ça ira mieux après...

Nathalie obtempéra et ingurgita la mort.

— Voilà... murmura Vigo. Très bien... Doucement... Installe-toi dans le canapé... Nous allons discuter tranquillement...

Nathalie fut d'abord prise d'une impression de légèreté. Puis les paroles de Vigo s'éloignèrent, des griffes puissantes l'entraînèrent dans un puits sans fond.

Vigo sentit sa poitrine se gonfler de sang. Ses tempes bourdonnaient. Il écouta le jet d'adrénaline se déverser en lui, affûter ses muscles, revigorer son esprit.

Le plus difficile restait à faire. Éviter les erreurs.

Avec méthode, il enfila des gants en latex, un bonnet de laine, remonta son coupe-vent jusqu'au cou et ferma un à un les volets de la cuisine, de la salle à manger et des chambres. Il rabattait le couvercle d'un cercueil...

La petite Éloïse, assise au fond de son parc, lui arracha un sursaut lorsqu'elle se mit à piailler. Elle agitait un hochet avec une innocence émouvante. La vie jaillissait de chacun de ses gestes, de ses regards.

Vigo s'effondra, en pleurs.

Non ! Tu ne peux pas faire ça ! Impossible ! Rentre chez toi ! Pas une petite fille... Seigneur...

Il fondit sur le vaisselier, empoigna une bouteille de vodka qu'il allégea d'une généreuse gorgée. Il connaissait par cœur les effets de l'alcool sur son organisme. D'abord l'impression de chaleur, puis les inhibitions. Ses émotions s'émousseraient sans pour autant lui ôter sa vigilance.

Les vapeurs se dissipèrent en cinq minutes – les cinq

minutes les plus longues de sa vie, réactivant le processus de mise à mort.

Ligne suivante de son plan... Les Donormyl... Il glissa la boîte entamée de somnifères dans l'armoire à pharmacie de la salle de bains. On les délivrait sans ordonnance, une piste qui ne serait pas explorée.

Parfait... Parfait... Agis en cherchant à te piéger toi-même... Comme ça, tu ne commettras pas d'erreur...

Une avalanche de cris. Éloïse hurlait. Comment de si petits poumons pouvaient-ils cracher tant de puissance ?

Bon sang ! La sensibilité exacerbée des bébés ! On dirait qu'elle... le sent !

Vigo se jeta sur la bouteille de vodka. Il n'ingurgita qu'une dose minime, hors de question d'aller plus loin et de risquer l'émoussement neuronal. Sa vie dépendait de sa vigilance.

Pas un bébé, pas un bébé, pas un bébé...

L'implacable machinerie se mit à nouveau en branle dans sa tête. En avant, marche !

L'agencement des corps à présent, le nœud d'une scène de crime. « Le reflet du visage d'un assassin imprudent », répétait son frère. Il démaquilla Nathalie d'un coton imbibé de lait qui finit au fond d'une poubelle, la porta jusqu'au lit, lui ôta ses vêtements avant de la glisser dans un pyjama. La découvrir quasi nue ne lui provoqua aucun désir. Qui banderait devant de la viande aux trois quarts refroidie ?

Il répéta l'opération avec Sylvain. Les chaussures, le pull, la chemise, le pantalon, puis le caleçon. Il disposa les corps de manière naturelle – sur le côté pour Nathalie, jambes repliées, et sur le dos pour Sylvain – avant de les recouvrir du linceul de plumes. La Faucheuse venait de rabattre sa capuche noire.

Les cris, à nouveau. Ignobles hurlements. Il se précipita sur Éloïse, l'empoigna et l'enfonça au fond de son lit à barreaux, à la limite de lui fendre le crâne, de l'éclater comme l'enfant en colère contre son *Big Jim*.

— Ferme ta gueule !

Tu as presque fini le travail... Ne craque pas maintenant... Regarde ! Elle porte déjà son pyjama ! Le destin est encore avec toi... Laisse couler...

Respiration dense. Flots de sueur. Et si le téléphone sonnait ? Et si quelqu'un frappait à la porte ? Et si un passant l'avait vu pénétrer dans la cour ?

Il s'imprégna une dernière fois de l'atmosphère de la chambre parentale, scruta le moindre recoin, imagina l'attitude des policiers qui découvriraient les corps. N'avait-il rien oublié ? Le couple en pyjama dans son lit, la femme démaquillée, les vêtements pliés sur les chaises...

Ces hurlements affreux !

Ultime ligne droite. Décisive. Le clou de son stratagème.

Le monoxyde de carbone... Un gaz inodore, invisible, sournois... au baiser mortel. Le grisou des feux à charbon.

Six mille victimes par an. Des familles complètes. Trois, quatre, cinq enfants. L'horreur.

Vigo s'approcha du monstre d'acier. Les boulets de charbon s'embrasaient sans aucun crépitement, avalaient les flammes pour régurgiter un magma incandescent. Les forges de l'enfer préparaient leur combustion d'âmes.

Le front ruisselant, Vigo tira avec précaution l'adhésif enroulé autour du tuyau d'évacuation, juste assez pour qu'apparaisse la profonde déchirure.

Ils étaient inconscients d'utiliser un feu en si mauvais état ! Un tel malheur devait arriver tôt ou tard ! On ne répare pas une bouche d'évacuation avec du scotch !

Il se donnait bonne conscience. Oui, le drame les avait toujours guettés. Vigo déviait juste un peu les destins, comme avec son emballage de croissants sur les marches de la Grand'Place...

Il tira sur chaque extrémité du tuyau sans forcer, étala plus encore le sourire de la fente. Tout paraissait naturel. La panne de chaudière arrivée au mauvais moment... Les températures effroyables de l'extérieur, contraignant à utiliser le feu à charbon. L'adhésif décollé par la chaleur, porteur des empreintes de Sylvain ou Nathalie... Et même la mère, qui avait signalé le danger !

Le poison inodore se déversait dans l'air. Dans quelques heures, le gaz aurait mordu les chambres. Tout serait fini dans les mauves de l'aube...

Du plus profond de l'habitation, les hurlements de l'enfant redoublèrent d'intensité.

Vigo se plaqua les paumes sur les oreilles, des plis douloureux sur les lèvres. Le long de la vitre embuée du feu à charbon, les flammèches louvoyaient avec acharnement, pressentant l'appel d'air. Accélérant le processus de mort.

C'est... c'est le prix de ta survie ! Tu n'avais pas le choix !

Sans tarder, Vigo rinça les deux verres de jus de fruits qu'il rangea dans le placard de la cuisine. Il donna un coup de serpillière sur le sol, ausculta une dernière fois les pièces, affrontant les hurlements désespérés. Il vacilla et manqua de vomir.

Pas un bébé, pas un bébé, pas un bébé...

Quitter l'endroit fut plus difficile que prévu. L'horrible impression d'avoir commis une erreur... Il posa la clé dérobée dans le coffret accroché à proximité de la porte, se faufila sur le perron et utilisa son double pour verrouiller l'issue.

Sous l'œil incisif des étoiles, les champs au sol gelé l'engloutirent.

Adieu l'ami...

Une fois chez lui, il faillit s'évanouir sur le canapé. Il se déshydrata à trop pleurer, demanda pardon à la divinité qui voudrait bien l'entendre. Le non-croyant, qui prie quand ça l'arrange... Et aujourd'hui, ça l'arrangeait fichtrement.

Comment retrouverait-il un jour la quiétude de son esprit ? Pourquoi fallait-il payer par le biais pourpre ce droit d'accéder au bonheur ?

Pas loin de la rupture morale, il se changea et prit l'autoroute A21, destination nulle part...

Demain, les pompiers découvriraient trois nouvelles victimes intoxiquées au monoxyde de carbone. Avec un feu à charbon dans cet état et le témoignage de la mère, l'évidence éviterait la procédure judiciaire.

Le lendemain de Noël, Vigo Nowak se proclamait héritier légitime de deux millions d'euros au détriment de trois vies, dont un enfant à l'aube de l'existence...

27

Le corps nu se nuançait en déchirements d'ombres. L'aiguille chercha une veine, creva la pellicule de peau avant de déverser plusieurs millilitres du liquide jaunâtre dans les tentacules sanguins.

Tilétamine. Un poison qui portait la Bête sur les moiteurs infinies du plaisir artificiel, chassait l'illusion du froid et lissait l'horreur du monde. Ici, dans cette obscurité contrôlée, elle se sentait bien, en sécurité, loin des démons qui envenimaient son quotidien. Quand le moment viendrait, elle s'occuperait de leurs jolies petites gueules. À sa manière.

Elle poussa le son du radiocassette, amplifia les basses pour aggraver le vomissement saturé de la guitare électrique. Ses coups de tête propulsaient la masse noire de ses cheveux par-devant son visage et jusqu'à la pointe de ses seins. Attisée par la chaleur organique et les tourbillons de drogue, elle se courba vers l'arrière et exécuta des mouvements de bassin, invitant une présence invisible à la pénétrer, la secouer, la soulever de terre. Elle engloutit une canette de bière avant de pousser un hurlement.

Ce soir plus que les autres nuits, elle voguait sur les crêtes du bonheur. Cette image hypnotique, cette physionomie gravée derrière ses iris prenaient des dimensions démentes. Cette texture claire des cheveux, ces yeux de saphir cernés de secrets coïncidaient à merveille avec la photo qu'elle tenait sous ses yeux. Cette photo qu'elle caressa, encore et encore.

Ses prières les plus violentes venaient de prendre forme.

La femme flic serait celle par qui la Bête revivrait enfin !

Avait-on enfin écouté ses suppliques ? Lui avait-on offert sa part de chance ? Cette possibilité de ramener le passé et de faire taire les tourbillons de rancœur qui bouillaient en elle ? Un tel coup du destin, un enchaînement si incroyable de circonstances ne pouvaient être qu'un signe envoyé par Dieu pour l'encourager.

Après une large inspiration, pressant un crucifix dans la paume gauche, elle plongea la main droite dans une bassine d'eau oxygénée presque pure pour en extraire un crâne à la blancheur immaculée, une face de calcium purgée de ses déchets organiques. L'attaque chimique lui brûla les doigts, une morsure si dévastatrice que le bâton calé entre ses dents manqua de se rompre. Des dizaines de mètres sous terre, la Bête gémit à s'arracher la gorge...

Elle entretenait ce châtiment maîtrisé, nécessaire, pour empêcher les cicatrices morales de se refermer, pour qu'à chaque battement de son cœur les fragments de son passé ébranlent le présent et lui rappellent combien sa mère et elle avaient souffert.

Après avoir enduit ses doigts douloureux d'une crème de sa confection, elle se plaqua sur un mur tapissé de peaux pour récupérer, enfonçant son regard dans les tignasses grises, blondes, suspendues à une armature en métal. Des perruques sous lesquelles elle dissimulait sa vraie chevelure, une fois à la surface, dans ce monde de caddie, de klaxon, de gaz carbonique. Un moyen, avec les vêtements ringards, les chaussures d'hommes, les moules en latex, de se classer au rang des quidams qu'on ne cherche pas à aborder, un vitrage contre les œillades des mâles dégoûtants.

Une fois la douleur partiellement estompée, la Bête posa le crâne sec sur une table à tréteaux, aux côtés de bocaux transparents où traînaient des yeux en cristal de Bohême, des mâchoires en résine, des amoncellements d'os. À ses pieds, sur les flammes bleutées d'un réchaud à gaz, un mélange abject de chair, de viscères, de ligaments macérait à la surface d'un liquide trouble qui dissimulait, en son fond, un squelette. Le bain de soude caustique mêlait ses relents aux effluves de cuir, à ce travail des peaux mortes qui exhalait son fumet diabolique. Le jeu des odeurs, l'alchimie des mélanges banda un à un les muscles de la Bête, lui donnant du cœur à l'ouvrage.

Là où n'importe qui aurait vomi, elle jouit...

Après le passage de couches de résine autour des orbites, elle avala plusieurs goulées d'une nouvelle bière et, sous les riffs agressifs crachés par les enceintes, se mit à tourner bras écartés, paumes vers le haut, accroissant la vitesse de rotation jusqu'à ce que les défaillances cérébrales l'emmènent au sol. Elle roula son corps moucheté de brûlures dans les écorces de pin, s'en couvrit le torse, les seins, le bassin, et se frôla le sexe en gémissant.

Dire que le big-bang avait explosé dans cet entrepôt, en pleine zone industrielle. D'abord l'échec, cette montée de rage suivie d'une envie puissante d'arracher la vie. Puis cette immense prise de plaisir, comme lorsqu'elle tuait des petits animaux, plus jeune. L'idée était alors soudainement apparue, comme jaillie de la lampe magique d'un génie resté trop longtemps enfermé.

Des morts qui pourraient ramener des morts.

À présent, il fallait confirmer l'idée, passer à la pratique avec cette fillette, piochée au hasard de la rue. S'entraîner sur du jetable avant de s'attaquer à la pièce maîtresse, cette femme flic surgie sur les rails de sa destinée.

Pour que, par la magie de ses mains calcinées, soient sublimés ses souhaits les plus fous.

La Bête contourna des récipients de cires colorées en bleu de Prusse, indigo ou cendre bleue. Elle s'approcha du bain de tannin et observa de longues minutes le tapis de peau barboter dans le jus immonde...

La drogue diluait ses serpents de brume au fond de son esprit, déliant ses idées les plus folles, ses désirs les plus ambigus. Elle considéra la cage où planait encore le spectre de la petite aveugle, ces barreaux inébranlables, cette soif métallique d'emprisonner les chairs. Pourquoi ne pas offrir un nouvel occupant à cet acier solitaire ? Pourquoi ne pas enlever la femme flic immédiatement ? Non pas pour s'occuper d'elle sur-le-champ, mais pour la garder en vitrine, ici, dans les profondeurs de la Terre. La posséder vivante, l'étudier, la disséquer du regard...

Quelle formidable idée ! Décidément, pourquoi avait-il fallu attendre toutes ces années pour qu'explose enfin son imagination, ses élans artistiques ?

En un instant, ses sens se braquèrent sur la petite clochette reliée à un fil de nylon. Une présence venait de réveiller le système de sécurité installé autour de la maison. La Bête éteignit son poste et tendit l'oreille. Plus rien... Peut-être un animal... Un sanglier, une biche ?

Dans l'ombre, elle s'empara de son scalpel encore maculé de vie. L'instrument tranchant lui échappa des mains lorsque son chien se mit à aboyer à n'en plus finir. Elle fut prise d'une panique qui, instantanément, résorba les effets de la drogue et la plongea dans la cruauté de la réalité.

On l'avait déjà retrouvée. Comment était-il possible que...

Elle se glissa nue dans une longue veste de fourrure, s'empara d'un pulvérisateur au réservoir rempli d'acide formique et se plaqua derrière la porte d'une des caves. Prête à dissoudre les démons de l'enfer qui oseraient entrer chez elle.

Dans une obscurité plus tenace encore, au fond, des plaintes grimpèrent.

La Bête jura de les faire taire à la première occasion venue...

28

Pierre Norman roula le bord de son bonnet pour libérer ses oreilles de l'étreinte de laine. Avant chaque intervention, son corps tout entier grimpait en température. Dans les montagnes russes de l'enquête criminelle, le lieutenant à la chevelure de feu vibrait pour cet ultime moment, cette dernière chute à la pente vertigineuse.

Il se tenait plaqué contre la façade d'un plain-pied contemporain bâti au détour d'une route, à l'orée d'une forêt de pins. Une habitation isolée, aux volets fermés, l'endroit idéal pour se livrer à des activités occultes. De l'autre côté de la porte, un chien aboyait à tout rompre.

— Tu es prêt ? fit-il au lieutenant Colin dans un nuage de condensation.

— Pas de problèmes. On peut foncer...

— Et vous, ne manquez pas le chien...

Norman agita la main. Un bélier avala la porte et dévoila les perspectives intérieures dans un craquement de bois. Une flèche anesthésiante se logea dans le poitrail d'un doberman, lui laissant à peine le temps de planter ses crocs dans la combinaison en polymole d'un maître-chien. Six hommes pénétrèrent par groupe de deux, les Beretta contre les joues, les pointes des canons dévorant l'espace sous l'appui des lampes torches. Une fois la lumière allumée, les volumes se tendirent, exhalant leurs bouffées d'inconnu. Les policiers s'approprièrent les pièces avec méthode, gorges serrées et fronts luisants.

— Rien dans les chambres ! souffla une voix.

— Cuisine vide ! poussa une autre.

Norman s'intéressa aux éléments qui composaient l'espace du salon. Le décor, le style, l'architecture. Rien de particulier. Des bibelots inutiles, une cheminée aux bûches consumées, des murs peints en blanc parsemés de fresques aux motifs géométriques. Des cadres, des posters, aucune photo. Le policier s'attendait à découvrir un musée de l'horreur, une fosse à animaux empaillés, un cimetière de gueules pétrifiées... Au téléphone, le capitaine Raviez lui avait parlé du penchant taxidermiste de l'assassin. Où la vétérinaire dissimulait-elle ses trophées ? Et surtout, dans quel recoin retenait-elle la petite diabétique ? H moins combien déjà ?

Elle se trouve là ! Sous mes pieds !

Norman s'approcha d'une porte au fond du salon, l'ouvrit avec prudence. Il perçut une excitation sur le palais lorsque jaillirent les ténèbres. Il s'adressa à Colin :

— Une cave ! Je descends !

Colin l'agrippa par l'épaule alors que l'obscurité l'engloutissait déjà.

— Une cave ? C'est peut-être là-dessous qu'elle retient la petite... Je t'accompagne...

— Pas la peine, l'endroit semble étroit, on risque de se marcher dessus... Va chercher l'architecte dans la voiture.

La tignasse rousse du policier se laissa avaler par

le dévers de béton qui dévalait dans les entrailles de l'habitation. Une ampoule timide nuançait les parois en esquisses floues. Norman s'appuya sur le faisceau de sa lampe, l'arme tendue, la main alourdie par la tension nerveuse. Son index s'enroulait sur la gâchette, sa langue courait sur ses lèvres en ellipses humides. En contrebas, l'escalier vrillait sur la gauche ; l'obscurité reprenait peu à peu ses droits.

Calme-toi... Respire... Tu contrôles la situation...

Des bruits de pas, au-dessus de sa tête. Ses collègues, probablement... Les marches l'abandonnèrent dans une espèce de sas oblong qui débouchait sur une porte entrouverte.

Le cœur de la machinerie meurtrière.

Le cavalier solitaire cala ses pas sur le rythme lent de sa respiration. Il contourna des bocaux poussiéreux, pleins d'une substance noirâtre, s'approcha de l'entrebâillement en se plaquant contre les murs. Sa jugulaire avait triplé de volume, oxygénant son cerveau et décuplant sa lucidité. Ses pupilles dilatées dans le lac bleu de son œil lui conféraient des allures de félin à l'affût, un genre de chat sauvage aux griffes rétractées mais prêtes à lacérer.

— Sortez ! Police !

Pas un bruit. Monochromie auditive...

Et si elle était là, juste derrière, prête à te trouer le crâne ? Tu évolues sur son territoire. Remonte chercher une lampe plus puissante et des équipiers !

Ses instincts de prédateur eurent raison des avertissements. Le souffle bloqué, il roula le long du mur et pénétra accroupi dans la cave, son arme et sa lampe éventrant l'espace en diagonales tranchantes. Des masses immobiles s'accrochèrent au rai doré. Des scintillements de métaux, des reflets de cuirs lustrés. Norman plissa les yeux, comme si sa conscience refusait d'assimiler les bribes d'informations qui surgissaient.

Il promena une main à tâtons contre les parois et dénicha un interrupteur. L'espace flamba, flashant le policier d'une lumière aveuglante. Quand les deux grands cercles blancs se dissipèrent au-devant de ses rétines, il n'en crut pas ses yeux.

L'enfer... Il avait mis les pieds en enfer...

L'endroit était peuplé de matériel sadomasochiste, d'instruments de torture suggérant l'antre secret d'un bourreau moyenâgeux. Des croix à supplices, des tables de contention, des espèces de cages pour oiseaux géants. Fouets, cravaches, masques de cuir étaient étalés sur des présentoirs tapissés de vinyle noir. Des menottes, toutes sortes de chaînes et de colliers décochaient des reflets bleutés, aux côtés d'étaux, de boîtes de clous et d'une batterie douze volts dont on devinait l'utilité.

Norman s'élança dans la pièce, bascula les établis, les cages, arracha les draperies de nylon, hélant à s'égosiller le prénom d'Éléonore.

— Éléonore ! C'est la police ! Nous sommes là pour t'aider ! Réponds ! Réponds !

Il s'adressait aux murs, à cette imperméabilité sans âme, cognait du poing à s'écorcher les jointures sur les parois muettes. H moins combien ?

Colin et l'architecte le rejoignirent.

— Nom de Dieu ! s'exclama Colin en roulant des yeux hagards. Pas de traces d'Éléonore ?

Norman répondit par la négative.

— Elle doit bien être quelque part ! Il... Il est encore temps de la sauver ! Ils ont parlé de cinquante heures d'autonomie ! Il reste quoi ? Aidez-moi à chercher ! Pas une seconde à perdre !

L'architecte lui posa une main sur l'épaule.

— Laissez-moi faire mon métier. Je vous garantis que s'il existe une pièce secrète dans ce capharnaüm, je la dénicherai...

L'homme commença son travail d'inspection, caressant les parois avec un détecteur qui affichait des nuées de chiffres incompréhensibles.

— La maison est vide, assura Colin en s'adressant à Norman. Pas de voiture dans le garage. Ses armoires à vêtements sont encore pleines et parfaitement rangées, ce qui exclut *a priori* le départ précipité.

Norman ferma les poings, les lèvres serrées en une cicatrice charnelle.

— Il faut qu'on la coince le plus rapidement possible ! On... ne peut pas échouer si près du but ! L'enfant ! Sauver l'enfant ! Quel sort cette Clarice Vervaecke a-t-elle pu réserver à la gamine ?

— À voir le matériel, je n'aimerais pas tomber entre ses mains, répliqua Colin. Imagine, manier de la chair animale, empailler des bêtes à longueur de journée...

— Des traces d'animaux empaillés ?

— Aucune. Elle doit avoir une autre planque. Merde, c'est pas possible autrement !

Norman s'adressa à l'architecte.

— Alors ?

— Néant. Pas de pièces secrètes ni de cavités. La structure des murs est monobloc, parfaitement lisse et bétonnée. La petite ne se trouve pas dans cette cave.

Norman sortit de l'ombre.

— On remonte ! Il faut fouiller de fond en comble, y compris le jardin et les environs ! Il... On doit la retrouver ! Mon portable est déchargé, Colin, avertis le commissaire qu'on est bredouilles. Qu'il lance les procédures de recherche et nous envoie une équipe supplémentaire ! Qu'on positionne aussi une voiture civile au bord du chemin, à trois cents mètres du domicile ! Si ce démon débarque ici, on lui tombe dessus !

Les trois hommes s'élancèrent vers le rez-de-chaussée. Un brigadier-chef interpella Norman.

— Lieutenant ! Vous devriez venir voir. Je... Dans la chambre, la... chose était dans une boîte, sous le lit...

— Quoi ? Quoi !

— Je peux pas vous expliquer. Venez...

Norman lui emboîta le pas, fourrant son bonnet dans sa poche et tirant la fermeture de son blouson.

— Ne me... Ne me dites pas que... bégaya-t-il.

— Non, il ne s'agit pas du corps de la petite.

— Quoi alors ? Sa tête tranchée ? Un organe ? Des doigts coupés ?

Dans l'esprit du lieutenant, l'euphorie de l'instant avait laissé place à l'horreur de l'échec. Le policier se sentait impuissant, inutile, spectateur du désastre. La fillette gisait peut-être à cent mètres d'ici, à deux kilomètres ou à l'autre bout de la région. Comment savoir ? Et le piège des minutes qui s'enroulait autour de sa gorge, imperturbable.

La prédatrice était encore en liberté, cachée quelque part dans une forêt, au sommet d'une tour ou dans l'anonymat de la grande foule. Dans quel endroit sordide retenait-elle la fillette ? À quels jeux cruels Clarice Vervaecke se livrait-elle dans son sous-sol maudit ? Combien de femmes, d'hommes, d'enfants soumis étaient passés sous le joug de ses instruments de torture et de ses fantasmes délirants ?

Combien d'enfants...

Ils arrivèrent dans la chambre.

— C'est là, on l'a posée sur le lit, dit le brigadier-chef d'un air halluciné.

Norman leva lentement les yeux. Le monde s'écroulait.

— Bon sang ! Elle est... horrible...

Sur les couvertures, une poupée difforme au crâne piqué de poils drus et noirs, une face de peau perforée d'un entrelacs de fils à suture. Pas d'yeux, juste des cavités sombres, des joues creuses, une bouche sans lèvres, immonde.

Et le ruban rouge, noué en cocarde sur le tissu couvrant la poitrine. Le symbole des *Beauty Eaton*.

Le lieutenant se pencha par-dessus le lit et fit glisser ses doigts sur la face brune.

— On... Bor...

Les mots se bloquèrent. Ses phalanges palpaient le faciès avec l'obstination d'une trompe de mouche explorant un morceau de sucre.

La texture. La finesse. L'odeur. Il ne se trompait pas...

— C'est de la vraie peau ! Et...

Ses ongles s'enfoncèrent dans le cou grotesque, dévoilant un jeu de veines et de tendons pétrifiés.

— ... Seigneur Dieu !

— Vous... devriez éviter de toucher, osa son collègue.

Norman s'empara de la poupée, arracha les coutures qui joignaient les morceaux de tissu du bras droit et aperçut le patchwork de peau, rapiécé avec du fil de soie. Sous l'emprise d'une rage féroce, dents serrées, il déchira littéralement le corps en deux.

Le pire se nichait à l'intérieur.

Des réseaux de veines, d'artères gonflées de cire rouge et bleue, un cœur, un foie dur comme la caillasse, une cage thoracique minuscule, un tas de petits os, des fémurs, des tibias, des cubitus... Un squelette complet.

Norman restait agenouillé, bouche ouverte. Il tenait entre ses doigts une petite étiquette, arrachée à l'entre-jambe de la poupée.

Dessus, une phrase, écrite à l'encre indélébile.

— On en a d'autres ! intervint un policier depuis une pièce voisine. Cachées dans des boîtes, au-dessus d'une armoire ! Je n'ai jamais vu ça de ma vie !

Mais l'inscription sur le rectangle de nylon avait pétrifié les muscles de Norman, lui interdisant de se relever...

29

Clarice Vervaecke, la vétérinaire, franchit le portail de la fermette de Sylvain Coutteure avec une aisance d'athlète. Ses footings matinaux sur la plage de Merlimont avaient forgé son corps à l'image de son esprit, avec rigueur et discipline. À trente ans, elle pouvait courir vingt kilomètres et baiser si longtemps que ses partenaires de jeu finissaient par supplier qu'elle s'arrête. Son endurance était leur punition.

Des hommes, elle en domptait par kilos. Des paquets de chair rencontrés dans les bars sado, les boîtes de nuit, les soirées gothiques dont pullule la Belgique. Tous amateurs de fouet et de soumission, prêts à se livrer à ses entremets cruels, à lui vendre leur âme pour prolonger le piquant de la souffrance. Des avocats, des professeurs de mathématiques, des cadres haut placés et même des policiers se succédaient entre les sangles de ses tables de travail.

Par conséquent, obtenir le nom d'un propriétaire de véhicule à partir d'une immatriculation était pour elle un jeu d'enfant. Et cette nuit, la femme au crâne rasé et à la musculature vitrifiée comptait bien, même au prix du sang, récupérer ses deux millions d'euros...

*

La Bête cadenassa la porte livrant l'accès aux caves avant de remonter vers la salle de bains. Elle enfonça son tablier maculé d'un rouge sale dans la machine à laver et se rafraîchit la figure sous l'eau, abasourdie par les odeurs capiteuses et les torsades de cuir qui imprégnaient ses vêtements. Ces derniers jours, le chaos incompressible qui circulait sous son crâne la rendait paranoïaque. Des tas d'images étranges la harcelaient, tels des yeux gigantesques agglutinés derrière ses fenêtres, des observateurs sans visage, des fantômes aux mains coupées. Tout à l'heure, lorsque son chien avait aboyé, elle pensait que des intrus allaient pénétrer chez elle et la traîner dans les ténèbres, alors qu'il s'agissait juste d'animaux sauvages attisés par les effluves de chair.

La fatigue l'attaquait à la manière d'une grande marée que l'excitation repoussait sans cesse. Pourtant il faudrait aller travailler, se fondre dans la fourmilière, comme tous les jours, semaine après semaine. Gagner cette misère pour que la société vous donne votre denier de survie, vous offre le droit de vous nourrir ou de respirer. La Bête en avait plus qu'assez d'être considérée comme du jetable, un pion quelconque sur l'échiquier de la rue. Au moins, avec l'argent que devait récupérer Clarice, elle se mettrait à l'abri d'un esclavagisme moderne qui la répugnait.

*

Dans l'arrière-cour, Clarice Vervaecke força les volets fermés d'une fenêtre, colla une triple épaisseur d'adhésif sur la vitre et cogna délicatement avec le manche de son Smith & Wesson. Le verre se brisa sans chuter sur le sol. Pénétrer dans la demeure relevait par la suite d'une partie de plaisir.

La radiance rougeâtre répandue par le feu à charbon lui évita d'avoir à allumer la lampe. Clarice Vervaecke traversa la pièce en diagonale et s'orienta vers une porte grande ouverte.

Son regard s'appesantit sur le corps parfaitement immobile d'un bébé. Au milieu de son lit à barreaux, la poupée fragile dormait en croix, les phalanges repliées dans le creux de mains minuscules, la joue gauche rabattue sur le matelas. Pas un sifflement ne filtrait entre ses lèvres entrouvertes, sa poitrine figée ne cherchait plus à se gonfler de vie. La femme évita de se poser trop de questions. Elle fit glisser le canon de son revolver sur le rebord du lit avant de se diriger dans la pièce voisine.

Elle s'approcha par le côté droit de la couche conjugale, celui où l'homme, une belle montagne de chair, dormait. La vétérinaire nota encore une fois le poids du silence et dut se pencher pour percevoir un filet de respiration. Un curieux sentiment l'envahit soudain, indéfinissable. Ce calme effroyable...

Un long moment s'écoula durant lequel elle s'interrogea sur la façon de récupérer l'argent. Fouiller la fermette aux multiples dépendances ou employer la manière forte ?

Ne passe pas par quatre chemins ! Agis au plus court !

L'intruse au physique de militaire pointa son arme sur la tempe de Sylvain Coutteure et lui tapota la joue de l'autre main. L'absence de réaction provoqua un mécanisme de stimulation musculaire et nerveuse. Elle amplifia la force de ses coups.

Toujours rien...

*

La Bête craignait d'avoir effrayé Clarice à un point tel que leur amour se trouvait en danger. Jamais elles ne s'étaient disputées avec autant de hargne et de violence au fond du cœur. Elles en étaient très vite venues aux mains. Pire que ça même. La gorge de la vétérinaire avait failli s'ouvrir sous le fil nerveux d'un bistouri. Certainement le geste de trop...

Comment deux femmes unies par la chair, livrées l'une à l'autre au point de s'infliger les mêmes blessures avaient-elles appris, en quelques heures, à se détester autant ? Pourquoi Clarice refusait-elle le dialogue depuis la mort de la petite aveugle ? Pourquoi la traitait-elle de folle, de malade mentale ? De quel droit une tarée qui léchait la sueur des mâles répugnants, leur brûlait de la cire chaude sur le torse ou leur posait des pastilles électriques sur la queue lui parlait-elle de cette manière ?

*

Emportée par sa rage et son incapacité à réveiller l'homme, Vervaecke souleva la couette, brandit la crosse du revolver et l'abattit sur le flanc gauche. Des craquements se firent entendre peu avant que Sylvain hurle de douleur. Il roula sur le côté, heurta le sol. La vétérinaire se plaqua contre le mur, prête à cracher la mort.

— Je suis revenue chercher mon argent ! Tu vas me

dire où tu l'as caché, sale con ! Parle ! Parle ou je te tue !

Le canon effectuait des allers et retours entre l'homme et sa femme, inutiles car la belle ne bougeait pas, écrasée contre son oreiller. Vervaecke se rappelait l'immobilité du bébé, l'absence de mouvements thoraciques, le silence abyssal. Dans quel endroit maudit avait-elle encore fourré les pieds ?

Sylvain s'était recroquevillé en chien de fusil sur le sol, les mains déployées sur ses côtes. Il lui semblait revenir d'un univers lointain, d'un bain cryogénique qui aurait capturé son cerveau dans le marbre des siècles. Il ne se rappelait plus s'être couché. Quel jour était-on ? Pourquoi ce goût de whisky dans sa bouche et ce mal de crâne à réveiller un mort ? D'où sortait cette folle qui hurlait dans ses oreilles ?

La lumière soudain déversée du plafond lui explosa les iris. Vervaecke venait d'allumer.

— Mais... Que...

— Le fric ! Les deux millions d'euros ! Dépêche-toi ! J'ai pas tout mon temps !

Sylvain se hissa sur le bord du lit avec l'entrain d'une voile déchirée. La tête qui tourne, une furieuse envie de vomir. Son regard accrocha le corps de son épouse, cette blancheur de linceul, cette fixité de momie malgré la lumière et les attaques de voix. Nathalie avait le sommeil léger, pourquoi ne réagissait-elle pas ? Sylvain sentit la peur déchaîner ses chevaux. Il plongea sur son épouse et la secoua avec l'énergie du désespoir, ses gestes tournant peu à peu à l'acharnement. Il comprit qu'il pressait entre les mains une marionnette sans ficelles, une unité de chair encore chaude mais déjà loin d'ici.

Absence de pouls.

Un son rauque s'arracha de ses entrailles, une plainte de bête agonisante. Vervaecke fit trois pas en arrière, abattue par un spectacle inattendu, un retournement de situation qui n'existe que dans les tragédies raciniennes. Combien d'horreurs devrait-elle encore affronter pour récupérer ce butin ? À quoi rimaient ces cadavres qui, depuis trois jours, jalonnaient son chemin ? Elle voulut parler, ordonner, mais un reste d'humanité la musela. Au creux de ses paumes moites, le métal du revolver montait en température, bouillonnait presque. Elle renforça son étreinte, se débarrassa de la sueur qui lui tapissait le front avant d'envoyer :

— Je... je ne sais pas ce qui s'est passé avec ta femme, mais tu me rends mon argent et je disparais, d'accord ? Ne me force pas à commettre l'irréparable... Allez, debout !

Sylvain ne maîtrisait plus l'orage de larmes qui décomposait ses globes oculaires. Il écrasa sa moitié sur sa poitrine.

— Qu... qu'est-ce... qui... s'est... passé ? Pour... quoi ? Pourquoi !

Vervaecke eut soudain l'impression de gagner en légèreté. Aux portes de son cerveau, les pensées se firent moins denses, comme filtrées par une substance hallucinogène. Un trip genre tilétamine, mais en plus doux. Sans qu'elle s'en rende compte, le monoxyde de carbone la consumait. Elle menaça :

— À partir de maintenant, je vais compter jusqu'à trois ! Si tu ne bouges pas, je tire ! Pense à ton bébé !

Sylvain se figea avant de s'élancer hors du lit, les doigts écartés en étoile devant lui.

— Je vous donne tout ce que vous voulez ! Laissez-moi voir la petite ! Je vous en supplie !

— T'en auras tout le loisir après. Le fric d'abord.

— Cet argent est enterré dehors, à trois cents mètres d'ici ! S'il vous plaît !

Elle lui balança des vêtements au visage.

— Allez, enfile ça, on sort. Ne me rends pas la tâche plus difficile qu'elle ne l'est déjà...

— Ma fille d'abord !

— OK... Au moindre geste suspect, je te liquide.

Sylvain s'enfonça dans son pantalon, passa un tee-shirt et un pull avant de se précipiter en transe dans la chambre du bébé. Des dizaines de pensées éclairs crépitaient en lui, des costumes noirs, des bancs d'église, les implacables lamentations des orgues. Et cette salive qui s'accumulait sur sa langue, ces poils dressés, cette chair de poule. Son corps se préparait-il déjà à ce que son esprit allait découvrir ?

Lorsque le plat de sa main se posa sur la petite poitrine, il pria, supplia Dieu, offrit sa vie à qui voudrait bien la prendre. Il attendit la propagation de l'onde cardiaque, ce clin d'œil d'existence tellement insignifiant.

Un battement pour la vie... Un battement pour l'espoir...

Vervaecke se terra dans un angle sombre, le laissa hurler à nouveau, se vider de son énergie. Sa tête commençait à tourner. Tous ces événements... Un cauchemar... Une spirale infernale... Elle qui comptait récupérer l'argent sans trop de dégâts, sans abandonner de morts derrière elle... C'était raté...

Ils étaient deux, ils ont embarqué le corps de Cunar dans leur coffre. Il y en a un qui donnait les ordres, le second exécutait, avait raconté l'autre. *Et si...*

— Tu sais, dit-elle, je crois que ton complice a essayé de vous liquider, toi et ta famille, sans distinction. Une belle petite ordure...

Sylvain était enroulé dans un coin, sa fille enveloppée dans ses bras. Les soubresauts qui martelaient sa poitrine stoppèrent net. Vervaecke frissonna quand l'homme découvrit ses canines à la manière d'un prédateur sanguinaire. Dans ses prunelles brillaient des braises de haine, des morsures d'araignées.

Ce fut pourtant avec une délicatesse infinie qu'il posa le petit être tiède sur le matelas, le borda instinctivement, lui murmura des paroles secrètes avant de se retourner.

— Je... J'aimerais vérifier quelque chose... Le poêle à charbon...

Sans dire un mot, la femme agita son canon, lui ordonnant de la devancer. Sylvain s'approcha du conduit d'aération. Le scotch légèrement décollé, l'entaille agrandie...

Vigo Nowak avait programmé sa mort, n'épargnant ni sa femme, ni son enfant. Un bébé... Il avait tué un bébé innocent...

*

La Bête glissa un beau pavé de chair entre les crocs du rottweiler. La chienne engloutit son mets, tendre et d'un goût peu commun, dans un claquement de gueule avant de se poster près de la porte d'entrée. La femme à la perruque grise posa le flacon d'éther sur la table, devant elle, découpa délicatement des morceaux de coton qu'elle disposa les uns sur les autres avec une minutie extrême. Ces gestes, cette préparation, lui procuraient un plaisir infini. Il est souvent plus jouissif de rêver d'un objet que de le posséder.

Elle enfonça le matériel dans ses poches, songeant déjà au moment où le produit détruirait petit à petit les facultés de la femme flic. Elle se débattrait dans un premier temps. Tant mieux. La Bête adorait la lutte, voilà pourquoi elle préférait le contact charnel à l'utilisation du pistolet hypodermique. Sentir l'emprise croître, percevoir les battements de ces cœurs qui s'emballent... Puis la tête du flic partirait à la renverse. Une, deux, puis trois fois. Alors, très lentement, ses paupières se rabattraient jusqu'à la déconnexion complète...

Pour se rouvrir ici, dans l'antre de la folie...

30

Écrasé sur le siège d'une machine à sous, Vigo Nowak broyait du noir par berlines complètes. La main dans un seau de jetons marqués de l'inscription « Casino de Saint-Amand-les-Eaux », il comptait les cadavres, ces destinées arrachées suite à une collision improbable dans un champ d'éoliennes. On dit qu'en additionnant une infinité d'événements qui découlent les uns des autres, un vol de papillon au Japon peut déclencher un cyclone aux États-Unis. À Grande-Synthe, le licenciement six mois plus tôt de deux types ordinaires avait entraîné la mort d'au moins cinq personnes. L'une au fond d'un marais, un roseau au travers de la gorge. Une autre tuée dans un entrepôt. Et une famille complète intoxiquée au monoxyde de carbone. Sans oublier, peut-être, la petite diabétique. Un carnage digne d'un tueur en série. N'en était-il pas devenu un ?

À la suite du coup de grisou de 1906, à Courrières, mille deux cents personnes avaient péri par six cents mètres de fond, certaines déchirées par la déflagration, la plupart décédées par asphyxie. L'une des plus grandes catastrophes minières du XXe siècle. Après plus de quarante jours, une douzaine de mineurs étaient sortis du trou. Des morts vivants bloqués là-dessous à tâtonner dans le noir, à chercher des passages, creuser avec leurs ongles à travers les éboulis, les poutres explosées, les cadavres éparpillés. Pour survivre, on raconte qu'ils s'étaient abreuvés du contenu des gourdes abandonnées et avaient croqué à plusieurs reprises dans de la chair morte.

Des bras, des jambes, crus et pourrissants... Ils avaient dévoré leurs frères. Les morts avaient préservé l'existence des vivants, leurs dépouilles avaient servi une cause. Vigo se dit qu'au fond, il avait juste imité ces gueules noires courageuses. À sa manière.

Les Coutteure n'avaient pas souffert. Ils s'étaient endormis chez eux, comme tous les soirs, dans la moiteur agréable du poêle à charbon. À cette différence près qu'ils ne se réveilleraient jamais. Emportés tous les trois sans souffrance vers des cieux accueillants. Pouvait-il exister embarcation plus douce ?

Vigo ne les avait pas tués. Il les avait soulagés d'une vie trop dure à porter. Oui, c'était ça. Il les avait soulagés...

Que se serait-il passé de toute façon ? L'assassin aurait retrouvé Sylvain, puis serait remonté jusqu'à lui pour récupérer son bien. Et ensuite ? Pouvait-on imaginer qu'il épargnerait des témoins, alors qu'il avait étranglé une fillette innocente ? Non, il les aurait abattus, tous les deux. Clac ! Une balle en pleine tête ! Laissant derrière Sylvain Coutteure une veuve et une enfant sans père.

Au moins, lui avait géré la situation proprement...

L'ingénieur déversait des trains de jetons dans les fentes des bandits-manchots. Il s'acharnait sur les boutons. Rien ne sortait. Juste des faciès de jokers moqueurs, des fruits stupides, des symboles insignifiants. Autour, ça gagnait. De petites sommes certes, mais les clochettes tintaient derrière les écrans de fumée, les gyrophares attisaient les regards blasés.

Le Grand Manitou avait-il décidé de rompre les liens ? Vigo frissonnait. De plus en plus, il percevait l'âcreté du barreau d'acier sur le tissu fin de sa langue. Pas à cause d'erreurs potentielles commises sur la scène de crime. Non, son sentiment allait bien au-delà. La chance lui avait amené l'argent, mais qui disait qu'un hasard mesquin ne le lui reprendrait pas ? Comment lutter contre cette marée qui brassait les destinées ?

On ne va pas chercher la chance. C'est elle qui vient vous prendre... Et elle vous quitte quand bon lui semble, creusant dans son sillage un grand trou dans lequel peuvent se glisser des démons odieux...

Vigo se sentit nauséeux, mal à l'aise. La fumée de cigarette lui piquait les yeux, le brouhaha incessant des saletés électroniques bourdonnait dans ses oreilles. L'espace se distordait en ondes molles, se découpait en cubes colorés mal empilés. Les yeux, les bouches des joueurs fondaient en masques brûlés. L'homme aux cheveux de jais se réfugia dans les toilettes, à la limite de vomir, s'y enferma de longues minutes. Le calme s'installa, chaud et apaisant. La tempête intérieure se tassait, dévoilant une mer tranquille. Dans sa tête, des mouettes surgirent à l'horizon. Des masses aux plumes goudronneuses, aux becs crochus, aux cris remplacés par des hurlements de bébé.

Des sanglots de nourrisson vibraient sans fin sous son crâne. Vigo se cogna la tempe contre le mur, mais rien n'y faisait. Les déchirures cérébrales redoublèrent d'intensité, mêlées aux déclics lointains des jetons de métal qui coulaient des machines insipides.

Vigo comprit que la prison dans laquelle il finirait ses jours ne se trouvait pas à l'extérieur, mais à l'intérieur même de sa tête...

31

Depuis quatre mois, Lucie ne connaissait de la nuit que la blancheur du lait, la stérilisation des biberons, la satisfaction permanente de deux petites bouches goulues et les pleurs agressifs. Avant de retravailler, elle avait en quelque sorte inversé son biorythme, de manière à se calquer sur la courbe d'activité des jumelles. Mais à présent, ses seuls moments de repos ressemblaient à l'horizon lointain d'une terre miraculeuse. Un monde de rêves et d'illusions.

Son esprit se heurtait aux lignes tranchantes du rapport d'autopsie de Mélodie Cunar, la fillette atteinte de cette maladie orpheline qui frappait un humain sur dix millions. Une dysplasie-septo-machin, une saleté qui privait dès la naissance un enfant du plus merveilleux des sens : la vue.

Même si une branche de l'enquête prenait fin avec la mise sous les verrous de la vétérinaire, le brigadier de police voulait comprendre cette impression d'inachevé qui la taraudait, ce déclic subliminal qu'elle avait ressenti chez Léon. Effleurer la solution ne lui suffisait pas. La voir jaillir d'une autre bouche encore moins. Il fallait aller au bout de la traque !

Un premier pavé de descriptions sordides avalé,

Lucie s'autorisa une pause et enclencha le chauffe-biberon. Sa montre indiquait vingt-deux heures et le capitaine Raviez ne l'avait toujours pas rappelée pour l'informer du dénouement. Norman ne répondait pas aux appels sur son portable.

Évidemment. Tu n'es déjà plus rien pour eux. Que croyais-tu, brigadier ?

Les équipes avaient-elles retrouvé la petite diabétique vivante ? Vervaecke avait-elle livré le numéro de plaque permettant d'identifier les chauffards ? À quel monstre de chair ressemblait cette vétérinaire tueuse d'enfants, empailleuse d'animaux ? Quelle étincelle noire s'était allumée en elle pour qu'un jour elle chevauche la ligne interdite ? Cette même ligne que Lucie sentait vibrer, là, aux portes de son esprit... Une ligne tellement facile à briser...

La jeune femme réprima un frisson.

Une fois l'affaire dans les tiroirs, elle, policier bas de gamme, retomberait aux oubliettes, dans ce train-train quotidien des masses humaines ignorées. Les préfets de police de bidule-machin et autres gradés à dix barrettes recevraient, quant à eux, tous les honneurs. Quand se présenterait une nouvelle occasion d'affronter le brasier palpitant d'une enquête de cette envergure ? Retrouverait-elle un jour ces sensations uniques qui l'arrachaient de terre et l'amenaient sur le front dangereux des esprits meurtriers ?

La jeune maman sortit un bébé du parc, s'installa dans le canapé, adoucit la lumière de l'halogène et cala l'enfant contre elle. Les petites lèvres avides trouvèrent le biberon et puisèrent le liquide en tétées précipitées.

Si petites, si fragiles, tellement vulnérables. Dieu vous préserve du monde et de ses âmes maudites...

Devant, au travers de la baie vitrée, la dune se tendait au ciel, arrosée d'or lunaire, bercée par les herbes hautes qui bruissaient dans l'air tels des orgues de chlorophylle. L'été, les roulements lointains des vagues invitaient les sens à la fête, nettoyaient les idées noires à grandes bordées d'écume. Mais l'hiver, ils n'étaient que plaintes et monotonie.

Lucie continuait à feuilleter le rapport d'autopsie, le pire des thrillers. Pas besoin d'aller chercher du King ou du Grangé. Ici, rien de factice. Du vrai sang, des organes disséqués, un crâne découpé à la scie électrique, une toile vierge tailladée de la pointe du menton au pubis. Pouvait-il exister pire horreur ?

Lucie se rappela ces longues heures passées à regarder des autopsies en direct sur une chaîne du câble... Ce père que, plus jeune, elle accompagnait à la chasse, pour le plaisir de voir des lapins ensanglantés... Cette chose innommable, dans son armoire aux vitres opaques...

Pourquoi cette quête du mal ? Cette percée dangereuse ? Que pouvait-il bien se passer dans sa tête qu'elle ne comprenait pas ?

Le policier soupira, fit le vide et recentra son attention sur les feuillets. Les nombreuses marques et microcicatrices superficielles, partout sur le crâne de Mélodie Cunar, prouvaient que Vervaecke lui avait brossé les cheveux avec obstination. Les degrés de cicatrisation différents démontraient, quant à eux, une répétition dans le temps.

Chaque jour de captivité, tu t'es approchée de cette fillette aveugle pour t'occuper de ses cheveux. Tu les as brossés, encore et encore. Maladivement...

Les mères brossent les cheveux de leurs filles, les filles ceux de leurs poupées, par pur amour. Quelle place trouvait ce geste affectif entre les mains d'une meurtrière ? Identifiait-elle réellement une enfant à une poupée ? Cherchait-elle à recréer un monde d'enfance, une parcelle estompée de ses souvenirs ?

Le légiste affirme qu'elle lui a serré la gorge, mais sans forcer. « Avec une extrême application », pouvait-on lire sur le papier. Les marques de strangulation étaient à peine visibles, les vaisseaux internes détruits en très faible quantité. Cette fois, pas d'acharnement, juste une maîtrise froide... Elle brosse les cheveux avec violence, mais tue avec douceur... La logique exigerait plutôt l'inverse. Justement ! Tu ne dois pas raisonner en termes de logique. L'assassin a suivi ses propres pulsions, un scénario bien précis qui représente son mode de penser, différent du tien. Calque-toi là-dessus...

Mets-toi à sa place... Glisse-toi encore dans cet univers de bêtes empaillées, d'animaux mutilés... Loups, singes, kangourous... Pourquoi Vervaecke tue-t-elle les mâles ? Pourquoi vider le sang, ouvrir le cœur, ligaturer l'aorte ? Acte d'un passionné de dissection ou d'un taxidermiste acharné ?

Lucie plissa les paupières, ses yeux lui piquaient de plus en plus. Elle jeta un regard trouble devant elle. Dans le flou oculaire se dessina le croissant de lune, la masse brune du sable et un appendice inhabituel au sommet. Une forme filiforme, un totem de vêtements ondulant sous le vent.

Le doigt tendu dans sa direction.

Lucie passa une main sur son visage et le nouveau panoramique ne lui envoya qu'un tableau figé. Elle se précipita vers la vitre, le bébé pressé contre sa poitrine. Le nez plaqué sur la paroi de verre, elle scruta les alentours. Les herbes folles des dunes, les sentiers noirâtres, les sommets silencieux. Son cerveau lui jouait-il des tours ? Les endormissements spontanés allaient-ils encore s'approprier les commandes internes du vaisseau ?

Voilà que tu te mets à avoir des hallucinations, pauvre dame. Dans quel état te retrouvera-t-on après deux ou trois nouvelles nuits sans sommeil ?

Après le rot de Clara, Lucie déposa l'enfant dans le parc et s'occupa de Juliette. Une fois la lactation terminée, il faudrait changer les couches, puis bercer les bouts de chou pour essayer de les endormir. L'une sombrerait, l'autre hurlerait jusqu'à réveiller sa sœur. Alors il faudrait tout recommencer. Le cycle merveilleux de la vie...

L'obscurité aidant, bercée par la régularité des tétées, Lucie se porta mentalement dans l'antre de Léon, au cœur de la forêt pétrifiée d'animaux. Elle imaginait les gueules déformées, les poitrails craqués, les pattes brisées. Ces insectes, piégés dans un bloc de résine incassable. Elle songeait à cette froideur qui lui avait durci les membres à la manière d'un vernis tétanisant. « Ce sont des rebuts. » Tout taxidermiste essayait de masquer la mort, de la rendre vivante par le biais de ses manipulations chimiques et la magie de ses mains. « Les animaux abîmés s'avèrent plus difficiles à travailler. La plupart du temps, on ne peut plus rien pour eux. Ils deviennent des rebuts... »

Les animaux... abîmés... deviennent... des... rebuts... !

Les animaux abîmés deviennent des rebuts !

Elle y était. La clé de l'énigme.

L'impensable...

Elle espéra de toutes ses forces se tromper.

Un claquement, à l'extérieur, fit sursauter Juliette et accéléra le pouls de sa mère. Les jambes flageolantes,

Lucie glissa jusqu'à l'entrée avec son enfant. Ses tempes battaient, sa découverte l'avait ébranlée au point de chasser son assurance de flic. Dans cette maison isolée au pied des géants de sable, elle se sentit soudain vulnérable.

Arrête tes bêtises ! Lire un rapport de médecine légale en pleine nuit n'est franchement pas une marque d'intelligence !

Elle pressa son bébé contre elle, lui embrassa une oreille et le cou, marmonna une comptine pour rompre le silence. Elle se pencha vers l'œil-de-bœuf. Le globe de verre renvoya des perspectives sphériques, un monde de bocal où se courbaient juste une poignée d'arbres et une allée vide. Son œil palpita, chercha des traces de mouvement. En vain.

Tu vois ? Encore un voisin qui rentre tard et a garé sa voiture pas loin.

Au moment où elle s'y attendait le moins, un éclair d'obscurité déchira son champ visuel. Lucie fit trois pas à reculons, se cogna l'arrière du crâne contre le mur du hall. Le biberon lui échappa des mains et roula sur le sol. Juliette chercha la tétine, ne puisa que de l'air et se mit à hurler. Lucie l'abandonna dans le parc aux côtés de sa sœur, se rua dans la cuisine et s'empara de son Beretta.

Elle en ôta la protection.

Tu... Tu... Mince ! Qu'est-ce qui se passe ?

Le reflet renvoyé par la baie vitrée lui arracha un sursaut. Trop tard. Une arme se braquait déjà sur elle.

Il s'agissait juste de sa propre silhouette en position de traque. Elle traversa les hurlements, se plaqua contre la porte d'entrée, l'oreille collée à la paroi de bois. À l'extérieur, des pas écrasaient les gravillons dans un va-et-vient régulier. Quelqu'un cherchait à pénétrer.

Lucie eut du mal à organiser ses pensées. Tout s'embrouillait. Sueur, mains moites. Manifestations évidentes d'un bordel interne.

Elle tourna le verrou en étouffant le bruit. Dans trois secondes, tout serait fini...

Un... Deux... Trois...

32

— Pourquoi vous avez tué la petite ? gémit Sylvain Coutteure en fixant le canon du revolver. Elle était aveugle !

— Ferme-la et avance, connard ! ordonna Vervaecke.

Sylvain affrontait les voûtes d'épines, les entremêlements de branches agressives, pressé par la gueule mortelle d'un Smith & Wesson. Sa tête n'était qu'une mixture de haine, de peines, d'envie de mourir. Des déchirures violentes circulaient au-devant de sa conscience. Le cadavre tiède de son bébé, les poitrines immobiles, la mâchoire du gaz. Dire qu'il aurait pu voguer tranquillement là-haut, derrière le sourire éthéré des étoiles, les phalanges caressant les cheveux de ses deux princesses.

Dès que le calvaire serait terminé, il les rejoindrait.

Il leva un œil triste vers les jumeaux de schiste suspendus dans l'obscurité, cette mise à nu des entrailles du monde, ces témoins éternels d'un passé de souffrance. De ces terres brûlées s'exhalaient encore la moiteur des corons, les raclements de gorges emprisonnées par la silicose, les crachats noirâtres.

— Votre sale fric est encore ici ! grogna Sylvain en s'agenouillant sur le sol. J'avais disposé quatre petits cailloux sur la surface, ils n'ont pas bougé... J'espère que cet argent maudit vous apportera autant de malheur qu'à moi.

— Tu la fermes et tu te mets au travail ! Le reste, je m'en occupe !

La pioche attaqua le sol gelé. Sylvain levait et abattait l'outil avec une rage folle, comme s'il cherchait à trucider la surface rebelle. Il s'imaginait Vigo Nowak là, sous ses pieds, le poitrail en lambeaux. Ses forces décuplèrent.

— Je n'y... arrive... pas... haleta-t-il. C'est... trop... dur...

— On a le temps... Regarde, tu as percé la surface. Respire et continue... Tu vas voir, ça fait maigrir.

Vervaecke restait sur ses gardes, plaquée contre un tronc chétif. Elle changeait régulièrement de main pour tenir son arme, ses doigts s'engourdissaient et lui faisaient mal. Comment trouverait-elle le courage d'abattre un homme de sang-froid ? Chahuter les mâles, les dominer sous l'emprise de la tilétamine, les faire ramper, ça elle adorait. Mais uniquement dans le cadre de ses fantasmes sexuels, de ses jeux de cordes dans sa cave aménagée. Elle aimait le sordide, la face noire du monde et ses interdits. Les assassins... elle n'avait rien à voir avec cet univers-là.

Comment sa moitié de chair avait-elle pu se transformer en un monstre sanguinaire, un psychopathe digne d'une série américaine ? Voler, écorcher et empailler des animaux à longueur de journée, se terrer dans ces cavernes humides et puantes de macération lui avait certainement ravagé l'esprit. À trop effleurer le mal, on devient le mal.

Vervaecke se dit qu'elle aurait dû s'occuper elle-même de la remise de rançon et ensuite libérer la petite, comme convenu au départ. Seulement, prudente, elle avait préféré se mettre à l'abri, au cas où Cunar aurait prévenu les flics. Elle payait au centuple son manque de cran...

Une fois en possession du magot, elle ficherait le camp, direction soleil et mer bleue. Avec ses relations, elle trouverait bien le moyen de sortir l'argent.

Partir, oui... Mais comment empêcher un type au destin brisé d'alerter les flics ? Femme au crâne rasé, la trentaine, l'allure militaire. Très vite, les copies crayonnées de son visage orneraient les vitrines de France et de Navarre.

Elle n'avait pas le choix. Sur les deux mille espèces de mantes religieuses qui peuplent la planète, il n'en existe qu'une seule – une espèce chinoise – qui ne dévore pas son mâle après l'acte d'amour. Alors, parfois, c'est elle qui se fait décapiter. Mieux vaut éviter les exceptions...

— Pourquoi... faites-vous ça ? demanda Sylvain. Pourquoi... avoir tué... cette petite... Qu'avez-vous... fait... de la fille... diabétique ? Que signifie tant... d'horreur ?

— Tais-toi et creuse ! Je ne le répéterai pas !

— Sale... garce !

Sylvain propulsa la pioche avec une force titanesque. L'outil siffla dans l'air et manqua la tête chauve d'un iota avant d'exploser un pan d'écorce. Il jeta ses cent kilos sur la femme armée mais ne parvint qu'à récupérer un talon de rangers à la base du menton. Il dévia, s'alourdit d'un tapis d'épines. Son visage se transforma en une plaie capricieuse. Vervaecke tira le chardon humain par l'encolure du blouson et le plaqua contre le sol, une semelle sur la tempe.

— Pauvre con ! grinça-t-elle. J'en ai maté des dizaines comme toi ! Tu vas ramasser ta pioche et creuser ! Recommence et je te tue, mais pas avec une balle ! Fais-moi confiance, je n'ai pas d'égale pour faire souffrir les porcs de ton acabit !

Sylvain se releva, fit craquer sa mâchoire, récupéra son outil et se remit au travail, peu rassuré sur son sort. En général, les gens qui creusent en pleine nuit sous la menace d'une arme finissent mal. Il voulait mourir certes, mais pas de cette façon...

Une fois la pellicule de gel cassée, la terre se livra sans résistance au mordant de l'acier. Le moment d'en finir approchait.

Le condamné se pencha vers l'avant, dispersa les derniers agrégats qui dissimulaient le magot maléfique.

— On... y est... presque...

Il déblaya le dessus, puis la poignée de la malette avant de sortir la clé du cadenas de sa poche.

Vervaecke s'approcha avec souplesse, le canon dans sa main, la crosse prête à éclater la boîte crânienne.

Frappe fort... Si tu frappes fort et au bon endroit, un seul coup suffira...

Accroupi, Sylvain ouvrit la valise, quand il entendit un branchage se rompre, là, juste derrière lui. Lorsqu'il leva la tête, sa dernière image fut celle d'un éclair de métal fondant dans sa direction...

33

Lucie ne respirait plus. Son Beretta pointait l'arrière d'un crâne. La masse dressée devant elle s'immobilisa. La tête se tourna lentement.

Rupture cardiaque imminente.

— Norman ? Mais... Mais que fais-tu ici ?

D'un pas chassé, le lieutenant se dégagea du champ mortel.

— Drôle d'accueil... Je... je sais que tu te couches tard, alors j'ai fait un crochet pour te mettre au courant de l'affaire. Puis au dernier moment, quand j'ai entendu les petites pleurer... je ne sais pas... je ne voulais plus t'ennuyer avec ça...

— Tu m'as sacrément fichu la trouille en tout cas ! J'ai cru un instant que... Non, c'est stupide. Allez, entre !

— Il paraît que Raviez et toi êtes passés au vingt heures ?

— Mon premier rôle de figurante muette.

— N'empêche ! Être vue par des millions de personnes, je trouve ça fantastique !

— N'oublie pas que dans ce paquet se trouvent trois ou quatre meurtriers, une centaine de sadiques sexuels et des milliers de pervers... (elle se mangea le poing). Alors ! Vous l'avez coincée ? Et la petite Éléonore ?

Dis-moi qu'elle est vivante ! Je n'arrive à joindre personne !

Il s'engagea dans le salon-salle-à-manger-cuisine.

— Tes filles n'ont pas l'air très heureuses de me voir...

Lucie eut un sourire sans vigueur, limite triste. Sur le visage de Norman se déroulait le parchemin du tracas.

— J'ai interrompu Juliette en pleine tétée, répondit-elle. La coquine n'a apprécié que moyennement...

Elle désigna la dune au travers de la baie vitrée.

— Dis... Tu es passé par l'un des sentiers des dunes ?

— Tu plaisantes ? Je me suis garé au bout de l'allée. Avec ce froid de canard, moins on reste dehors, mieux on se porte. Pourquoi une question pareille ?

— Oh ! Pour rien... Mes yeux, mon esprit particulièrement fatigué en ce moment doivent me jouer des tours. Installe-toi dans mon antre d'obscurité... Je préfère la lumière tamisée... Avec un peu de chance ces petits zouaves finiront par s'endormir.

La maman posa Clara sur les genoux de Norman et planta la tétine du biberon entre les lèvres de Juliette.

— Sentir la chaleur des corps les apaise toujours, expliqua Lucie. Elles ont l'impression de se retrouver dans le ventre maternel. Et maintenant raconte-moi, je t'en prie !

Norman glissa le dos de sa main sur la joue abricot. Ses gestes véhiculaient un souffle apaisant, une douceur de pétale en parfaite contradiction avec la tension de ses traits.

— Les ravisseurs agissent en duo, confia-t-il dans un moment de silence. Vervaecke et quelqu'un d'autre. Un homme, une femme, on l'ignore. Dans tous les cas, quelqu'un de particulièrement perturbé...

— Tu plaisantes ?

Le lieutenant secoua la tête.

— Pas du tout. Vervaecke demeure introuvable. On a fouillé chez elle, dans son jardin, et pour le moment on n'a déniché que dalle. Pas d'animaux empaillés, aucune pièce secrète. Sa cave a été aménagée en une espèce de *backroom* sadomaso où sont stockées cravaches, menottes, croix de torture et la panoplie du parfait petit dominant.

— Comment sais-tu qu'ils sont deux ?

Le lieutenant lui présenta une étiquette de nylon.

— « Pour toi, mon amour », déchiffra Lucie. J'avoue que je suis larguée. Explique-moi ! Et ne la joue pas façon rébus macabre s'il te plaît.

— J'ai arraché cette étiquette d'un ersatz de poupée cachée sous le lit de Vervaecke. Un monstre bardé d'un ruban rouge...

— Le ruban rouge des *Beauty Eaton* ?

Norman grimaça.

— Ce que je tenais entre les mains n'avait rien à voir avec une poupée d'enfant. Un tas de petits os en constituait la charpente. L'intérieur était rempli de... veines sèches, d'organes peints. Et son visage... son visage abject, son corps, étaient faits de peau... de la vraie peau ! Un truc horrible !

Il alluma un appareil photo numérique.

— On se noie dans le pire des cauchemars. Des dizaines d'autres monstres se trouvaient dans des caisses, au-dessus d'une armoire. Aussi infâmes les uns que les autres.

Lucie posa la main sur la poitrine de son bébé. Elle cherchait dans ce souffle infime une source de chaleur, un moyen de puiser de l'assurance. Elle balaya avec grande attention les photos renvoyées par l'écran à cristaux liquides, zooma sur les os, les pieuvres organiques aux couleurs chatoyantes. Les organes cirés, le réseau sanguin pétrifié.

Son mouvement s'arrêta net.

Elle venait de faire le lien.

Les écorchés de Fragonard.

34

La tension dans l'air du pavillon arquait les corps, tiraillait les nerfs. Lucie parachuta Juliette dans le parc et alluma le téléviseur relié à l'unité centrale d'un ordinateur. L'interface d'un navigateur web s'appropria les millions de pixels alors qu'elle sortait un clavier infrarouge d'un plateau tournant.

— Lucie ! À quoi tu joues ?

Le clavier sur les genoux, Lucie interrogea le moteur de recherche Google. Elle envoya, tout en surfant :

— Les écorchés de Fragonard, Velasco, la plastification du professeur Von Hagens, cela te suggère quoi ?

— Von Hagens... Von Hagens... L'illuminé qui réalise des autopsies en public ?

Lucie déchirait la toile, volait de site en site. Elle murmura :

— Celui qui transforme la dissection en art télévisé, en grand spectacle. Il passe parfois sur les chaînes du câble, où l'on peut observer son travail en direct.

— Tu mates ce genre d'atrocités ?

— Régulièrement... Ne me regarde pas de cette façon ! Le corps a toujours fasciné. À la Renaissance, les démonstrations publiques de dissection attiraient des foules immenses. Les gens, même des enfants, venaient déguisés, comme pour faire la fête. C'est un peu la même chose aujourd'hui, en plus moderne.

— J'ai connu plus gai en matière de fête.

Lucie ne lâchait plus l'écran des yeux. Internet, son domaine de fouilles. Une cave aux trésors inépuisables qui s'ouvrait sur le pire, l'impensable, l'inavouable. L'expansion électronique du mal.

— Que connais-tu de la taxidermie ? demanda-t-elle.

— Euh... Un art d'empailler des animaux. On les vide de leur sang, leurs organes, on tanne la peau pour éviter la putréfaction et on leur bourre le corps de paille. Correct ?

— Presque exact, hormis pour les gros animaux où l'on utilise plutôt des mannequins que l'on habille de la peau tannée. Mais peu importe. Dans tous les cas, les bêtes, comme tu le dis, sont vidées de leurs organes. Léon m'a expliqué la méthode employée. On ôte de leur corps le système lymphatique, les vaisseaux biliaires, les uretères, les conduits thoraciques et salivaires. Ce qui n'était pas le cas avec cette poupée que tu as arrachée, ce... monstre aux veines remplies de cire, aux organes vernis. Face à nous se dresse non pas un simple taxidermiste, mais plutôt un taxidermiste-anatomiste. Un spécialiste qui essaie non seulement de conserver les apparences extérieures en tannant les peaux et habillant les charpentes, mais aussi de préserver une partie de l'organisme. Le résultat sur la poupée que tu as photographiée est ignoble, à des années-lumière de Fragonard ou Von Hagens. Mais notre assassin essaie de se perfectionner. Voilà pourquoi il vole des animaux par trois ou quatre. Il s'entraîne...

Norman se prit la tête dans les mains.

— Parle-moi de cette histoire d'écorchés. Qui est ce Fragonard ?

— Honoré Fragonard, cousin du peintre Jean-Honoré Fragonard. Un anatomiste du XVIIIe siècle, qui a fabriqué ce qu'on appelle des écorchés. Des cadavres qu'il dépouillait, disséquait avec méthode, organe après organe, puis qu'il conservait en injectant des substances chimiques jusqu'à l'intérieur des vaisseaux sanguins les plus insignifiants. Il imprimait ensuite à ces êtres sans peau les positions qu'il souhaitait en tendant leurs muscles avec des fils, des épingles, des cartes. Il ajoutait les sourcils, les cils poil par poil, avec une minutie prodigieuse. Il les transformait en œuvres encore exposées dans un musée portant son nom, à Alford.

— C'est dégueulasse !

— Pourquoi ? Parce qu'il expose ouvertement ce que l'esprit n'ose admettre ? Nous ne connaissons la mort qu'au travers d'autrui, par les médias ou les livres. Notre propre mort nous effraie, à un point tel que nous essayons de la repousser par toutes sortes d'artifices : maquillage, crèmes, liftings, silicone. Fragonard, lui, ne passe pas par quatre chemins. Il nous confronte à notre réelle nature, à ce que nous sommes au plus profond de nous : des êtres de chair et de sang. L'apparence physique n'est qu'un leurre, un trompe-l'œil qui cache la douleur, la maladie, la mort. À ce que je sache, la chirurgie esthétique n'a jamais soigné le cancer ou les ulcères. L'anatomiste ôte ce voile par son travail. Je ne vois pas ce qu'il y a de dégueulasse là-dedans !

— Chacun son opinion.

Lucie dénicha un site web sur les écorchés. Des photos éclatèrent. Des rangées de fœtus dansants. Un homme tranché en deux, du crâne au pubis. La coupe longitudinale d'un système digestif piégé entre des vitres. Puis, dessous, des monstres à huit pattes, des cyclopes, des sirènes humaines, des reproductions de plaies purulentes. Des squelettes de bébés dans diverses postures, censés souligner le caractère éphémère de la vie.

Les gouffres inexplorables d'un cerveau de génie.

— Nous y voilà ! clama Lucie. Regarde ! Des planches anatomiques de Léonard de Vinci, de Michel-Ange représentant leur conception des écorchés !

— Arrête de parler avec cet entrain ! Ça m'énerve ! On dirait que tu trouves ça beau !

Un clic...

— Et là ! *L'Homme à la mandibule !* L'une des œuvres les plus complexes de Fragonard !

Lèvres crispées, regard dévié, l'immense écorché brandissait une mâchoire d'âne, menaçante. Son pénis injecté se tendait de façon obscène ; ses oreilles tordues, son nez volontairement enfoncé dévoilaient un faciès d'horreur privé de chair. À travers cette transparence organique, dans ce dédale d'artères, de veines, c'est la Mort qui vous transperçait, vous disséquait, repliée quelque part entre l'estomac et l'intestin.

Lucie cliqua sur un autre lien. Les explications surgirent.

— Tout est inscrit ici ! Écoute ça...

Le portable de Norman vibra.

— Excuse-moi un instant...

Il disparut dans la cuisine avant de revenir, une tension accrue sur le visage.

— Des nouvelles ?

— Le vétérinaire a analysé les ossements, les poils constituant la chevelure, les organes de quelques poupées. Pour celle que j'ai arrachée, il s'agit de restes de chats, type européen. Un animal d'âge moyen d'après le squelette, entre quatre et huit ans. Pour les autres immondices, il s'agirait encore de chats, *a priori*. J'aurais préféré des capucins, des wallabies. On aurait au moins découvert une certaine logique dans le fil de l'enquête.

— Je préfère le chat, répliqua Lucie, les yeux rivés sur l'écran. Bon, écoute ce que raconte le site sur Fragonard ! J'étais carrément à côté de la plaque avec mon livre sur Pirogov !

— Qui ça ?

— Laisse tomber... Allons-y... « On sait que Fragonard choisissait avec soin le sujet animal ou humain dont il plongeait le corps dans l'eau chaude pendant trois à huit heures pour qu'il ramollisse. Puis les artères iliaques externes et axillaires étaient incisées et le corps vidé de son sang... »

— Comme pour les animaux du zoo ?

— Tout à fait... « Le préparateur pouvait alors procéder à l'injection proprement dite ; le corps était à nouveau réchauffé, puis une thoracotomie effectuée par section de quelques cartilages costaux. Une fois le péricarde incisé, il ligaturait l'aorte à sa base et ouvrait la crosse pour permettre le passage d'un tuyau souple par lequel étaient injectés les différents mélanges. Ces mélanges de cire étaient colorés selon les conventions encore utilisées actuellement : artères teintées de rouge par du vermillon, veines teintées avec du bleu de Prusse, de l'indigo ou de la cendre bleue... »

Les grains entrechoqués d'un hochet qu'agita Clara firent sursauter les deux policiers. Lucie rejeta la tête vers l'arrière, la nuque posée sur la banquette, les yeux au plafond.

— C'est pire que ce que je craignais. Pierre, un

monstre démoniaque se dresse en face de nous, une entité capable d'atrocités qu'aucun esprit sain ne pourrait imaginer...

Norman enveloppa la minuscule main du bébé de la sienne. Clara dévorait le monde d'un regard d'innocence, d'une intensité telle qu'un mur ou un cadre quelconque prenait au travers de ses prunelles une beauté insoupçonnée. Comment de si petits êtres pouvaient-ils engendrer les pires criminels ?

— Explique-toi, Lucie...

La maman engloutit une barre de chocolat, les yeux brillants, allumés par ses découvertes. Norman, lieutenant de police aguerri, frissonnait devant la vague d'horreur levée par les images. Comment la femme assise à ses côtés, mère de deux nouveau-nés, réussissait-elle à garder tant de détachement, tant d'assurance dans la voix ?

On dirait qu'elle y prend du plaisir...

— Tu te rappelles les marques de strangulation sur le cou de la victime ? demanda Lucie. Si légères qu'on les distinguait à peine ?

— Oui. Le rapport d'autopsie parlait de lésions vasculaires peu nombreuses, presque inexistantes. Le légiste avait insisté sur ce fait.

— Cette après-midi, le capitaine et moi sommes allés dans un atelier de taxidermie. Nous avons traversé une espèce de grenier où le propriétaire, un certain Léon, entassait ce qu'il appelait des rebuts, des bêtes abîmées. Je crois que l'assassin, Clarice Vervaecke ou son clone meurtrier, ne voulait pas, de manière inconsciente, « abîmer » la petite Cunar en lui ôtant la vie.

— Mais pour quelle raison ?

— Parce que le taxidermiste ne veut pas endommager la pièce sur laquelle il va travailler !

Pierre Norman vira au blanc cadavre.

— Mais... Tu voudrais dire que...

— Le temps de notre visite, Léon n'a cessé de brosser une fourrure, presque avec acharnement, afin de la nettoyer avant le tannage, d'ôter les poussières, les insectes, la saleté. Et que retrouvons-nous dans le rapport d'autopsie ?

— Des marques de brosse sur le crâne de la victime... Presque à sang...

— Exactement. Notre inconscient dicte parfois nos comportements sans que nous nous en apercevions. Possible que notre tueur lui ait brossé les cheveux comme il le fait d'ordinaire avec ses bêtes, qu'au moment de lui presser la gorge, le taxidermiste ait eu ce réflexe de ne pas *abîmer*. Son art lui permet peut-être de répéter des actes qu'il ressent comme importants, sans qu'il comprenne pourquoi. Peu à peu, avec le temps, ces actes deviennent automatiques et de là naît la névrose ou la psychose... À ton avis, quelle analogie existe-t-il entre des animaux empaillés, des écorchés et des poupées ?

Serrée contre le buste du flic aux cheveux de feu, Clara perdait de la vigueur. Ses paupières se rabattaient lentement.

— La vie éternelle ou la jeunesse perpétuelle ? dit Norman à voix basse. Ils ne vieillissent plus ?

— Ce sont des victoires sur soi-même et le temps qui s'écoule ! Les poupées ravivent le passé, les passages de l'enfance. Les animaux empaillés emprisonnent et glorifient l'instant, ils outrepassent les lois naturelles. Les écorchés, quant à eux, extériorisent une certaine forme de souffrance tout en figeant le présent. Par-delà leur beauté, ils ne sont que mort et douleur. Je crois que notre tueur cherche à faire ressurgir un épisode de sa vie, à le ramener au-devant de la scène et à l'emprisonner. Si, durant sa détention, la première victime a fait germer en lui un scénario précis ou un tas de fantasmes déments, la seconde victime potentielle, Éléonore Leclerc, représente le moyen de les concrétiser...

— Ne me dis pas que...

— Il va peut-être chercher à l'écorcher et la naturaliser ! Pire que Von Hagens et Fragonard réunis car eux ne se souciaient que de l'aspect interne de l'organisme. Notre assassin, lui, tanne et conserve les peaux. Il habille ses écorchés pour les rendre plus... vivants...

35

Sylvain Coutteure roulait sur le sol, tordu de douleur, tandis que Clarice Vervaecke baladait l'œil de sa torche sur le contenu de la valise rigide.

Une hallucination.

Des journaux. Une pile d'éditions de *La Voix du Nord* en remplissait le volume intérieur. La présence du papier blanc à la place du papier vert déclencha une suite de réactions chimiques qui s'achevèrent par une arme pointée sur une tempe.

— Qu'est-ce que tu as fichu des billets ? Et arrête de gueuler comme une truie ! Arrête ou ta cervelle explose !

Sylvain mordit le col de son pull-over, l'épaule en miettes.

— Il... Il m'a... entubé ! C'est moi qui voulais... Harrr... enterrer le magot... Avant notre arrivée ici... il m'a montré... Harrr... l'argent une dernière fois dans son coffre... Un coffre qui contenait tout un bordel... Des câbles, des bâches, des couvertures... Je suis... persuadé qu'il y dissimulait une seconde valise... Nous nous sommes mis en route... Je suis passé devant... Et... Harrr... pendant ce temps... il les a interverties...

Vervaecke se précipita sur lui, le bâillonna de la main et lui assena un nouveau coup de crosse sur le muscle amoché. La face ahurie de Sylvain s'écrasa dans la terre, ses lèvres se blanchirent d'écume.

— Mène-moi à lui ! ordonna-t-elle. Allez, lève-toi, gros tas !

Derrière l'autorité du ton, la voix de Vervaecke vibrait d'une peur perceptible. Mais il était trop tard pour reculer : carte posée carte jouée. Du bout de ses rangers, elle roua Sylvain de coups, le frappa sur l'omoplate gauche, les côtes, les mollets.

Ça allait mieux...

Elle devait apprendre à le haïr, laisser exploser sa colère pour qu'il devienne un objet jetable, une bouée charnelle la menant à ses fins.

Sylvain se traîna vers les cités endormies des Mines par l'arrière des terrils onze et dix-neuf, empruntant un pont désaffecté puis un sentier qui déversait sa caillasse à proximité d'un chevalement rouillé. Il saignait à la tempe droite, aux joues, des marbrures noires grossissaient sous ses vêtements. Son corps, son esprit fusionnaient en deux plaies insupportables. Mais chaque cellule détruite, chaque neurone grillé libérait un grain d'énergie infime qui alimentait le bouillon de la haine et les rugissantes envies de tuer.

Entre les vieilles bâtisses de la Compagnie des Mines, les deux individus remontèrent les ruelles dans le halo orangé des lampadaires. Pas une âme. Ambiance Toussaint.

Sylvain longea une palissade et bifurqua en boitillant dans une allée. Sous la pression du revolver, il gagna la terrasse arrière, leva une jardinière et récupéra une clé.

— Je vous facilite la tâche, murmura-t-il en lançant la pièce métallique sur le sol.

— Bien ! dit Vervaecke. Maintenant tu ramasses et tu ouvres la porte sans faire de bruit.

— Il n'y a personne... Pas de voiture dans l'allée...

Vervaecke serra le poing.

— J'espère pour toi qu'il va revenir – elle fixa sa montre. J'attends jusqu'à l'aube. Après, je te bute...

Elle le propulsa à l'intérieur d'un coup de semelle dans le bas du dos. Tout compte fait, on prend vite goût à la violence. Sylvain mangea du carrelage.

— En attendant, commence à fouiller, tas de merde !

36

Dans leur parc, les jumelles gazouillaient, enroulées dans un voile fragile d'innocence. Les révélations de Lucie secouaient Norman jusqu'aux fondations de son être. Sur l'écran de ses yeux défilaient des écorchés à l'identité volée, des cadavres privés de leur droit au repos éternel et exposés dans une nudité outrageante. Le lieutenant imaginait la petite diabétique scalpée, le visage découpé au bistouri avec un soin chirurgical. Puis dépouillée, vidée de son sang par les artères iliaques avant que ses organes ne soient peints, ses veines remplies de cires, sa peau recousue par-dessus son squelette blanchi aux produits chimiques.

La démence pouvait-elle frapper à ce point l'esprit humain ?

Lucie débarqua de la cuisine avec un carré de pizza. Manger... Autant pique-niquer sur la tombe d'un cadavre.

— Lucie... Jette ça... Il faut que je sorte fumer...

Couverture sur les épaules, pizza dans la main, la jeune femme l'accompagna sur le perron. Absorbée par son enquête, de façon presque maladive, elle demanda :

— Hormis ces poupées, as-tu déniché des objets en

rapport avec la taxidermie chez Vervaecke ? Des scalpels, des bistouris, des produits chimiques ? Des animaux empaillés ?

Norman tirait sur sa cigarette par aspirations violentes, les doigts durcis par le froid. Un craquement de branches, dans l'obscurité, le fit sursauter.

— Non... Je te l'ai déjà dit.

— Que sait-on de cette femme ?

Le lieutenant fouillait les alentours du regard. Personne. Étrange, on aurait dit que...

— Pas grand-chose pour le moment. Pas de voisins. Les hommes épluchent ses factures téléphoniques, ses comptes en banque, son ordinateur, bref sa vie électronique. On interroge aussi sa famille. En espérant que ces découvertes nous mèneront à son complice. Physiquement ? Chauve, musclée, l'allure militaire.

Lucie s'enfouit dans les ourlets de laine. Le froid mordait avec une vigueur toute boréale, agrippé aux épines des pins sylvestres en pinceaux de glace.

— Reprenons les faits depuis le début, dans l'ordre chronologique, envoya-t-elle dans un claquement de dents. Voilà plus de huit mois, en avril 2003, des wallabies disparaissent au zoo de Maubeuge, à cent cinquante kilomètres d'ici. Il y a quatre mois, c'est un loup du zoo de Lille, et le mois dernier quatre singes capucins. Toujours des femelles. Les mâles sont vidés de leur sang par les artères iliaques, leur aorte nouée suivant un procédé utilisé par les anatomistes de la Renaissance, qui écorchaient les corps.

— Pourquoi appliquer cette technique sur des animaux que l'assassin n'écorche pas, qu'il abandonne ? Pourquoi ne pas éliminer ces bêtes endormies d'un simple coup de couteau ? D'ailleurs, pourquoi les éliminer ?

Lucie se pelotonna dans l'univers de laine.

— Parce qu'il ne tue pas pour tuer, il agit pour apaiser des éruptions intérieures, ce qui passe par une ritualisation. Un tueur en série ou un psychopathe peut user de son intelligence pour fausser une scène de crime et tromper les forces de l'ordre. Mais il est deux choses qu'il ne peut contrefaire, des fondements qui régissent la raison même de son intervention : le *modus operandi* et la signature. Mais... continuons l'analyse... D'après Léon, ces animaux sont très difficiles à naturaliser, ils nécessitent le large spectre de compétences que doit posséder le parfait taxidermiste. Notre tueur a dû progresser. Bien progresser même. Voilà pourquoi je préfère que ces poupées hideuses aient été fabriquées à partir de chats.

— Je vois. Il a fait ses armes sur de la matière première beaucoup plus facile d'accès, plus courante.

— Exactement ! Des chats, des chiens ramassés dans la rue ou que Vervaecke fournissait à notre tueur. Léon parlait aussi de SPA, une piste à suivre. Bref, ces poupées ne doivent pas dater d'hier. On peut en déduire que Vervaecke et son double se connaissent depuis un certain temps et partagent des goûts... Comment dire...

— Bizarres...

— Oui. Nous découvririons peut-être des pistes en fouillant dans la vie nocturne de Vervaecke. Boîtes de nuit, clubs sado, échangistes...

— C'est en cours. Mais ça prendra du temps.

— Temps que nous n'avons plus, malheureusement... Continuons. Mercredi dernier, ce qui devait être, comme l'indiquaient les lettres adressées aux parents, une simple remise de rançon tourne au carnage. L'un des ravisseurs tue, je dirais avec « délicatesse », une fillette qui déjà, à ses yeux, a perdu le statut d'humain, une enfant qui, par son accoutrement de poupée, sa physionomie, sa fraîcheur, ravive des souvenirs, des époques heureuses ou douloureuses qu'il souhaite faire rejaillir...

Lucie avala le morceau de pizza refroidi et se lécha les doigts avant de poursuivre :

— Hmmm... D'un coup, l'argent prend une place secondaire, inexistante même. Hmmm... Cette matérialisation des fantasmes, cet aboutissement de toute une vie devient prioritaire. Voilà pourquoi, dès le lendemain, une seconde fille disparaît. Et cette fois il ne s'agit plus de rançon... Ces entraînements sur des animaux, leurs mutilations ont un sens. Ils n'étaient que le reflet d'une douleur enfouie, un besoin d'expression qui passait par le biais d'un scalpel. Et maintenant, l'artiste libère sa fougue. On ne s'entraîne plus sur des animaux, on passe au stade supérieur. Et quand on n'a accès ni à des morgues ni à des instituts médicaux, que fait-on ?

— On se sert dans ce qui existe à profusion. On pioche dans le hasard de la rue...

Norman se mordait la lèvre inférieure, un doigt sous le menton. Ce profil lui donnait l'air d'un héros de bande dessinée, genre Tintin sans la mèche.

— Pourquoi des enfants ?

— Je n'en sais rien. Plus faciles à convaincre et à enlever ? J'aimerais aller au bout de ma pensée, si tu le veux bien...

— Je t'en prie...

— Aujourd'hui, nous apprenons qu'ils agissent en

couple. Une vétérinaire avec des goûts pour le sadomasochisme et une autre personne, son amant ou amante. Plutôt amante, car elle hait les mâles au point de les mutiler... À la suite d'un contrôle routier, de la présence de tilétamine dans son sang, Vervaecke risque de perdre son droit d'exercer. Surgit donc l'idée du rapt d'une enfant aveugle aux parents riches à millions, dans une ville désertée l'hiver, Le Touquet. Une mission *a priori* facile. La vétérinaire embarque dans ses plans son complice taxidermiste-anatomiste. Les deux personnes sont moralement très liées et s'entraînent donc dans leurs délires mutuels. Vervaecke fournit de la tilétamine pour le rapt des animaux, accepte des cadeaux horribles comme les poupées dont tu m'as parlé et l'autre, en retour, participe à l'enlèvement...

— Ça se tient, mais...

Lucie leva un doigt.

— Les lieux à présent. Vervaecke habite à quelques kilomètres du Touquet, son complice doit vivre aux alentours de Dunkerque. La connaissance de l'entrepôt désaffecté de Grande-Synthe, l'envoi des lettres anonymes, l'enlèvement de la seconde victime en sont des preuves tangibles. Il ou elle n'habite pas la ville, plutôt la campagne. Une maison isolée permettant d'agir en toute tranquillité, de, pourquoi pas, retenir un loup vivant, des singes capucins, des fillettes apeurées. Un lieu de grande taille permettant le stockage d'animaux empaillés... Face à nous se dresse un couple complètement atypique, un tueur qui hait les mâles et une sado aux penchants sordides... Tu sais, le monstre de viscères que tu tenais entre les mains ne représente que la face visible de l'iceberg, une infime parcelle des monstruosités enfouies au fond de ces cerveaux malades...

Norman se faufila dans le hall, frigorifié.

— Je ne te comprends pas Lucie. Comment réussis-tu à garder ton calme, à parler avec un tel détachement de ces horreurs ?

— Je n'en sais rien... Parfois, je ressens de la répulsion et pourtant, je ne peux m'empêcher d'éprouver aussi une forme d'attirance. Tu sais, déjà toute jeune, je regardais mon père tuer des lapins, et ça me... ça me...

— Fascinait ? hasarda Norman.

— Oui...

Le flic roux soupira avant de détailler la décoration du salon. Les ampoules à faible éclairage, les cadres aux tons sombres, les statuettes africaines déformées, avec leur ventre énorme et leurs jambes noueuses. Et ces cassettes vidéo à n'en plus finir, empilées au-dessus d'une armoire aux vitres teintées. Au commissariat, Lucie donnait l'image d'une fille rangée, presque transparente, limite timide. À des années-lumière de la femme qui se tenait à l'instant face à lui. Sur le fil du rasoir. Oui... Sur le fil du rasoir...

Il la fixa dans les yeux.

— Ton analyse semble cohérente, mais un point m'échappe. À t'entendre, Vervaecke n'est pas taxidermiste et donc n'aurait ni retenu prisonnière, ni tué Mélodie Cunar. Pourtant elle ne possède pas de crêtes papillaires, à l'identique des empreintes relevées sur le lieu du crime. Si elle n'a pas tué, comment expliquer la présence de ses « non-empreintes » autour de la victime ?

Lucie s'assit sur la table du salon, jambes pendantes.

— Je n'ai pas d'explication fiable... Vervaecke erre dans le sadomasochisme, ses goûts bizarres la poussent peut-être à participer aux séances de taxidermie, d'écorchement ? Un certain plaisir des chairs mortes ?

Sans précautions particulières, à cause des instruments ou produits dangereux, on se sabote très facilement un doigt ou un œil.

Norman acquiesça. Il pointa un doigt vers le téléviseur.

— Comme tu as vu sur les photos numériques, les poupées trouvées chez Vervaecke étaient bien plus abjectes que le pire de ces écorchés. Ces orbites vides, cette peau puant le cuir, ces poils d'animaux en guise de cheveux, ces membres difformes... J'ose à peine imaginer ce que ces expériences pourraient donner... avec un humain... Ça n'a aucun sens... Aucun sens...

— Ces créations que tu considères comme immondes ne représentent que le reflet d'un désordre interne. Demande au fou s'il est fou, il te répondra que non. Notre assassin possède son propre système de valeurs, ses notions personnelles du bien et du mal. Qui te dit que ces horreurs ne signifient pas à ses yeux la beauté absolue ? Jeffrey Lionel Dahmer, le Cannibale de Milwaukee, a mangé les organes d'une quinzaine de personnes et décorait sa cheminée avec leurs restes, parce qu'il les considérait comme des trophées de chasse. Il trouvait ça « magnifique et valorisant ». Et n'oublie pas que ces squelettes de chats nous suggèrent que l'assassin, à ce moment-là, n'en était qu'à ses débuts puisqu'il s'attaque, depuis des mois, à plus difficile avec les animaux du zoo. Qui dit qu'il n'est pas devenu un véritable génie dans l'art de l'écorchement ? À force d'entraînement, d'acharnement, de lectures, on arrive toujours à ses fins...

Norman se pressa la tête.

— Cet univers glauque me met vraiment mal à l'aise... On en oublierait presque les chauffards qui détiennent les deux millions d'euros.

— Du neuf sur nos taggueurs ? Que donne la liste des employés ?

— Toujours chez Vignys. J'ai dû partir sur les chapeaux de roues pour l'intervention chez Vervaecke. Je la récupère à la première heure.

Norman vint se caler contre Lucie sur le bord de la table, ce qui mit les sens de la jeune maman en ébullition. Dans cet instant on ne peut plus grave, à minuit passé, elle ressentait un besoin gourmand de faire l'amour. Un peu comme un fou rire lors d'un enterrement. On dit qu'au bord de la trentaine, l'appétit sexuel atteint son apogée. Ce qui expliquait que ses organes lui faisaient mal, la taraudaient de l'intérieur comme des forets de chair.

— Tu sais, j'adore les marmots, confia Norman d'une voix douce. Je crois qu'ils arrivent sur Terre tous égaux, avec un esprit pur. De nombreux passages de la Bible rapportent que les bébés naissent sans péché. Ce sont les parents qui créent des monstres. Combien de fois sommes-nous intervenus dans des familles où les maris, les mères parfois, tabassaient leurs enfants à coups de pied dans la figure ? Ces petits êtres ne demandent que le réconfort d'un sourire, la chaleur d'une main. Et que leur apportons-nous ? Nos peurs, notre haine, notre colère. Ils deviennent le miroir cassé de nos propres tourments.

— Tu veux dire que nous créons leurs vices ? Qu'ils absorbent nos défauts ?

— Bien sûr. Tu vois, ma nièce, Sophie, a quatre ans. Un jour, je la regarde s'amuser avec une araignée dans un jardin. Le minuscule insecte grimpe sur son bras et la petite rit comme seuls savent le faire les enfants. Ses gestes sont déliés, délicats, elle a déjà conscience du rapport des forces et de la fragilité des vies. D'un coup, sa mère arrive et se met à hurler, complètement hystérique. Sophie ouvre grand la bouche, ses yeux écarquillés trahissent son incompréhension. « Que m'arrive-t-il ? Pourquoi maman hurle-t-elle ? Est-ce à cause de cette petite bête ? » La mère saisit alors une serviette, frappe sur le bras de Sophie pour en chasser l'araignée et l'écrase ensuite avec une rage inouïe, ordonnant à sa fille de ne plus jamais approcher d'araignées, que les araignées sont méchantes, dangereuses, et qu'il faut en avoir peur. Il faut en avoir peur, c'est comme ça : je crains les araignées, tu dois les craindre aussi ! Depuis ce temps, Sophie se met à pleurer à chaque fois qu'elle rencontre une fourmi, un scarabée ou une araignée...

Il prit la main de Lucie.

— Prends soin de tes filles, prends-en bien soin.

Lucie l'écoutait parler, déverser des phrases qui lui tapaient dans le cœur. Parfois elle répondait, relançait la conversation pour que dure l'instant. Deux heures défilèrent où ils discutèrent de tout, de rien, loin de l'enquête et de son sillage meurtrier. Leurs yeux gonflaient, se chargeaient de fatigue au rythme de la nuit qui progressait. La mollesse du canapé incitait à plus de chaleur, de rapprochements. Leurs regards plus appuyés, souvent gênés, se croisaient. Puis des yeux empreints de tristesse, avec, sur les rétines, les spectres de Mélodie, d'Éléonore.

Les inévitables pleurs vinrent briser les bercements de voix. Lucie ragea entre ses dents et s'arracha du sofa. Direction le coin cuisine.

— Tétée ! Trois heures du mat, et ces demoiselles ont faim ! Pour ça, elles sont championnes du monde ! Mais pour dormir...

— Ne leur en veux pas. La plus grande peur des

bébés est de croire à chaque seconde que leur mère les a abandonnés. Cours vite les rejoindre !

Norman se glissa derrière Lucie, le blouson sur l'épaule.

— Je vais te laisser. Dans quatre heures je bosse et j'ai encore de la route pour Calais...

Lucie mit un miel léger dans sa voix.

— Tu sais, tu peux dormir dans ma chambre. Des affaires de Paul, genre rasoir électrique, traînent encore. Moi, de toute façon, je m'installe dans le salon avec les petites. Elles ne s'endormiront que vers six ou sept heures. Pas avant...

Le lieutenant s'appuya sur un battant de porte.

— Je ne voudrais...

— Ne fais pas l'idiot ! Tu vas passer plus de temps sur la route qu'au lit. Ce serait la pire des idioties de faire un aller-retour en étant déjà sur place. Tu trouveras de quoi te laver dans la salle de bains.

— Merci pour l'invitation... À charge de revanche...

— Tiens-moi juste au courant de l'évolution de la situation demain. Je serai joignable sur mon portable...

— Tu ne comptes pas te reposer ?

Lucie songeait aux dizaines d'animaux abandonnés dans les limbes obscurs, chez Léon. À ces poupées écorchées, bâties sur des fondations de chats. Au chien disparu des Cunar.

— Quelques petites affaires perso à régler, mentit-elle. La sieste sera pour plus tard...

— Dis... Je voulais juste savoir... Qu'est-ce qu'il y a dans cette armoire ? Je me suis penché tout à l'heure, pendant que tu décongelais la pizza. On... devine une forme ronde derrière les vitres opaques, comme... À vrai dire, je n'en sais rien...

Lucie se laissa choir mollement dans le canapé et

observa les cicatrices qui barraient ses lignes de vie. Elle soupira.

— Depuis toute petite, je cherche les réponses à certaines questions. Le contenu de cette armoire, certains éléments dans ces tiroirs m'aident à y répondre un peu plus chaque jour. Désolée, mais je garde ça pour moi. Personne n'est prêt à comprendre mes secrets...

*

Au bout du sentier qui slalomait entre les dunes, la Bête s'envola avec la brume de l'aube. Des cristaux de gel s'étaient figés dans sa chevelure, au bord de ses narines et sur ses lèvres. Elle aurait dû embarquer le pistolet hypodermique, tirer sur le flic roux avant de s'occuper de la femme. Mais s'attaquer à deux policiers, armée d'un vulgaire tampon d'éther, relevait de la folie.

Elle regagna sa voiture garée au bord de la digue, à trois cents mètres de là, tourna le chauffage à son maximum et démarra en claquant des dents.

La sève du désir avait grimpé en elle jusqu'à attiser ses plus brûlants fantasmes. Elle songeait à ses expériences ; les succès, les trop nombreux échecs. La méthode restait à peaufiner avec l'humain. Les peaux s'abîmaient ou se craquaient trop facilement. Peut-être parce que les enfants sont plus fragiles, leur corps en trop grande mutation.

Maintenant, il lui fallait de la matière première, cette argile indispensable à tout créateur.

Elle considéra sa montre. Cinq heures du matin. Où frapper ?

Deux heures durant, elle sillonna les artères de Dunkerque, un plan routier sur le siège passager. La ville s'allumait, les bipèdes pointaient le nez hors de leurs tanières. Elle les plaignait. Condamnés à suivre leurs rails. Robotisés au point de se lever, se coucher, avec une régularité de montre suisse. Nourris aux plats réchauffés. Qui allait-elle délivrer de sa pénitence quotidienne ?

À plusieurs reprises, elle crut tenir sa victime. Mais le passage de trop nombreux inconnus la fit renoncer. Pressée mais pas imprudente.

Le moteur chauffait, la Bête bouillait, le scalpel la démangeait. Allait-elle rentrer bredouille ? Pas question ! Il fallait encore progresser ! Elle darda des regards noirs sur les passants, méprisant ces êtres amphibies qui respiraient l'haleine des pots d'échappement.

Qu'ils brûlent en enfer ! Tous, les uns après les autres !

Elle s'orienta vers des rues plus étroites, à moins grande fréquentation. Attente plus longue mais risques minimisés.

Le hasard précipita une proie dans ses filets. Un beau brin de femme, fraîche et spontanée.

Caroline Boidin. Trente-deux ans, enceinte de six mois. Disparue alors qu'elle indiquait le chemin de l'hôpital à une vieille dame...

37

Les gravillons crissèrent quand Vigo Nowak s'engagea dans l'allée de sa maison des Mines. Après sa raclée au casino de Saint-Amand, il avait terminé la nuit dans une discothèque belge, à Tournai. Les vibrations des basses, les brouillards de fumée et les battements de la musique techno n'avaient fait qu'amplifier son mal de crâne. À six heures du matin, il lui semblait vivre et revivre le drame à la manière d'un film sans fin : le corps de Nathalie recroquevillé sur le lit ; le bébé qui hurle, la tête entre les barreaux ; l'appétit du gaz.

Le passé mordait le présent, empiétait sur le futur. *No future.*

Combien de temps subirait-il ces assauts cérébraux ? Des jours ? Des semaines ? Des mois ? Sa drogue. Il lui fallait sa drogue. L'opium vert pressé dans son carcan. La musique des billets. Le velours des zéros.

Il tourna la clé dans la porte d'entrée, ouvrit, alluma la lumière.

Ses chairs se liquéfièrent lorsque apparut l'impossible.

Sylvain Coutteure se tenait au fond d'un fauteuil, les mains sur les accoudoirs, les jambes écartées avec relâchement. Vivant. Ses yeux brillaient de maléfices, ses traits s'organisaient pour tirer son visage en ombres de démence. Des larmes accompagnèrent son sourire quand il envoya :

— Salut l'ami...

Sans avoir le temps de comprendre, de réagir, Vigo perçut un souffle, un léger glissement, puis sentit les lèvres d'un canon s'écraser sur sa tempe gauche.

— Ne bouge pas connard ! Bienvenue en enfer !

La force d'une poussée entre les omoplates. La rencontre avec un coin de table. La douleur qui se déverse. Puis un rire ignoble. Sylvain crachait sa fureur, un mélange abject d'incompréhensible, de fermenté, de sursauts incohérents. Ces murs abritaient le cœur même d'un hôpital psychiatrique. Le pandémonium avait rouvert les portes de sa cité infernale.

Vigo se redressa, se plaqua contre un mur, glissa jusqu'à un coin où il s'accroupit.

— Qui... qui êtes-vous ?

Vervaecke libéra les volets roulants, tourna le verrou. Elle portait des gants en laine. Il n'y aurait pas d'empreintes, ni de cheveux d'ailleurs. L'avantage d'être chauve. Sa voiture dormait loin de la ferme, garée le long d'une route. Une fois le travail effectué, elle irait la récupérer, contacterait les bonnes personnes, préparerait sa fuite. Mexique, Brésil, Amérique centrale, un vaste choix. On ne la retrouverait jamais. Dingue ce qu'on peut faire avec deux millions d'euros.

— Tu t'es fait attendre, petit enfoiré ! Regarde l'état de ton ami, le genre psychotique délirant ! Tu l'as bien caché ce pognon ! Félicitations ! Mais maintenant, je te laisse dix secondes pour me dire où il se trouve !

Vigo plaqua ses genoux contre son torse, position de l'œuf. La femme qui se dressait face à lui ressemblait à un phare de granit. Tout en angles, la gueule carrée d'un pitbull. Style broyeuse de couilles.

Elle a fermé les volets, porte des gants. Une fois en possession du butin, elle va nous liquider et offrir nos dépouilles aux rats !

L'ingénieur écrasa un regard sur le mort vivant. Les lèvres de Sylvain s'ourlaient par-dessus ses gencives, ses yeux étaient des baïonnettes affûtées, ses poings deux boules de démolition. Il avait tout compris... Les somnifères... Le monoxyde de carbone... Mais comment avait-il survécu à la morsure du gaz ?

Ou alors... Cette femme tueuse était arrivée à temps, l'avait réveillé, contraint à se rendre au terril pour déterrer une valise bourrée de journaux, portant la haine à son paroxysme.

Nathalie Coutteure et le bébé avaient-ils survécu ? Probablement pas.

Et maintenant... Le piège se refermait, le destin s'enroulait autour de son cou à l'étouffer. Ce magot maudit allait bientôt retrouver d'autres poches ensanglantées.

Lui, Vigo Nowak, allait mourir aux côtés de deux millions d'euros...

L'informaticien poussa sur ses mains, se décolla du sol avec une difficulté de vieillard. Les forces l'avaient abandonné, seul l'arc nerveux solidarisait la membrane fragile de son corps. Il fit trois pas en avant, fébrilement, perçut la tension électrique qui traversait les pores de Sylvain. Dix mille volts de rancœur, d'envie de presser du Polack jusqu'à la moelle.

— Après, j'ai l'autorisation de passer un petit moment avec toi, envoya le colosse en vrillant les mains. Notre accolade ne durera pas longtemps, ne t'inquiète pas...

Vigo sentit son être partir en éclats, la peur se diluer dans ses veines. Il s'orienta vers la vétérinaire.

— Alors voilà vos plans ! Il me tue et vous le liquidez dans la foulée ? De manière à simuler un règlement de comptes ? Je... je peux vous donner la totalité du butin ! Les deux millions d'euros ! Pourquoi nous éliminer ? Je ne dirai...

Vervaecke raidit les bras et ajusta sa visée.

— Tu ne diras rien à la police, je sais... Ferme-la et magne-toi ! L'oseille !

Vigo découvrit quelques dents.

— Vous ne le trouverez jamais ! Tuez-moi et adieu la belle vie ! Je veux un arrangement ! Moitié moitié !

Vervaecke propulsa une semelle bien dense dans son entrejambe. Vigo se rétracta comme une araignée brûlée, la bave aux lèvres. Il s'écrasa sur le sol. Sylvain applaudissait.

— Ton pote m'a gentiment décrit l'endroit où habitent tes parents, ajouta Vervaecke. Il paraît qu'on peut passer par leur porte de derrière, avec une clé planquée sous une jardinière ! À croire que c'est dans les gènes ! Refuse de coopérer et je pourrais leur faire goûter au fil d'une lame avant que le jour se lève.

— Tu ne m'en veux pas frérot ? dit Sylvain avec un air de fausse compassion. Il fallait bien que je négocie le droit sur ta mort ! Je suis prêt à partir, à rejoindre ma famille, celles que tu as assassinées. Cette gentille femme va me donner des Donormyl, ça te dit quelque chose ? Une boîte entière, je ne souffrirai pas... Contrairement à toi... Tu as tout perdu frérot ! Tu sais, il y a un proverbe afghan qui dit : « Tu peux tuer toutes les hirondelles, tu n'empêcheras pas le printemps de revenir. » Cet argent, il ne t'était pas destiné, quelles que soient tes méthodes ignobles pour le garder !

— Je... ne voulais... pas tout ça... s'écorcha Vigo. Je n'ai... jamais voulu faire... de mal à personne...

— Évidemment, commenta la vétérinaire. Allez, amène-moi gentiment à la caverne d'Ali Baba...

Vigo eut du mal à se décoller du sol. De la compote. Il lui semblait qu'une compote de sang lui tapissait l'entrejambe.

— Suivez-moi...

Sylvain s'arracha de son siège, les poings serrés.

— Pas maintenant, lui souffla Vervaecke à l'oreille. Ne fais pas de bêtises, tu l'auras pour toi tout seul dans quelques minutes. Et toi devant, ne joue pas au malin ! J'ai la gâchette facile !

— On doit sortir par l'arrière, expliqua Vigo. Le butin se trouve dans la vieille réserve à charbon.

— On a déjà regardé ! répliqua Vervaecke.

— Y compris dans le gros broc rempli de charbon ?

— Une valise ne passe pas là-dedans ! bava Sylvain. Ne nous prends pas pour des cons !

— Une valise non. Mais les billets oui. Vous ne vous êtes même pas demandé pourquoi je possédais des boulets de charbon alors que je n'ai pas de poêle ?

Vervaecke s'injuria mentalement. Toute cette attente, cette multiplication des victimes alors qu'elle avait le pognon sous les yeux.

Vigo poussa une porte massive en bois, pénétra dans la remise, tira sur une chaînette qui réveilla une ampoule crasseuse. Pas de fenêtres. Des toiles d'araignées couvraient le plafond, les briques s'effritaient, rongées par l'humidité, éclatées par le gel. Au fond, des pans de ferraille, des pneus de vélo crevés, une tondeuse avec son bidon d'essence. Sur la gauche, une fosse à charbon vide, un conduit d'aération bouché par un chiffon. Et le broc d'étain débordant de boulets.

D'un mouvement de canon, Vervaecke contraignit Sylvain à s'asseoir contre un mur. Elle se cala au fond, condensant les deux hommes dans son champ de vision.

— Allez ! Montre-moi ce pognon ! Pas un geste de travers ! Tu dévies tes paluches du broc et...

— Vous tirez. Je sais...

Vigo ôta les quelques épaisseurs de boulets de la gueule du récipient. Des billets se froissèrent au creux de ses mains. Il jeta des liasses sur le sol, aux pieds de la femme armée.

— Regardez, votre fric ! Tout est là !

Vervaecke sortit un sac-poubelle de sa poche.

— Remplis-moi ça !

Vigo s'activait, perdait de sa substance au fur et à mesure qu'il livrait des poignées et des poignées de billets. Trois jours auparavant, il achetait ses cadeaux de Noël, jouait à la console le soir, passait ses journées à chercher un emploi. Citoyen presque modèle – aux conneries près –, fiston irréprochable, vie pépère. Aujourd'hui, il ne comptait plus les morts, un type dingue allait lui faire la peau, une tarée tueuse d'enfants le braquait. Drôle de cauchemar.

Il se pencha par-dessus le récipient, fit mine de ramasser les dernières miettes d'euros. Lorsqu'il se retourna, un éclair de métal traversa la pièce. Sifflant comme une rupture de filin.

Le poignard caché au fond du broc frappa Vervaecke en pleine poitrine. Côté manche. Pas de bol...

Sous l'effet du choc et de la surprise, la vétérinaire lâcha son arme. Vigo se jeta sur l'engin de mort. Trop tard. Sylvain pointait déjà le canon au milieu de son front.

Vervaecke surgit, griffes en avant. Sylvain propulsa Vigo dans sa direction et balaya l'espace en mouvements arrachés à l'instinct.

— Bougez pas ! Bougez pas ou je tire dans le tas !

La sueur se mêlait aux larmes sèches, transformant le visage de Sylvain en un désert de sel. Son index droit fusionnait avec la gâchette. Ses os tremblaient, son corps vibrait. La mort allait jaillir. Les trois à la suite. La tueuse, le traître, lui en dernier. L'affaire de deux secondes. Puis le calvaire serait fini.

Une brillance de faucille luisait au fond de ses rétines.

Vigo baissa les paupières, suppliant...

— Ne tire pas ! hurla Vervaecke dans un dernier sursaut. La petite diabétique ! Il n'y a que moi qui sache où elle est enfermée ! Tu me tues et elle mourra par manque d'insuline !

Sylvain se comprima en un bloc de nerfs. Le revolver tanguait au bout de son bras, décrivait des courbures impossibles. À la moindre molécule de travers, il allait cracher la mort. Irrémédiablement.

— Réfléchis ! poursuivit Vervaecke, mains en avant et doigts écartés. Tu peux sauver quelqu'un, rendre une enfant à ses parents ! N'entraîne pas cette petite dans ta folie meurtrière !

— Qui... me dit qu'elle... n'est pas... morte ?

— Je suis vétérinaire, je possède des stocks d'insuline pour les animaux diabétiques ! Elle en a besoin toutes les douze heures, ce qui ne nous laisse plus beaucoup de temps ! Il faut faire vite !

Incapable de penser, de juger, Sylvain braqua la gueule de feu sur Vigo, lui ordonna de se mettre à terre et lui écrasa la joue gauche du talon.

— Garde le nez au sol, fils de pute ! Tu l'aurais fait toi ? Sauver cette petite diabétique ?

Vigo respirait bruyamment, bouffait de la poussière.

— Ne tire pas... Je t'en supplie...

— Réponds, enculé !

— Bien sûr, Sylvain... Oui... J'aurais tout fait pour elle. Allons la sauver !

— Tu as raison, je ne vais pas tirer...

L'odeur monta d'un coup, emplissant le cloaque de lourdeurs de plomb. Vervaecke se tassa dans un coin, bouche bée face à la folie de l'homme armé.

De l'essence partout. Sur les murs. Le sol. Le sac contenant les liasses.

Sylvain fit sortir Vervaecke.

— Je t'en prie Sylvain ! Non !

Un verrou qui se ferme. Des coups contre le bois. Des cris étranglés. Le serpent de carburant qui se faufile sous la porte.

— L'argent ! supplia Vervaecke. Retourne à l'intérieur et sauve l'argent ! Le fric putain !

— Tu fais moins le fier, enculé ! grogna Sylvain.

Pas de réponse. Le silence. Sans doute une dernière prière. La pierre d'un briquet fit jaillir une flamme. Une déchirure dansante zébra le sol, s'engouffra sous la porte dans un ronflement maudit.

Sous les premières lueurs illuminant les jumeaux de schiste, Sylvain envoya :

— Cet argent ne tuera plus personne...

Il contraignit Vervaecke à le devancer.

— On part à pied et on passe chez moi, je veux embrasser ma femme et ma fille une dernière fois... Après, nous irons sauver cette petite... En espérant pour toi qu'elle est encore en vie...

38

Les jumelles avaient sombré avec les morsures de l'aube, d'un sommeil désiré et réparateur. Plein sud, les dunes façonnaient des reliefs dociles, se décrochant avec peine des trames nocturnes. Dans chaque espace du pavillon tranquille, le calme battait la mesure.

Lucie ne dormait pas, les rétines, l'esprit rivés sur la toile internet. La tératologie, l'étude des monstres... Les anomalies congénitales... Les êtres hydrocéphales, au crâne démesuré... La sirénomélie, maladie des enfants qui naissent les deux jambes collées... Les monstres doubles, soudés en L, en H, en Y...

Macabres sujets d'étude de Fragonard...

L'anatomiste l'avait entraînée dans un monde privé d'éthique, sans foi ni loi. Un lieu d'interdits bafouant la logique. Un musée de mutants où des écorchés, des cadavres couverts de masques mortuaires, des humains sectionnés suivant différentes coupes cohabitaient en une danse des morts. Pire encore. Il existait un traité, l'*Anatomia Magistri Nicolai Physici*, décrivant avec une précision chirurgicale les procédés de dissection utilisés par les Anciens sur des êtres vivants. Des condamnés que l'on sanglait sur des tables, puis que l'on maintenait en vie le plus longtemps possible en disséquant d'abord les membres, pour finir par les organes internes. Une souffrance sans limite à laquelle pouvaient assister quelques « privilégiés ». L'Histoire renfermait de bien terribles secrets...

Au fil des heures blanches, Lucie s'était connectée sur l'univers des taxidermistes, s'abreuvant de science sanglante. Clichés de quadrupèdes dépouillés, de mâchoires hurlantes, d'organes palpitants. Dans de sombres pages arrachées aux noirceurs électroniques, elle avait déniché des sites présentant des collections complètes de chats empaillés dans des positions de chasse, des photos de dobermans, de bouledogues, de bassets plus vrais que nature, aux yeux de verre et à la gueule de résine. Des anonymes qui exposaient sur la toile leur folie, leur soif de dissection, de découpe, d'immortalisation. Meurtres en série sur animaux...

Ses lectures confirmaient les dires de Léon. La taxidermie, l'écorchement ne s'improvisaient pas, nécessitaient de longues années d'application et de la matière première. Fragonard avait parfait ses techniques sur plus de deux mille animaux avant de s'intéresser aux cadavres frais des morgues. Quant au naturaliste, il ne s'attaquait jamais directement à des mammifères trop volumineux où à la structure squelettique complexe. Il puisait son inspiration sur de l'objet courant, facile à se procurer.

Toute discipline nécessite de l'entraînement. Les chirurgiens novices recousent à n'en plus finir des panses de porc avant de s'attaquer aux tissus humains. Les tueurs tels Ralph Raymond Andrews, Ed Gein ou Jeffrey Dahmer étaient d'abord passés par la mutilation d'animaux, histoire de préparer le terrain. Francis Heaulme, adolescent, enterrait les bêtes vivantes croisées au hasard de sa chevauchée morbide... L'assassin de Mélodie Cunar, pour confectionner ses poupées hideuses et progresser, avait forcément suivi le même chemin.

À chaque fois, des animaux.

Où l'assassin s'était-il procuré son brut de fonderie, ces chats qu'il écorchait puis transformait en monstres ? Dans la rue ? Non. Les chats, agressifs, sont trop difficiles à attraper, leur instinct de chasseur trop perfectionné. Les refuges animaliers apparaissaient comme une piste évidente.

Direction la cuisine. Ouverture de placard. Des plaques de chocolat à n'en plus finir, empilées en une tour de gourmandise.

Trop c'est trop. Il va vraiment falloir que tu arrêtes... Demain... Promis...

Elle posa un carré sur la langue et s'enivra de drogue fondante. Ses sens frémirent sous la caresse du cacao. Elle ferma les yeux. Orgasme papillaire...

Une fois les petites couchées dans leur chambre, ses pensées s'étaient orientées vers le policier roux, son regard magnétique, sa sensibilité à fleur de peau. Elle dans le canapé, lui dans son lit, à une épaisseur de bois d'écart. Deux corps qui réclamaient fusion mais séparés par la barrière des consciences. Y aurait-il une suite à cette histoire qui n'existait pas encore ? Le désir de Lucie écrasait ses sentiments. L'amour d'abord, l'Amour avec un grand A plus tard.

Elle retourna devant son clavier, activa le moteur de recherche, fit apparaître sur l'écran la liste des SPA du Nord.

Des bruits de pas la surprirent alors qu'elle en entamait la lecture. Elle eut à peine le temps de dissimuler le navigateur derrière une autre fenêtre que Norman se coulait à ses côtés, englouti dans un peignoir trop grand. Après un bâillement discret, il demanda :

— Les petites dorment enfin ?

— Oui, ça y est. Je te prépare un café ?

— Si tu veux bien... J'aurais mieux fait de ne pas somnoler, je suis déchiré. Ces écorchés, ces découvertes sordides m'ont tellement tracassé. Je pensais surtout à Éléonore. Ça fait bien plus de cinquante heures maintenant... Si l'assassin ne l'a pas éliminée, le diabète l'aura fait...

Il s'appuya sur un accoudoir et ajouta :

— Comment réussis-tu à tenir une nuit entière sans fermer l'œil ?

— Les allumettes sous les paupières, ça marche nickel !

Norman ravala son sourire et désigna l'écran.

— Tu n'arrêtes donc jamais... D'autres découvertes intéressantes ?

— Pas réellement. J'ai juste enrichi ma culture personnelle. Quelques pages noires supplémentaires au catalogue du morbide...

Lucie se dirigea vers la cuisine et mit la cafetière en marche.

— Ça... ça m'a fait du bien de discuter avec toi cette nuit, confia-t-elle dans un soupir. Ta présence m'a montré à quel point la solitude est pernicieuse. Elle t'enserre dans sa toile sans que tu t'en rendes compte.

Norman triturait le ruban du peignoir en éponge, façon gamin mal à l'aise. Les mots tardèrent à gagner ses lèvres.

— J'aimerais qu'on remette ça un de ces soirs, une fois cette affaire terminée. Dans un cadre un peu moins... professionnel et moins... glauque...

— Genre bière et pizza devant un bon match de foot ? Ça me branche ! On pourrait aussi inviter une poignée de collègues !

— Non, non... Je voulais dire...

— J'ai bien compris, sourit Lucie. Je voulais te faire

marcher un peu. Tu sais, le réveillon de nouvelle année approche et je n'ai pas grand-chose de prévu, hormis le baby-sitting intensif. Des projets particuliers ?

— En dehors de la bière et de la pizza ? Je ne vois pas ! On... on s'organise une petite soirée, à quatre avec les filles ? Trois femmes pour un seul homme, le rêve !

— Allons ! Détrompez-vous cher ami. Ce ne sera pas de tout repos. Les demoiselles réclament beaucoup d'attention, et autant de patience ! Ça tient pour le réveillon !

C'était dit. Lucie ignorait sur quel terrain elle évoluait. Une histoire entre deux flics aux caractères trempés ne pouvait conduire qu'aux frontières de la tempête. Mais le plus beau des arcs-en-ciel ne jaillit-il pas du plus violent des orages ?

— Quel est le programme de la journée ? s'enquit la jeune maman alors que le lieutenant s'enfermait dans la salle de bains.

— Le labo pour l'analyse des poupées, la liste à récupérer chez Vignys, la traque de Vervaecke. En espérant que nos recherches, un numéro de téléphone, une adresse nous mèneront à sa moitié démoniaque. Des hommes briefés par Raviez vont interroger les propriétaires de boutiques spécialisées en taxidermie, rapporter des listings de suspects potentiels, de naturalistes habitant la proche campagne de Dunkerque. Les équipes continuent à surveiller les pharmacies du coin pour l'insuline, sait-on jamais... Les pièces du puzzle sont entre nos mains, il reste juste à les assembler.

— En priant pour que ce soit le plus rapidement possible... marmonna Lucie en s'installant face à son écran. Il existe des boutiques virtuelles sur internet où l'on peut commander du matériel de taxidermie ! observa-t-elle. Je t'ai imprimé la liste ! Il faudrait aussi vérifier de ce côté-là !

— Bien chef !

D'un clic de souris, Lucie bascula sur la fenêtre qui l'intéressait. La liste des SPA de la région.

Bailleul, Caudry, Condé-sur-Escaut. Page deux... Douai, Hazebrouck, La Sentinelle. Lucie dévora la suite avec une déception croissante. Dans cette liste alphabétique, elle s'attendait à palper de la proximité, dénicher des villes comme Dunkerque, Gravelines. Au-dessus du poste, le modem vomissait les bits par saccades. Lucie se rappela l'épisode du fax dans le bureau de Raviez.

Voilà que ça recommence... Saleté d'informatique...

De nouvelles villes apparurent. Lille, Maubeuge, Merville, Marcq-en-Barœul et bien d'autres encore. La plupart des cités tenaient dans un rayon de quatre-vingts kilomètres autour de Dunkerque. Curieusement, aucune dans les environs. Le tueur avait pu se procurer ses bêtes n'importe où. Ou ne pas s'en procurer du tout.

Lucie serra les poings, l'espoir en vrille. Elle avait cru décrypter la logique de *son* tueur par l'analyse de ses agissements passés, ses « erreurs de jeunesse ». Mais trop d'intuition, d'inconnues brouillaient la piste, la rendaient inexploitable. « Pas de faits », disait Raviez. « Seuls les faits sont importants. » Finalement, l'ordinateur d'échecs battrait peut-être l'humain.

Par surprise, Pierre Norman lui posa un baiser sur la joue et s'évanouit dans l'entrée en murmurant :

— Je te téléphone dès que possible.

— Fais attention à toi...

La chaleur du baiser plongea Lucie dans un zen vaginal. Le contact de la peau mâle, aussi bref fut-il, mit le feu aux poudres...

Tu m'étonnes ! Après plus de six mois ! Ça doit ressembler à du papier de verre là-dedans !

Elle s'étira, libéra les nœuds de ses muscles par des

roulements d'omoplates. L'écume du jour, par la baie vitrée, floconnait en nuages gris et denses. Une autre nuit se déversait, celle de l'interminable hiver qui figeait les dunes dans une expression de colère. Lucie s'autorisa une ultime recherche avant d'éteindre le téléviseur. Elle cliqua sur la dernière page du site de la SPA, histoire de boucler la boucle.

Un claquement de porte la surprit encore.

— Je n'irai pas loin sans mes clés de voiture ! déclara Norman en se précipitant sur la table du salon.

Il lorgna la page web qui finissait de s'afficher.

— SPA de Petite-Synthe ? Qu'est-ce... À quoi ça rime ? Que me caches-tu ?

Petite-Synthe... À dix kilomètres d'ici.

— Rien... du tout... répondit-elle avec difficulté. Mais... Tu vas être en retard ! On dirait... que tu ne connais pas... encore le capitaine Raviez !

Norman s'attarda à proximité de la banquette. Lucie paraissait ailleurs. Ses yeux fuyaient, ne trouvaient plus d'accroche. Le lieutenant observa ces adresses de refuges pour animaux. Il songea aux squelettes de chats, à ces séances d'entraînement sur des bêtes dont elle avait parlé. L'univers des taxidermistes, les vols dans les zoos...

Elle s'acharne, elle essaie de pénétrer l'esprit du tueur, de remonter à la source...

Il faillit poursuivre l'interrogatoire mais la sonnerie de son portable l'emmena vers d'autres cieux. Il disparut dans le jour naissant sans se retourner.

Lucie inspira profondément, couchée sur la banquette.

Une SPA... À Petite-Synthe... La ville jumelle de Grande-Synthe, le lieu maudit où tout avait commencé...

39

Les mêmes bandes blanches, les mêmes panneaux verts, surpris par le faisceau des phares. Derrière, des villes de brique rouge, enfoncées dans la terre, comprimées dans leur étau de brouillard. Armentières. Hazebrouck. Bray-Dunes. La même station Total, avec son ermite accoudé sur la solitude de l'A25. Un trajet dévoré des centaines et des centaines de fois. L'aller vers le travail, l'avenir, le salaire. Le retour vers une femme aimante, une fermette agréable, un bébé affamé de vie. Une autoroute qui, à chaque extrémité, portait les fruits de votre existence.

Une voie d'asphalte aujourd'hui en rupture. Sans issue...

Sylvain Coutteure était harcelé par ces voix intérieures. Bientôt, tout ceci cesserait. Pour toujours. Mais il fallait accomplir une dernière mission.

Au volant, Vervaecke ne quittait pas la route des yeux. Malgré la rudesse de ses traits, l'absence de cheveux, les mains dévorées par des morsures chimiques, elle gardait au fond de son regard une clarté vacillante, une pointe d'humanité qui rappelait qu'elle aussi avait été une enfant, une conscience vierge de souillure. Elle représentait à présent l'icône du mal.

En périphérie de Dunkerque, la voiture obliqua vers

Grande-Synthe, traversa la ville, emprunta une départementale. Vingt kilomètres de rase campagne. Au bord des routes, de plus en plus, des blockhaus, macabres auto-stoppeurs figés dans l'éternité. Des tranchées. Des cimetières anonymes. Les vestiges d'un passé embrasé.

Puis se décrocha des ténèbres une tumeur noire, un monstre rampant. La ville d'Éperlecques, meurtrie par les bombardements. Son bunker démesuré. Sa forêt monstrueuse.

La peur continuait à imprégner Sylvain. Il songeait à ces ravisseurs d'enfants, ces violeurs, ces alchimistes abjects capables de transformer la vie en sang. Il ne verrait jamais sa fille grandir, prononcer le mot « papa » pour la première fois. Plus de femme. Pas de petits-enfants. Destins brisés en chaîne sur l'autel de l'enfer.

— On arrive bientôt... finit par dire la femme dans une inspiration.

— Prie pour que la petite soit encore vivante...

Il libérerait l'enfant, emmènerait la tueuse devant le commissariat puis se supprimerait sur le perron. Pas très élégant mais efficace. Une balle en pleine tête. Ils agissent souvent de cette façon à la télé. Court et sans souffrance...

Un univers de feu brûlait en Vervaecke. Elle entendait encore la respiration moqueuse des flammes, l'appel des billets qui s'embrasaient. Toute cette fortune, ces rêves qui s'envolaient dans le sillage de l'idiot qui croyait mener la partie. Oh ! Il allait payer, comprendre la signification profonde du mot souffrance. Elle demanderait à l'autre de prolonger le calvaire le plus possible. Au Moyen Âge, un bourreau réussissait à éventrer un condamné, lui ôter huit mètres d'intestins avec un crochet en laiton alors que l'intéressé vivait encore. Il est des minutes courtes et des minutes longues. Celles-là seraient particulièrement longues.

La voiture franchit un pont avant de disparaître sous des frondaisons dépouillées. L'asphalte se craquela, se mua en une terre de cratères, de flaques gelées. Les lourdes branches des chênes s'étiraient en mailles serrées, comme pour empêcher le jour d'entrer.

— Encore combien de kilomètres ? s'inquiéta Sylvain.

— Même pas deux.

— Roule au ralenti et éteins les phares. Dès que la maison apparaît, tu t'arrêtes...

— Tu penses arriver par surprise ? Effort inutile, mon chien a déjà donné l'alerte, pauvre con...

Elle ricana.

— Mais j'opère seule, sans complice. Tu ne crains rien...

— Garce ! Tu ne m'avais rien dit pour le chien !

— Tu ne m'as pas demandé...

À proximité d'un blockhaus en ruine et d'un hangar branlant, la maison des horreurs creva le pinceau des phares. Une bâtisse à étages étouffée par le lierre. Des serpents étranglaient les briques, soulevaient les tuiles, chatouillaient les toits en pointe, à croire que la masse verte s'était érigée d'elle-même, tel un monstre d'algues accouché par les eaux. Tout autour, on devinait que des armées d'arbres aux racines torturées veillaient, leurs yeux d'écorce braqués sur la chair humaine. La forêt respirait d'un même poumon. Le souffle lent et glacial de la mort...

Sylvain sortit du véhicule avec prudence. Le craquement du gel sous ses semelles alerta ses sens. Il songea à la forêt de *Blair Witch*, à ces jeunes qui tournent sans jamais retrouver leur chemin et dont les cadavres viennent épaissir l'humus noirâtre. Voilà ce qu'il foulait. Des décompositions d'organismes, des immondices végétales, des restes de soldats. Un monde de dépouilles au fond duquel croupissait une petite fille diabétique.

Il scanna la demeure. Pas de lumière. Aucune voiture. *A priori*, pas de traquenard. Mais il se méfiait, paré à cracher la mort à la moindre alerte.

Engoncée dans son blouson, Vervaecke posa pied à terre sous la contrainte du revolver. Seul son crâne fleurissait du col relevé.

Derrière la porte d'entrée, un concentré de muscles et de crocs s'agitait.

— Suis-moi, dit-elle.

— Attends ! répliqua Sylvain en éclairant les hordes feuillues. Où se trouve la petite ?

— À l'intérieur, enfermée dans une cave...

— Seigneur !

Il releva la pointe de son arme.

— Au moindre pas de travers, je te tue. S'il y a quelqu'un d'autre que la petite, je tire. Tu vas ouvrir la porte, très doucement...

— À tes ordres...

Ils contournèrent des treillis de tôle et des carcasses rouillées. Sylvain se prit le pied dans un filin et retrouva son équilibre de justesse. Vervaecke ricana avant d'avancer à nouveau, les mains à l'abri du froid. Elle glissa une clé dans la serrure.

Sylvain ouvrit le feu quand la gueule d'émail apparut dans l'embrasure.

Il n'y eut, en tout et pour tout, qu'un bref aboiement. Vervaecke se plaqua contre le mur extérieur.

— Tu as tué le chien ! Espèce de malade !

— Qui est le vrai malade ici ? Allez, on entre. Garde bien les mains en l'air et conduis-moi à la petite.

— Tu permets que j'allume la lumière ?

Les lances de photons dévoilèrent la face ensanglantée du rottweiler. Un long hall les jeta dans une pièce annexe où l'horreur dévoilait l'un de ses multiples visages. Partout, sur les murs, des têtes d'animaux, des bustes tranchés, des peaux tannées. Marcassins, sangliers, paons, cerfs. Bois luisants, gueules hurlantes, becs ouverts. Par-dessus la cheminée s'amoncelaient des crânes très blancs, habillés d'yeux de verre, de fausses dentitions. Dans un coin, des poupées anciennes. Innombrables.

Sylvain s'appuya sur un fauteuil, chancelant.

— Mais... Quel diable es-tu ? Pourquoi tant... d'horreurs ?

— Tu veux voir la petite ?

Elle désigna une lourde porte enfoncée dans la pénombre.

— Il va falloir descendre alors. Et accroche-toi. C'est pire, bien pire en bas. On s'aventure dans les noirceurs interdites de l'âme humaine. Tu sais, cette maison a presque cinquante ans. Elle a été bâtie par mes grands-parents au-dessus de dizaines et de dizaines de mètres de caves et de galeries, vestiges de la Seconde Guerre mondiale... Parfois, au fond, les esprits gémissent encore.

— Arrête... tes conneries...

Une ampoule délivra un escalier en colimaçon de l'obscurité. Les organes de Sylvain se rétractèrent. Comment ne pas mourir de peur avant d'atteindre le fond ? La petite diabétique, si elle était encore en vie, ne ressortirait de cet enfer que complètement folle.

— Passe... devant... Je... te suis...

À peine franchit-il la porte que sa joue droite se liquéfia. Il lâcha son arme, les deux mains sur le visage. Ses doigts se couvrirent de peau fondue.

La chute l'aspira.

— Ce petit con a brûlé notre magot ! grogna Vervaecke en serrant son amante. Je savais que l'alarme te mettrait sur tes gardes... Tu ne l'as pas tué j'espère ?

La Bête désigna son vaporisateur.

— De l'acide formique. De quoi bien l'amocher, mais il sera encore en vie...

La Bête la serra contre elle, mauvaise.

— Il... Il a tué ma chienne !

— Raison de plus pour lui réserver un traitement de faveur.

— J'ai cru que tu ne voulais plus me revoir... Je me suis trompée, hein ? Dis-moi que je me suis trompée !

— Bien sûr ma chérie. On va tout reprendre à zéro, mais avant, occupe-toi de lui...

Une supplique agonisante grimpa des abysses. Un râle lointain, noyé dans ses propres échos.

Vervaecke recula, l'œil méfiant.

— Bon sang ! Tu as recommencé !

La Bête lui agrippa le blouson.

— Non ! Non ! C'est juste... une pauvre femme ! Je...

Une gifle puissante frappa la Bête.

— Lâche-moi, folle ! ordonna Vervaecke. Combien de temps encore tu crois pouvoir échapper aux flics ? Ce ne sont pas des animaux ! Tu n'as pas le droit de faire ça !

— Mais... Tu viens de me demander de... m'occuper de lui !

— Ce n'est pas pareil ! Lui a essayé de me tuer ! Il a intentionnellement brûlé l'argent, il connaît mon visage et peut m'identifier ! Toi tu fais ça pour... pour... Tu... Tu me dégoûtes ! Je ne veux plus jamais te revoir !

La vétérinaire se défit de l'emprise charnelle d'un mouvement d'épaule. Il fallait fuir en catastrophe à l'étranger, avant que tout s'embrase.

— Non ! Ne pars pas ! supplia la Bête. Ne me laisse pas seule ! Je t'aime !

La vétérinaire s'élança dans le salon sans se retourner, enjamba le cadavre du chien, ouvrit la porte.

Sa main enroba la poignée jusqu'au moment où son corps percuta le sol, secoué de spasmes.

Du bistouri qui pénétrait dans sa nuque ne paraissait plus que la mitre.

— Je... je ne voulais pas... pleura la Bête. Mais... ton visage n'est pas abîmé, tout pourra s'arranger. On va se retrouver... Pour l'éternité...

Écrasée de larmes, la Bête s'enfonça à reculons dans les catacombes, chevaucha la masse écrasée dans l'escalier et disparut dans son antre, le corps chaud de Vervaecke entre les bras.

Dans un premier temps, elle honorerait la requête de son amour éternel : faire souffrir l'homme qui avait brûlé l'argent. Puis viendrait le temps de la ramener à la vie.

Mais auparavant, il fallait aller travailler, gagner sa pitance, comme tous les jours. Elle remonta, enfila son blouson, ses gants, et se perdit dans le levant...

40

Petite-Synthe. Lucie ne laissa pas le temps à la responsable de la SPA de pénétrer dans ses locaux.

— S'il vous plaît !

La femme se retourna. La quarantaine, chevelure filasse, des cernes comme des valises. En grand manque de sommeil, elle aussi.

— On... on n'ouvre pas avant huit heures madame. Il est... sept heures vingt... Les vétérinaires ne sont pas arrivés. Une urgence ?

— Grosse urgence ! Quelques questions à vous poser. Puis-je entrer ?

Christiane Corneille baya aux corneilles.

— Euh... Je n'ai pas l'habitude qu'on me saute dessus si tôt le matin... Mais... Suivez-moi...

Elle ferma la porte, traversa une pièce à l'odeur infecte et gagna une petite cuisine avant d'ajouter :

— Le chauffage vient juste de se déclencher, je vous conseille de m'imiter et de garder vos gants. Un café pour vous réchauffer ?

— Non merci. Je suis assez pressée.

— Moi aussi, à vrai dire. Dans ce cas, je vous écoute...

— Merci... Avez-vous relevé des plaintes pour disparitions d'animaux ces derniers mois ? Des chats, notamment.

— Des... des disparitions de chats ? Il s'en produit régulièrement. Les gens se rabattent souvent ici comme à un dernier rempart à leur désillusion. Dans la plupart des cas, ces animaux se sont fait écraser et ont été ramassés par la voirie. On ne peut donc pas réellement parler de disparition, mais plutôt d'une sélection naturelle qui s'opère lorsqu'un corps de trois kilos rencontre une masse de plusieurs tonnes lancée à pleine vitesse.

— Je vais formuler ma question différemment. Vous a-t-on déjà rapporté des cas inexpliqués de disparitions ? Genre vols ou enlèvements ?

La femme haussa les épaules. Elle était habillée en motard. Rangers, bandana autour du cou, pantalon, gants et blouson en cuir.

— Que croyez-vous ? Que celui qui vole un chat envoie une demande de rançon aux propriétaires ? Vous savez, les gens paniquent très facilement, ils viennent nous informer de la disparition de leur animal, nous donnent une description ou un numéro de tatouage. Quand la fourrière ramène des bêtes, on vérifie. Sinon, que voulez-vous que l'on fasse ?

La piste s'effilochait déjà. Lucie insista.

— Comment fonctionne l'adoption d'un animal ?

La femme lança un regard au travers d'un store. Curieusement, elle ne le releva pas. Dehors, une ou deux ombres.

— Rien de plus simple. Vous fournissez un justificatif de domicile, remplissez un contrat dans lequel vous décrivez les futures conditions de vie de votre compagnon. Un petit chèque de trente et un euros si la bête a plus de six ans, quatre-vingt-sept euros sinon, pour les vaccins et le tatouage. Ensuite, il vous appartient.

Lucie continua à dérouler sa liste de questions, sa remontée vers la source. Elle pariait sur le rouge. Le noir sortirait-il ?

— Y a-t-il des candidats réguliers à l'adoption ? Des visages familiers ?

La femme plissa les yeux.

— Sur quoi enquêtez-vous ? Vous êtes flic ?

Cette fois, le brigadier en civil avait préparé la réplique.

— Je suis privé. Je travaille sur un réseau de trafiquants dunkerquois. Des bêtes revendues à des laboratoires de vivisection clandestins. Les SPA sont des moyens inespérés de se fournir sans peine et pour pas cher...

Corneille remplit sa tasse d'une substance noirâtre et se dirigea vers un ordinateur, au fond d'un bureau jouxtant la cuisine.

— Des candidats réguliers à l'adoption ? Des passionnés de chats et de chiens ? J'en connais, mais... toutes les informations se trouvent là-dedans, si vous voulez...

Lucie se pencha sur l'écran.

— Montrez-moi !

— Oh là ! Attendez ! Cet ordinateur est une brouette. Que voulez-vous ? Les programmes informatiques évoluent mais pas nos bécanes, faute de moyens. Il faut attendre au moins cinq minutes avant que le logiciel se charge – elle désigna la salle d'attente –, vous permettez ? J'ai un coup de fil important à passer...

Lucie acquiesça et s'installa sur une chaise bancale,

du genre qu'on ne déniche plus qu'au fond des vieilles classes. La salle était propre, le carrelage net mais l'air était saturé d'odeurs nauséeuses.

Le brigadier se frotta le visage. Le sommeil revenait au galop. Quelle folie la poussait à gaspiller ses journées de repos ? Elle avait sollicité sa mère à sept heures du matin, l'exhortant de garder les petites sous le prétexte d'une intervention d'urgence. Elle avait la tête pleine à exploser d'images horribles, de corps déchirés, et elle croupissait à présent au fin fond d'une SPA à attendre l'impossible.

L'impossible ? Non... Tout se tient... Les animaux enlevés... Les aortes des capucins nouées avec doigté... Les mâles mutilés... Son degré de connaissance dans la taxidermie... L'entraînement sur des chats... Et comme par hasard on trouve une SPA à proximité de l'endroit du premier meurtre. La présence des animaux est récurrente, trop flagrante. Le tueur n'a pris goût à l'humain que très récemment. Depuis Mélodie Cunar, qui a déchaîné sa folie... Mais avant... Avant, il n'y avait que... les bêtes... pour le satisfaire... Deux mille... animaux... pour Fragonard... Il... vou...

— ...ame ? ...dame ? *Madame ?*

Sursauts hasardeux. Roulements d'yeux. Lucie s'arracha de son siège, bouche ouverte.

— Je... Quoi ? Oui, excusez-moi... Que... Quelle heure ?

— Dites donc ! Ça vous arrive souvent de dormir les yeux ouverts ? Nuit agitée ?

— Affaire délicate, répliqua Lucie. Alors, le verdict ?

— J'ai vos chiffres en long et en large ! Soixante-deux personnes ont déjà adopté plus de deux animaux.

Vingt et une plus de trois. Se détachent du lot quatre candidates, de véritables arches de Noé ambulantes !

La fatigue s'évanouit instantanément.

— Donnez-moi les détails !

La Corneille esquissa un sourire en coin, traînant volontairement pour taquiner le poisson.

— Les fiches vous attendent sur l'écran de l'ordinateur...

Lucie se rua dans la pièce voisine, où il lui sembla percevoir des odeurs d'hôpitaux, genre bétadine, dakin, éther.

— Oh là ! Doucement, jeune dame ! Alors voilà la première de nos quatre tutrices... Fernande Dutour. Une retraitée qui a adopté treize chats noirs. Peut-être une sorcière, qui sait ?

Lucie assimila les informations d'un œil photographique. La femme habitait un patelin au sud de Dunkerque. Son âge, soixante-douze ans, était un critère éliminatoire.

Du bout du gant, Corneille enfonça la touche « entrée ». D'autres noms apparurent. Ne jaillissait de l'amalgame informatique que des vieilles dames, minimum la soixantaine. Le profil de l'assassin qu'elle avait dressé projetait un âge entre vingt-cinq et cinquante ans. Un être armé de forces suffisantes pour porter un loup sur les épaules, des doigts habiles et sans arthrose pour nouer les aortes minuscules, un physique et un psychique capables de combler les appétits sexuels de Vervaecke.

Autant de divergences qui lui brisèrent le moral.

— Vous êtes certaine qu'il n'y a personne d'autre ?

— L'ordinateur est formel, toutes les adoptions sont enregistrées. On peut consulter la liste des clients avec trois animaux si vous voulez.

— Non, pas la peine.

Lucie fixa son interlocutrice dans les yeux.

— Comment vérifiez-vous l'âge des tuteurs ?

— Drôle de question... On ne vérifie pas. Il s'agit juste d'un critère informatif pour l'ordinateur, rien d'autre. Qui aurait intérêt à mentir sur son âge ? Et puis vous savez, si une personne de quarante ans nous affirme qu'elle en a soixante-dix, nous risquons de ne pas la prendre au sérieux. Je connais ces quatre clientes, elles viennent ou venaient régulièrement ici. Je vous garantis qu'elles font bien leur âge !

Lucie n'en démordait pas. Les quatre femmes habitaient la campagne autour de Dunkerque. Alimentaient-elles un enfant, un mari plus jeune et passionné de taxidermie ? Utilisaient-elles le voile de la vieillesse pour masquer les soupçons ?

— Vous arrive-t-il de vérifier ce qu'il advient des animaux adoptés ?

Corneille déshabilla Lucie du regard, balaya son corps de haut en bas, sans aucune gêne. Jalousie féminine ou autre chose ?

Lucie se sentit mal à l'aise. Autour, les odeurs médicamenteuses s'amplifiaient.

— Hmm... Jamais. Les contrats stipulent que les parents adoptifs doivent accepter la visite d'un contrôleur de la SPA. Du pur baratin. On a bien d'autres chats à fouetter.

Lucie se pencha sur l'ordinateur et écrasa un doigt sur l'écran.

— Est-il possible de consulter la liste des animaux adoptés par ces femmes, de connaître leur sexe, leur race ?

Corneille se plaça derrière elle tout en plongeant une main dans la poche de son gilet.

— Évidemment. Regardez l'écran, il suffit de...

Une porte claqua. Une femme se présenta sur le seuil, un chien en miettes dans les bras. Le museau transformé en groin. L'humain gémissait plus que la bête.

— Il s'est fait renverser par une voiture !. pleurnicha-t-elle.

Corneille sortit un kleenex et se moucha.

— J'arrive madame !

Elle s'adressa à Lucie :

— Je vous laisse fouiner. Faites F1 pour l'aide. La marche à suivre est indiquée pour naviguer dans l'application. Évitez d'aller trifouiller dans mes dossiers. Ça va aller ?

— J'ai l'habitude, répliqua le policier avec un sourire.

Corneille ôta ses gants, enfila une blouse et disparut dans un glissement de coton.

Lucie s'attela à la tâche. Elle trouva rapidement le moyen de consulter la liste des animaux adoptés. Chaque élément se trouvait sur une fiche détaillée. Nom, origine, âge, race, sexe, poids, couleur, suivi des vaccins, des interventions.

Dutour, la femme aux treize chats noirs, n'avait adopté que des mâles, ce qui contredisait la logique du tueur qui ne glorifiait que les femelles. Viviane Delahaie, elle, jouait dans la diversité canine. Des chiens de toutes races, de tous âges, sexe indifférent.

Pas de suivi. Dernier animal adopté en 2002. Lucie nota le nom et l'adresse sur son carnet, sans réelle conviction.

Elle bascula sur la fiche suivante. Renée Lafargue. Soixante-trois ans. Dix-huit bêtes adoptées. D'abord douze chats, puis six chiens. Comment des animaux qui se détestent par nature pouvaient-ils cohabiter en si grand nombre ? Le cœur de Lucie s'intensifiait en rebonds au fur et à mesure que ses yeux digéraient la liste. Seules des femelles avaient été adoptées. Hormis l'âge de la tutrice, tout concordait.

Merde !

Elle se frappa le front. La majeure partie des animaux présentait un suivi vétérinaire sur plusieurs années. Rappels de vaccins, interventions. Ce qui excluait leur mise à mort.

Le brigadier afficha le dernier dossier. Une dame qui ne s'intéressait qu'aux oiseaux. Canaris, inséparables, perruches...

La piste volait en éclats, ses rêves de gloire personnelle s'évanouissaient.

Pas possible, c'est forcément là !

Était-il envisageable que les dossiers aient été trafiqués ? Que cette Renée Lafargue, avec ses chiennes et ses chattes, soit effectivement le tueur ?

Arrête. C'est complètement stupide.

Elle avala à nouveau les dossiers en long en large, à la recherche d'un détail, d'éléments qui allaient dans le sens de l'enquête, de la logique meurtrière. Les écrans se succédaient. Âges, races, poids, couleurs...

Les noms donnés aux neuf chiens de Viviane Delahaie accrochèrent son regard. Lucie remarqua que la septuagénaire s'était inspirée de la mythologie antique pour nommer ses compagnons. Sisyphe, Esculape, Lycaon pour les mâles. Sthéno, Scylla, Euryale, Ocypétés, Célaeno, Thétis pour les femelles.

Elle faillit fermer la fiche mais un mot retentit dans sa tête.

Immortelles.

Scylla... un monstre qui dévorait les marins circulant

entre ses rochers. Sthéno et Euryale... deux des trois Gorgones, si ses souvenirs étaient bons, aux cheveux de serpents, qui transformaient en pierre les mâles assez téméraires pour porter le regard sur elles.

Des immortelles particulièrement cruelles à l'égard des hommes. Des immortelles, comme par hasard... Lucie se prit la tête dans les mains et ferma les yeux.

La majeure partie des psychopathes expriment ouvertement leurs sentiments dans le quotidien, au travers d'actes ou de comportements anodins. Otis Toole et Peter Kurten étaient fascinés par le feu, symbole très fort de destruction. Jeffrey Dahmer adorait aller à la pêche avec son père, pour le simple plaisir d'éventrer les poissons... Et s'il existait un message dissimulé derrière les noms de ces chiens ? Un moyen subtil de se moquer du monde en disant : « Je vous exprime ouvertement ce que je vais faire de ces animaux, et vous ne voyez rien ? » Et si cette liste était son « erreur de jeunesse », celle qui trahissait sa nature profonde ?

Malheureusement, ses connaissances en mythologie ne lui permettaient pas de conforter sa théorie. Elle chercha une connexion à internet mais n'en trouva pas.

Merde ! Et puis merde !

Solution de secours, le portable magique. Elle appela sa mère, inventa une histoire à dormir debout avant de lui demander de faire une recherche dans son encyclopédie.

Les réponses tombèrent. Des couperets.

Ocypétés et Célaeno, des monstres épouvantables, les Harpies, qui torturaient les mortels et enlevaient leurs enfants. Immortelles.

Thétis, sirène au chant venimeux. Immortelle.

Esculape, fils d'Apollon et de Coronis. Mortel.

Lycaon, roi d'Arcadie, foudroyé par Zeus parce qu'il avait tué un enfant. Mortel.

Sisyphe, condamné à pousser un rocher qui retombait sans cesse. Mortel.

— Merci maman !

Chiens mortels, chiennes immortelles. On mutile les mâles, on naturalise les femelles.

Lucie gribouilla un « merci » qu'elle abandonna sur le clavier avant de s'évaporer. Dans sa voiture, elle rouvrit son carnet, les doigts tremblants. Viviane Delahaie... Le seul point convergeant de ses déductions, l'œil du cyclone. Et pourtant, tout jouait contre le profil établi. L'âge de Delahaie, le mélange des sexes, le suivi vétérinaire, l'absence de chats sur lesquels l'assassin avait fait ses premières armes.

Mais il fallait vérifier. Au pire, elle perdrait une heure...

À un feu tricolore, elle observa longuement les paumes de ses mains, leurs lignes de vie...

Et si c'était vrai ?

Elle grelottait.

Elle quitta Petite-Synthe et s'envola pour la ville aux blockhaus gigantesques.

Et sa forêt profonde...

41

La chair du ventre frémit. Une fois. Une deuxième, au même endroit, juste sous le nombril. Le petit être qui habitait Caroline Boidin jouait dans son univers liquide.

La femme enceinte était couchée sur un tapis d'écorces de pin, complètement nue. Les solides cordes enroulées autour de ses membres creusaient sa peau d'un filet brûlant et empêchaient toute manœuvre autre que la reptation primitive. Mais la morsure des liens était incomparablement plus douce que celle du froid. Son corps tout entier puisait dans des ressources secrètes pour alimenter les radiateurs internes, pour que la température au sein du placenta conserve sa constance. La moindre variation prolongée pouvait être fatale au bébé.

La future maman utilisa ses coudes pour s'arc-bouter et, au prix d'efforts démesurés, gagner la position assise. Les écorces dans sa chair excitèrent ses récepteurs à la douleur. D'un instant à l'autre, elle craquerait et finirait par exploser en pleurs.

Pour la première fois depuis son réveil, ses narines vibrèrent. Une odeur de crème parfumée se mêlait à la puanteur du cuir. D'où venait-elle ? Elle renifla ses épaules, ses seins, passa la langue sur les parties accessibles de son corps. On l'avait aspergée d'huiles végétales, comme si on la préparait à un sacrifice. Elle refusa de pousser ses pensées plus avant, focalisant son attention sur le pavé de chair étalé au centre de la cave.

— Monsieur... Monsieur ! Réveillez-vous... Je vous... en prie... À l'aide... S'il... vous plaît...

Elle murmurait, de peur d'alerter le démon au scalpel. L'homme nu ne réagissait pas. La vieille femme à la force surhumaine l'avait sanglé sur une table de métal, bordée de gouttières en zinc qui se jetaient dans une bassine. À quoi pouvaient bien servir ces goulottes ?

À évacuer les écoulements corporels... De l'urine, du sang !

Non ! Arrête de penser, je t'en prie !

En dépit des nombreuses écorchures, Caroline réussit à trouver la position verticale qu'elle entretint d'un équilibre fragile. Pieds liés, elle sautilla en direction de la table. Pas longtemps. Les vagues inégales de la mer d'écorces plièrent ses chevilles et la précipitèrent vers le sol. Elle chuta lourdement sur le ventre. La douleur, cette fois, fut morale.

Le bébé ! Non !

Elle se retourna en se tortillant, fixa la courbe vallonnée, espérant un battement, la chatouille interne d'un coup de pied.

Rien ne vint.

Pitié...

C'est... C'est parce qu'il... ne veut plus bouger... Il en a assez... Ça recommencera... tout à l'heure... J'en suis sûre... Oh mon bébé !

Elle refoula ses interrogations, ses peurs qui lui emprisonnaient l'esprit et l'empêchaient d'agir. La priorité était la fuite. Debout, elle avait entraperçu un tas d'outils étincelants. Des lames, des dizaines de lames enchâssées dans des manches en ivoire. Et aussi des marteaux, des tenailles, des burins. L'atelier diabolique d'une folle. Son regard se posa sur la couverture d'un livre, posé juste devant son nez. Couverture moisie, papier croqué.

Anatomia Magistri Nicolai Physici, *un traité d'anatomie... À quoi... peut-il bien servir ? Que... Arrête ! Arrête de penser ! Ces lames que tu as vues vont te permettre de couper tes liens !*

De la pointe des pieds, elle déblaya un maximum d'écorces de pin sur les côtés, rampa vers le mur tapissé de peaux animales, groupa ses jambes contre son ventre et arracha son corps de terre.

Sa gorge se serrait, ses muscles se gorgeaient d'acide, épuisant sa volonté, sa force de se surpasser. Une fois debout, elle bondit sur les zones dégagées et gagna enfin la table sur laquelle elle s'appuya. Un panoramique l'assaillit de visions insoutenables. Elle ferma les yeux, inspira, se refusa à analyser les toiles d'horreur qui l'entouraient.

Voilà... Respire... Doucement... Tes yeux ne doivent servir qu'à t'orienter... Vois mais ne regarde pas...

La femme focalisa son attention sur l'être sanglé.

Comme une bête... Il est attaché comme une bête...

— Monsieur... Monsieur...

Un visage peut fondre, l'homme en était l'exemple flagrant. Son profil droit criblé de boursouflures luisait, des suintements blanchâtres s'écoulaient par les pores de sa joue. Plus bas sur le corps, une autre surprise paralysa Caroline. Un macabre jeu de massacre sur de la viande humaine.

La cuisse droite était ouverte. Les strates de chair

prises dans des forceps dévoilaient un canyon sanglant. Au fond de ces gorges pourpres le totem blanc du fémur, puis, tout contre lui, un nerf transpercé de cinq aiguilles.

Caroline se sentit défaillir. Elle chuta sur la table, menton en avant, mains liées derrière le dos. La douleur provoquée par une telle torture devait être insupportable.

Elle posa son oreille sur la poitrine de l'homme, à proximité d'un médaillon qui protégeait la photo d'une très jolie femme.

Le cœur battait encore. On essayait de le disséquer... vivant...

Cette fois, la panique envahit la future maman. Sa cadence respiratoire tripla, la salive déserta sa langue. Son organisme tout entier réclamait la fuite. Les cordes se serrèrent plus encore lorsqu'elle en éprouva la résistance.

Malgré les liens, elle agrippa le bras de l'homme et le pinça de toutes ses forces.

— Réveillez-vous, s'il vous plaît !

Sylvain Coutteure ne parvint à ouvrir qu'un œil. Les renflements autour de son orbite droite interdisaient tout mouvement de paupière. Une tache brune croûtait sur son arcade.

— Qu'est-ce... qui... m'arrive ? bafouilla-t-il. Ça brûle !

— Chut ! Taisez-vous ! Elle pourrait revenir ! On... On doit sortir d'ici !

Sylvain serra les poings, crispa les orteils, força sur les sangles. Le nerf à vif remplit son rôle. L'arc de douleur qui se propagea de la cuisse ouverte à la moelle épinière lui révulsa les yeux.

Deux globes blancs sur un visage de cratères.

Ses lèvres moussaient d'écume. La convulsion guettait, la mort déployait ses fins tentacules. Affolements organiques, dérèglements hormonaux. Fièvre, spasmes, suées. Quand il émergea de son voile laiteux, il leva légèrement la tête, découvrit le grand sourire de sa cuisse.

— Seigneur... Qu'est-ce qu'elle m'a fait...

Il claquait des dents. Ses chairs vibraient, son corps résonnait de tremblements.

— Calmez-vous... tempéra Caroline... Écoutez, je...

— La petite diabétique... Où est-elle...

— La... la... la petite diabétique ? Celle de la télé ? Vous voulez dire que... c'est cette vieille femme qui... qui a assassiné l'enfant dans l'entrepôt et qui... qui détient l'autre petite ?

Sylvain tourna sa demi-face vers elle.

— Elles sont deux... Deux folles...

Son visage se tordit en un masque déformé.

— Aidez-moi à mourir... Je vous en prie... Approchez vos mains de ma bouche... Je vais essayer de... défaire les nœuds... Et promettez-moi... que vous me donnerez un de ces scalpels...

— Je ne peux pas faire ça ! On va s'en sortir !

— Je ne veux pas m'en sortir... Ma femme et ma fille sont mortes. Promettez...

Caroline pleura lentement les syllabes :

— Pro... mis...

Les dents de Sylvain attaquèrent le nylon. Une partie de sa lèvre inférieure craqua. Un morceau de joue se déchira. Il hurla.

Dans un cône d'obscurité, une porte déversa un grincement paralysant.

— Je vois qu'on ne s'ennuie pas, miaula une voix.

L'ombre s'étira jusqu'au mur et un visage apparut. Une blancheur d'albâtre dans un trou de ténèbres.

Les deux prisonniers n'en crurent pas leurs yeux...

C'était irrationnel...

42

L'évidence se nichait là, depuis le début. Dès les premiers feux de l'enquête, ils auraient pu remonter jusqu'à ce Vigo Nowak. S'ils avaient eu la brillante idée de s'intéresser plus tôt à la liste des licenciés fournie par Vignys Industries.

Pierre Norman rageait. À la suite des déductions établies à l'endroit où Cunar avait été percuté, on savait que le chauffard avait attaché une grande attention à éliminer les pièces à risques. Le sang essuyé, le cadavre embarqué dans le coffre et, plus significatif, le prélèvement des morceaux de phare. Certainement l'acte le plus révélateur sur sa personnalité, sa volonté de faire les choses jusqu'au bout, sa connaissance des capacités de la police à exploiter l'invisible. On supposait aussi que ce même individu avait taggué son ancienne entreprise et donc que son nom figurait sur une liste d'une centaine d'employés.

En parcourant lui-même cette liste des yeux, Pierre Norman était tombé sur un patronyme qui avait mis ses méninges sens dessus dessous. Nowak. Cinq lettres identiques à celles affichées en haut du rapport d'expertise sur les traces de freinage. Après une rapide vérification, le lieutenant avait découvert que Vigo Nowak, licencié par Vignys, était le frère de Stanislas Nowak, expert de la police scientifique...

Arrivé à la périphérie du pays noir, le flic jeta un regard sur l'horizon encore éteint. Partout des dos ronds de schistes, jaillis de ces brumes que le Nord traîne partout, comme une malédiction. Sous le sol, invisible, un véritable gruyère. Des veines creuses qui serpentent sous les maisons. Des trous de neuf cents mètres au-dessus desquels courent des enfants. Un univers de pierre bâti sur un puits de ténèbres.

Durant le trajet, Norman n'avait pas décoché un mot aux deux collègues qui l'accompagnaient. Il songeait à ces destins unis à jamais en une tresse de sang. Ces vies qui s'effritaient comme du papier de verre, ce mal qui engendrait le mal, qui s'alimentait de ses victoires sur les âmes fragiles.

Le rouge des camions de pompiers et les gyrophares dissipèrent ses cyclones intérieurs. Il se gara à la hâte devant chez Nowak, rejoignit l'attroupement en uniforme, suivi par sa paire accompagnatrice. Pas de lances à incendie, pas de flammes ni de fumée. Juste un froid de corons. Des visages ravagés par l'incompréhension. Des badauds matinaux.

Norman se présenta au capitaine du commissariat de Lens, expliqua la raison de sa présence. Une histoire de magot volé.

Échange de formalités. L'homme lui résuma la situation, l'accent bien écrasé.

— Les pompiers ont été alertés vers six heures trente par un type qui partait travailler. De la fumée montait de derrière la maison. Une fois sur place, le feu s'était déjà éteint. Une réserve à charbon a brûlé en partie. Il n'y avait pas de bois, hormis la porte, quelques planches... Du papier, du plastique. Les poutres de la charpente étaient en métal, le toit en tuiles, les murs en brique. Pas d'isolation, rien. Le feu s'est donc rapidement étouffé sans causer énormément de dégâts... Enfin presque...

Il invita Norman à le suivre.

— On a retrouvé un corps carbonisé à l'intérieur. Pas beau à voir... D'après les analyses préliminaires des experts, il aurait été aspergé d'un liquide inflammable. De l'essence ou du pétrole...

Norman tapa du poing dans sa paume gauche.

— Une idée sur l'identité ?

— Une gourmette autour du poignet avec le prénom Vigo. Une chaîne autour du cou reconnue par les parents de Nowak. Le labo confirmera formellement l'identité à partir de l'ADN ou des empreintes dentaires.

Le lieutenant shoota dans des gravillons. Nowak, doublé par un complice trop gourmand. Ou alors un malentendu, un règlement de comptes ?

Il désigna la maison mitoyenne.

— Le voisin n'a rien entendu ?

— Il n'y a personne, ses volets sont baissés, pas de voiture. Il est sans doute parti en vacances dans sa famille.

— Et les autres voisins ?

— Tous des vieux. Un peu durs d'oreille, si vous voyez ce que je veux dire...

— Il s'agit de la voiture de Nowak, là ?

— Oui.

— Où se trouve le corps ?

— Dans la remise. Je ne vous le conseille pas... Il doit partir pour l'institut de Lille d'ici une heure. Sale affaire, n'est-ce pas ?

L'enquête se ramifiait avec la hargne d'un fleuve

fougueux. Après une profonde inspiration, le lieutenant sortit la liste des employés de Vignys, pointa le nom de Sylvain Coutteure. Le seul licencié qui habitait aussi dans cet univers de schiste.

— Pouvez-vous me dire où se trouve cette adresse ?

Le capitaine ôta ses gants et chaussa sa paire de lunettes. Ses yeux manquèrent de traverser les verres.

— Vous déconnez ou quoi ?

— Qu'y a-t-il ?

— La mère Coutteure passe à leur fermette tous les matins. Elle a appelé voilà une heure. La femme et la fille de Sylvain Coutteure sont décédées. Intoxiquées au monoxyde de carbone. Quant à lui... introuvable...

Norman secoua la tête. Longuement... Les voix ne lui parvenaient plus que par bribes.

Sa jambe droite se mit à vibrer. Un appel... Il sortit le portable de sa poche et le plaqua sur l'oreille.

— J'écoute !

Le policier lensois l'observa du coin de l'œil. Il vit, pour la première fois de sa vie, les traits d'un être se décomposer.

Rien ne différenciait Norman d'un mort vivant lorsqu'il raccrocha...

43

Les entrelacs de branches se comprimaient jusqu'à voiler le ciel naissant d'un rideau opaque. Lucie serrait son volant plus que nécessaire. Les troncs noueux des vieux arbres lui suggéraient, depuis le plus jeune âge, des masques hurlants, des êtres prisonniers de l'écorce, comme ces insectes, piégés dans l'ambre. Une peur de gamine, tenace et indélébile. Comme quoi, on peut très bien côtoyer mentalement les pires meurtriers de la planète et mourir de peur devant de stupides morceaux d'écorce.

Aujourd'hui, elle affrontait ses démons enfouis, remontait à la source, traquait le mal dans sa forme la plus primitive.

L'être de flammes replié aux portes des ténèbres l'attendait.

J'aimerais que cela dure des siècles. C'est tellement passionnant.

Tu es folle ! Tu es là pour tuer le mal, pas pour l'entretenir !

La diode clignotante de son portable vira au rouge. Plus de réseau. L'épaisse ceinture d'arbres renforçait son étreinte.

Tous les ingrédients sont réunis ! Tu vérifies la présence des animaux et tu disparais...

Un mince lacet de terre relaya le bitume craquelé. Au milieu de nulle part, une voiture immatriculée soixante-deux. Lucie enfonça la pédale de frein, fouilla d'un œil perçant au travers des rideaux serrés de troncs. Elle n'osait baisser la vitre.

Qu'est-ce qu'une voiture du Pas-de-Calais fiche à cette heure dans ce trou perdu ?

Elle hésita à ouvrir la portière, à déranger les spectres tenaces de l'aube.

Jamais ! Plutôt mourir que de sortir ici !

Elle reprit le chemin au ralenti, se persuadant qu'il s'agissait de chasseurs.

Chasser par cette obscurité ?

Le chemin de terre déposa le quatre roues bringuebalant devant une maison à la moelle infestée de tortuosités végétales. Lucie réprima un frisson.

Non... Tu es folle d'être venue ici ! Pour rien en plus ! Fais demi-tour !

Elle regonfla ses poumons d'air, fourra son Beretta chargé dans la poche intérieure de son blouson, remonta la fermeture Éclair jusqu'au cou et enfila ses gants. Quand elle ouvrit la portière, son épiderme fut saisi par le froid des profondeurs boisées.

Après avoir slalomé au pas de course entre des monts d'encombrants, des échardes menaçantes, des câbles tendus au sol, elle plaqua son oreille contre la porte. Aucun aboiement. Le silence des choses mortes.

Elle frappa. Encore. Et encore...

Personne ! Ou alors cette vieille peau est sourde !

Lucie s'éloigna à reculons. Le bois gémissait, des grincements grimpaient des tréfonds invisibles. Au-delà, des coulées de brume se déversaient lentement.

Le Petit Poucet. Evil Dead. Blair Witch. Délivrance. La forêt, autel de tous les carnages.

Allez ! Un petit... effort... Tu aimes... tellement te faire... peur... On va voir... ce que tu as... dans le ventre !

La feuille tremblante longea la façade, s'approcha d'une fenêtre contre laquelle elle appuya une main en visière. Son intrusion visuelle ne lui renvoya que des formes opaques. Elle regretta d'avoir oublié de prendre une torche et affûta sa vue. Des taches difformes se décrochèrent du mur. Irrégulières, volumineuses. Ces masses curieuses conservaient leur mystère en dépit de ses efforts. Exaspérée, elle éprouva le vieux bois de poussées mesurées, fit vibrer les vitres avec l'espoir de faire céder un loquet intérieur mal rabattu. En vain.

La jeune femme fit le tour de la propriété, cogna contre chaque carreau, conservant une main contre le lierre pour se rassurer. Ses bottines s'enfonçaient dans des sillons gelés, dérangeant des feuilles décomposées, des branchages malades. Pour rompre la démesure du silence, elle chantonnait dans sa tête.

Un, deux, trois, nous irons au bois... Quatre, cinq, six, cueillir des cerises...

Géniale la chanson, de circonstance !

Revenue à son point de départ, Lucie s'immobilisa. Avec les coups sur les vitres, les canidés auraient dû s'exciter. Pourquoi la demeure renvoyait-elle cette impression d'inhabité ? Le colosse de brique ne respirait plus. La vieille avait dû déménager avec sa horde poilue pour un endroit plus accessible.

Ou alors elle est morte ! Et si personne n'était au courant ? Imagine ! Son corps pourrissant à l'intérieur, les bêtes qui s'entre-bouffent avant de mourir de faim ! Ici, pas de téléphone. Tout juste l'électricité. Et encore...

Lucie se rongea les gants. Que faire ? Mettre les voiles, patienter encore un peu ? Attendre quoi ? Elle creusa un sillon dans l'humus et dévoila la rondeur d'une pierre qu'elle ramassa. Elle soupesa le projectile.

Et vlan ! Pourquoi ne pas la balancer dans un carreau ?

Elle tourna sur elle-même, étouffée par la pression des tentacules d'écorce qui se massaient par-dessus sa tête. Même si l'œil noir de la forêt l'observait, personne ne pourrait la surprendre. Elle ferait un petit tour à l'intérieur puis disparaîtrait. Si elle ne mourait pas d'une crise cardiaque avant.

Oui mais si elle dort ? Si elle est sourde et qu'elle te découvre soudain chez elle ?

Elle arma le bras mais capitula au dernier moment. Plus personne n'habitait sous cette muraille de lierre. Peine perdue. Sa déception se traduisit en une ode aux noms d'oiseaux.

Elle rebroussa chemin, se mit au volant, réveilla les phares.

Mais oui ! Utilise les phares pour voir à l'intérieur de la maison ! Quelle idiote !

Soudain, une voix l'immobilisa. Un filet de miel aux tonalités de granit.

— Qu'est-ce que vous voulez ?

Lucie manqua d'oxygène. Se dressait dans les faisceaux lumineux une perle de magazine. Au moins un mètre quatre-vingts de prestance, chevelure brune rassemblée en chignon, la rigueur des traits celtes encadrant les douceurs orientales. Épaules carrées, malgré tout. Muscles frissonnants, sans doute. Le félin portait un pull style indien aux manches trop longues et un pantalon côtelé d'hiver.

— Je... Ex... Excusez-moi, bafouilla Lucie. Je m'apprêtais à repartir...

— Il est un peu tôt pour déranger les gens, vous ne croyez pas ? J'étais dans ma chambre. Le temps de m'habiller à la va-vite...

Lucie se racla la gorge.

— En fait, je souhaitais rencontrer Viviane Delahaie. Vous la connaissez ?

Le brigadier lui donnait vingt-cinq, maximum trente ans. Une étrange appréhension courait dans son esprit. Un curieux sentiment d'avoir déjà croisé ce regard, ces yeux au voile mystérieux. Dans une grande surface ? À Malo ? Où exactement ?

— Ma mère est décédée l'année dernière. Désormais, je m'occupe seule de cette maison... Vos phares s'il vous plaît ! Je les reçois en pleine figure !

Lucie se pencha dans l'habitacle et s'avança à nouveau.

— Désolée... Je... travaille pour la SPA de Petite-Synthe. On mène une enquête sur le devenir des animaux adoptés. Votre mère avait recueilli neuf chiens... Que sont-ils devenus après sa disparition ?

La femme aux iris de chat égyptien s'écarta du battant de la porte.

— Je peux voir votre carte ?

Elle dévoila un sourire de star hollywoodienne.

— Je plaisante. Entrez, je vais vous expliquer !

Elle est vraiment somptueuse, songea Lucie.

Le policier s'avança sur le seuil où un arc de lierre l'agrippa de ses appendices humides. La porte se referma avec son grincement de circonstance, piégeant Lucie dans un hall oblong dépourvu de fenêtres.

— L'électricité ne fonctionne plus depuis hier, s'excusa la femme. Avec ma mère, nous y avions droit à chaque hiver. Un électricien doit passer aujourd'hui. Ne bougez pas, je vais chercher un chandelier, OK ? Le jour se lève très en retard ici. D'ailleurs, même l'été, on allume parfois la lumière.

— Très bien...

La femme se dissout dans la gueule obscure. Lucie ôta ses gants et les renfila aussitôt. Une température effroyable coulait des vieilles briques. Pas de chauffage non plus. Comment pouvait-on vivre dans un tel congélateur ? Rien ne la rassurait ici. Tout aurait pu coïncider avec l'enquête. La grande maison, l'isolement, l'absence des neuf chiens. Et même, à présent, l'âge, la physionomie de la propriétaire. Grande, forte. Suffisamment intrigante pour apprivoiser Vervaecke.

Sans oublier le pull aux manches trop longues qui dissimulait les mains.

Le doute s'empara du policier, la fragilisant davantage. Elle remonta le mur gauche du hall à tâtons, intriguée par les masses entraperçues au travers de la fenêtre. Il fallait vérifier. Était-il possible que...

Ses doigts palpèrent une embrasure qui la jeta dans une pièce immense percée de deux fenêtres. Au fond, dans l'agonie du jour, elle crut deviner la carcasse géante d'une cheminée. Les taches s'accrochaient aux parois en formes indéfinissables.

Faites que ce ne soit pas ça...

Elle longea le mur, évoluant en crabe jusqu'à se positionner sous le premier renflement, et leva la main.

Des poils. Un groin. Des canines. La tête tranchée d'un sanglier.

Sa respiration s'accéléra. Elle vola jusqu'aux autres silhouettes déchirées. Biches, cerfs, renards ! Partout des têtes, des bustes figés. Et là, devant, au bord de l'âtre endormi ! Des crânes, de toutes tailles ! Des pattes coupées, des sabots sectionnés ! Des poupées aussi ! De véritables *Helen Kish* ou *Beauty Eaton* !

Le flic en dérive se laissa gagner par la terreur. Elle fonça vers le centre de la pièce en ouvrant la fermeture Éclair de sa parka.

Son genou percuta une table basse, l'immobilisant instantanément sous l'effet de la douleur.

Un crochet puissant lui pressa le visage. Cinq unités de chair qui appuyaient un coton sous son nez, alors qu'un serpent décidé s'enroulait autour de son cou.

— Ne bouge pas ma petite, murmura la voix. Je voulais venir à toi et c'est toi qui es venue à moi. Peut-on souhaiter meilleur signe du destin ?

Lucie bloqua l'air dans ses poumons, frappa des pieds partout où elle pouvait. Des objets volèrent, des cris éclatèrent. Elle perdait la maîtrise de ses mouvements. Oubliées les prises d'autodéfense enseignées aux cours. Ne jaillissaient de son corps que du brut, de l'instinct. Des déchirures d'ongles, des grognements bestiaux. Ses mâchoires rencontrèrent le bras ennemi et se rabattirent comme un clapet. La femme hurla en relâchant sa prise. Un coup de coude dans le plexus la plia en deux.

— Pe... tite... sa... lope !

Lucie roula, plongea la main dans son blouson. Poche vide. Affolée, elle rampa, décrivit de grands arcs de cercles sur le sol. Halètements de détresse. Un corps en dérive. Une barque sans rames. Après maints tâtonnements, ses phalanges enveloppèrent enfin la crosse du Beretta.

— Ne bougez plus ! hurla-t-elle.

Des bruits de pas. Un courant d'air. Une porte qui claque au fond de la pièce.

Lucie se frotta le front. Les vapeurs nauséeuses de

l'éther envahissaient son crâne, envahissaient sa réflexion. Elle s'appuya sur la table, se releva, chancelante. Ses pupilles s'accoutumaient à l'obscurité, dépouillant la pièce de ses zones cachées. Les faces brunes des animaux gagnaient peu à peu en détails, les mâchoires retrouvaient leur blancheur d'émail.

L'arme tendue, elle défia les ténèbres, progressa jusqu'à la porte du fond où avait disparu son agresseur. Du bout des dents, elle ôta ses gants. Sa paume droite s'enroula autour de la crosse du revolver.

Un bilan, vite ! Que faire ? La situation était pourtant d'une clarté cristalline. Impossible de joindre le monde de la lumière. Pas de téléphone.

Deux solutions. L'une raisonnable. Fuir, faire demi-tour, trouver le réseau et alerter les renforts. Réagir dans les règles apprises à l'école de police.

Ou alors agir. Affronter le monstre. Braquer autre chose que des cibles en carton. Toucher du doigt le vrai métier de flic.

Non... Tu ne peux pas... Tu n'en es pas capable...

Au contraire ! C'est toi là Lucie ! Ce pour quoi tu existes ! Tu atteins ton but ! Va au bout !

Des tas d'images démentes la harcelaient. Les sourires des jumelles. La chevelure rousse de Norman. Ses parents dans une balancelle. Des seringues d'insuline. Des veines, des aortes. Des cœurs palpitants.

Fais ça pour tes filles ! Qui les protégera de monstres pareils si tu ne le fais pas ?

Et qui les protégera si tu meurs ?

Elle frappa du poing sur un mur.

Allez !

L'instinct de prédation surpassa celui de mère et la

précipita dans la gorge humide d'un escalier en colimaçon. Elle plongeait dans l'obscurité de l'âme. Son âme...

La bête se décrocha de l'ombre et lui tomba dessus sans que, cette fois, elle puisse réagir. Les mandibules chargées de venin...

44

Lucie ravala son hurlement. Une bestiole à huit pattes, un monstre forgé par la rudesse de l'hiver ricocha au-dessus de son oreille gauche, glissa sur son épaule avant de fondre dans un interstice. La main tremblante du policier palpa un interrupteur qu'elle enfonça par réflexe. Un voile sombre, peu engageant, se déversa des voûtes de brique. L'électricité fonctionnait à merveille.

Que faire à présent ? Descendre... Acculer la femme dans un cul-de-sac... Au mieux, la contraindre à se rendre... Au pire...

Franges d'hésitation... Démarche chancelante... Marche arrière... Retour à la lumière... Des sons grimpèrent du fond des abysses. Pas des sons. Des plaintes terribles. Les gémissements longs et pénétrants d'une voix féminine.

Seigneur ! La petite Éléonore ! Est-il possible que...

Lucie s'appuya contre une paroi, tétanisée. Elle s'efforça de maîtriser sa respiration. Le haut ou le bas ? L'ombre ou la lumière ? La vie ou la mort ?

Elle se décida à descendre.

Elle venait de percer la dure-mère du tueur, l'une des fines membranes autour du cerveau, et s'approchait dangereusement de l'arachnoïde, une autre membrane plus fine, plus proche de la vérité...

Com... Combien de marches as-tu déjà descendues ? Vingt ? Trente ?

Impossible de savoir d'où provenaient les lamentations, les jeux d'échos brouillaient les radars internes. Alors que l'escalier continuait à déverser ses lames de pierre dans les profondeurs du cerveau, Lucie bifurqua dans une galerie mal éclairée...

L'arachnoïde.

Le policier aiguisa ses sens, communia avec la roche en une progression silencieuse. Les techniques d'intervention en zone risquée lui revenaient à l'esprit. Balayer d'abord les zones aveugles. Fermer les périmètres et les sécuriser au fil de l'avancée. Puis surveiller en permanence les voies d'intrusion possibles. Elle plongea dans une première cave.

Poussière. Toiles opaques. Moisissure. Accueil pour les damnés.

Au fond, deux congélateurs ronronnant, reliés à des tresses électriques. Des diodes rouges, signalant que les appareils fonctionnaient au plus fort de leur pouvoir de congélation. Lucie se faufila entre les cubes métalliques. Elle ouvrit le premier, une lampe interne éclaira la pièce.

La mort surgit.

Dans le confinement, des gueules pétrifiées de wallabies. Des chats empaquetés, raides comme des nerfs de bœuf. Un yorkshire coupé en deux, sans train arrière, vestige peu glorieux du fameux Claquette. Lucie dut solliciter toute sa sauvagerie intérieure pour ne pas chanceler. Le deuxième cercueil de glace renfermait pire encore.

De l'humain.

Une femme chauve recroquevillée en position fœtale. Les pupilles translucides, le regard polaire, un point pourpre proche de la moelle épinière. Le baiser fatal d'une lame.

Norman avait parlé d'une femme chauve. Vervaecke, la vétérinaire, désormais comprimée dans un monde d'icebergs. L'amante diabolique tombée sur plus forte qu'elle. Future écorchée.

Une lamentation plus prononcée s'échappa des entrailles souterraines. Lucie secoua la tête, retrouva ses esprits et, le souffle court, se focalisa sur l'entrée.

Bon sang ! Tu... Tu aurais pu te laisser surprendre... Tes émotions ne... doivent pas... t'aveugler...

Continuer, coûte que coûte. Arracher l'enfant des griffes du monstre.

Devant, le boyau rectiligne, sa bouche infâme, ses multiples portes fermées. Combien de cadavres, de vies fauchées, s'entassaient dans ces cellules pourrissantes ?

Ce... Ce n'est pas possible... Tu te trouves en enfer...

Lucie rebroussa chemin. La conviction que les plaintes venaient de l'arrière, d'un autre sous-sol. Il fallait descendre, s'enfoncer plus encore sous le crâne.

Direction la pie-mère, membrane collée à l'encéphale. Irriguée de sang...

Un froid plus incisif encore, une obscurité plus épaisse. Des ampoules rouges à très faible puissance, comme dans les sous-marins. Des écorces de pin, répandues sur le sol, semblables à des globules entassés. Un tunnel en demi-lune. Et l'odeur du cuir.

C'est... ici que tu... as retenu la petite Mélodie Cunar... Seigneur...

Lucie chercha à capturer l'origine de la voix. Mais la plainte s'était éteinte. Silence complet.

S'il te plaît ! Aide-moi à m'orienter !

Soudain, derrière une porte, des crissements d'ongles. Une puanteur d'urine. Lucie affronta les épaisseurs d'écorce, ses cordes vocales peinèrent à vibrer.

— Éléo... nore ! Je... suis là... pour... t'aider !

Oh Seigneur ! Seigneur protégez-moi !

Pas de réponse. Muselée par la terreur. Dans quel état jaillirait le petit corps féminin ? Quel esprit pouvait résister au choc psychologique de l'enlèvement, de l'enfermement ?

À hauteur d'épaules, un loquet, rabattu de l'extérieur. Lucie le tira, le nuage rouge des ampoules gagna la pièce. Frémissements de peau, compacité des corps cachés. Puis des yeux qui s'allument. Des mâchoires qui s'écartent. Des griffes brandies.

La rage qui explose.

Des masses de poils lui lacérèrent le visage. Sa peau s'arracha, le goût du cuivre monta sur sa langue. Elle se jeta sur le sol, la face en avant, le nez dans les écorces. Elle hurlait à son tour. Les singes disparurent dans le couloir, la queue repliée entre leurs pattes. Des capucins, la peau sur les os.

Lucie ne percevait plus les battements de son cœur. Elle se releva, s'épongea les joues, le front avec l'intérieur molletonné de son blouson. Sa lèvre supérieure pissait le sang.

Dans la pièce déserte, des monts d'excréments. Du pain moisi, de la salade noire, des immondices. Cette fois, elle ne put contenir son estomac. Gerbe instantanée.

Les émanations de cuir atteignirent leur apogée dans les épaisseurs inexplorées du tunnel. Dernière porte. Lucie hésitait à ouvrir quand le gémissement l'attira une nouvelle fois vers l'escalier. Elle s'engouffra dans la bouche d'ombre. À des dizaines de mètres sous la surface, le foret de pierre atteignait la matière grise.

Elle touchait le fin fond du possible. En sang et complètement désorientée. Perdue. Affolée. Frôlant l'asphyxie.

L'encéphale. Réacteur des folies. Processeur du mal.

Des toiles d'araignées couvraient les murs, tels des réseaux neuronaux complexes. Des lampes noires de Wood allumèrent ses vêtements clairs. Les bandes jaunes de son blouson se mirent à luire. Elle ôta sa parka afin d'éviter de ressembler à une cible mouvante mais son pull en laine mauve s'embrasa comme pour indiquer : « pour me tuer, visez la grosse tache lumineuse ». Elle l'enleva aussi. Restait fort heureusement le Damart noir. Un mur de chaleur qui la rendait quasiment invisible. Mais pas invulnérable.

Deux caves à explorer.

Le cortex, siège des pensées et de la conscience.

Le cervelet, berceau des activités subconscientes.

Lucie passa une main sur son visage. Sa paume se couvrit de pourpre. Les entailles, notamment celles proches de l'œil gauche, étaient profondes. La folie guettait, perchée sur son âme.

La... la petite est forcément derrière l'une de ces portes... Même... Même si la femme brune fuit, elle... n'ira pas loin... Les collègues la retrouveront... Sauve la petite... C'est la priorité...

Sous l'arche de la première cave, chauffée par un radiateur électrique, Lucie se figea. Incapable de progresser davantage. Le spectacle défiait l'entendement...

Le cervelet...

Sur le sol couvert de moquette d'un bleu tendre, l'armée des écorchés veillait. Des kilomètres de veines dans les poitrails déchirés. Des postures d'attaque, de repli, des mises en scène de combats hargneux. Dans un angle, un capucin sans peau, accroché à la branche d'un faux caoutchouc. Au pied de l'arbre, assise, museau braqué au ciel, une louve naturalisée au poil brillant, d'un gris argenté. Dans un autre coin, un chien transparent vidé de ses organes, dont ne restait que le squelette, les veines bleues, les artères rouges. Dans sa gueule, le scalp d'un kangourou nain dont l'unité de chair reposait sous la patte avant du chien. Au plafond synthétique paré d'étoiles scintillantes, décoré d'un croissant de lune, des oiseaux suspendus, stoppés dans leur élan migratoire par le fil du bistouri. Leurs ailes déployées. Grandioses.

Lucie oublia de respirer. Cette chambre des morts, d'une beauté indéfinissable, exerçait sur son être une emprise titanesque. L'horreur dévoilait dans cette pièce tout ce qu'elle avait de plus puissant. Le tableau défiait la logique des rêves, l'animosité des cauchemars.

La mise à plat de la plus belle des folies.

Lucie se ressaisit. Que faisait-elle à genoux ? Reprenant son souffle avec difficulté, elle se retourna vers la sortie et remarqua un lit dans un renfoncement éclairé par une lampe aux dominantes violettes. Des draps défaits, un oreiller chiffonné. Un nid d'enfant autour duquel veillaient des dizaines de poupées anciennes, les yeux grands ouverts, un sourire calme. Si belles, tellement effrayantes. Sur le sol, tout autour, des mouches, des centaines de mouches piquées d'une aiguille en plein abdomen. Morbide essaim de trompes et d'yeux bleutés. Sur le côté, une table de chevet encombrée de cadres, de photos. Lucie traversa avec prudence l'armée des insectes, oubliant de surveiller l'issue. Des puissances démentes la transportaient. Elle avait perforé le cerveau du tueur...

Les clichés qu'elle découvrit terminèrent de l'achever. Elle s'écroula sur le matelas, dans ces draps qui sentaient bon les cheveux de petite fille, les parfums estompés, les bubble-gum oubliés. Son esprit s'ouvrait aux drogues secrètes de ses souvenirs.

Re... Ressaisis-toi ! Tu... dois... sauver la...

Tout tournait. Les battements cardiaques manquaient, les alvéoles pulmonaires se rétractaient. Lucie se redressa, vacilla, réordonna ses pensées. Ses membres tremblaient, ses mains se dilataient de sueur. Vidée comme un autopsié passé entre les gants d'un Pirogov, elle franchit la porte, péniblement, agrippée aux parois. L'air glacé de la galerie lui donna un coup de fouet, raidit son corps.

À nouveau les jérémiades. Là, derrière cette autre porte ! Des miaulements horribles. Cette fois, elle y était. À un souffle de la démence. Proche du cataclysme.

Mais la voix n'était pas celle d'une fillette. Trop mûre. Éraillée. La porte qu'elle enfonça de la semelle dévoila un antre ravagé par l'humidité.

Le cortex.

Au centre, une femme blonde, nue, les yeux bandés, chevilles liées, mains dans le dos sur le sol crasseux couvert de morceaux de brique.

La dernière victime de la Bête.

Cette nuit... Elle aurait été enlevée cette nuit ! Le commissariat doit être en feu...

Lucie pénétra en sondant les angles morts, rabattit légèrement la porte, s'approcha à reculons de la prisonnière, l'œil rivé sur l'entrée. Elle flairait le piège, la mâchoire de loup. Cette femme ne devait être qu'un appât, un moyen de l'attirer dans les catacombes.

— Je... Je suis de la police, murmura-t-elle. On va sortir d'ici...

Pas de réponse, puis des lèvres qui palpitent.

— Fai... Faites vite, je vous en prie... Elle va revenir...

Lucie s'accroupit, posa son arme à ses pieds, à portée de réflexe. Elle tira sur le bandeau, dévoila les yeux.

Des yeux de chat égyptien.

Elle comprit trop tard. En un souffle, la femme fit jaillir les mains de derrière son dos, la propulsa dans la poussière d'un coup de tête, récupéra le Beretta. La brune au chignon ôta sa perruque, se défit des entraves illusoires autour de ses chevilles. Son corps se déplia. Elle braqua le policier, le canon sur la tempe.

— Remue un pouce, respire de travers et ton crâne explose ! Tu fais moins la fière que pendant ta garde au commissariat, hein ?

— Au... Au commis...

La garde. Le comptoir des mains courantes. Qui avait-elle croisé ? Les alcoolos, les... Elle se rappela. La femme de ménage. Les tonnes de maquillage, la chevelure filasse, les traits grossiers pour dissimuler son identité, le parfum infect chassant l'odeur du cuir. Seuls restaient ces yeux...

— Je vois que ça te revient... Amusant, non ? On traque la bête alors qu'elle se repaît au cœur même de votre machinerie déglinguée.

Du bout du canon, elle contraignit Lucie à lever la tête. Ses joues flambèrent.

— Idiote ! Mais qu'est-ce que tu t'es fait au visage ? Tu saignes ! Non !

La gueule d'acier percuta l'arcade de Lucie, la précipitant de nouveau vers la poussière. Un sillon de sang se superposa au quadrillage de ses blessures. Dans le fracas de la douleur lui apparut le sourire de ses jumelles, leur soif de ciel bleu, leur gourmandise d'avenir.

Delahaie agitait l'arme frénétiquement.

— Tu... tu as tout gâché ! Tu es irrécupérable ! Tu as fait exprès de t'abîmer le visage !

— Non... Non... Ce... sont... les singes...

Lucie peinait à trouver ses mots. Ses tempes battaient, son crâne implosait. Elle serra les poings, emprisonnant une belle poignée de poussière.

Il... Je dois lui... balancer ça au... visage... Je... ne veux pas mourir ! Pas comme ça !

De violents coups de crosse lui pulvérisèrent les os de la main. Carpe, métatarses, phalanges. Séisme de calcium. Le policier roula jusqu'au mur. Proche de l'évanouissement.

— Arrête de gémir ! Vous gémissez toutes ! Chez moi, quand on pleurnichait, c'était la raclée ! C'est ça que tu veux ? Une raclée ?

Elle allait et venait avec la rage d'un taureau fou.

— Clarice est morte à cause de vous ! Vous, les flics, les journalistes ! Vous l'avez... effrayée, vous m'avez fait passer pour un monstre !

L'arme tremblait entre ses doigts brûlés. Elle hurlait. Lucie comprit à son regard qu'il n'y aurait pas d'issue. Un de ces romans qui finissent mal. Sans coucher de soleil.

Le dos plaqué contre une paroi, la maman des jumelles ferma les yeux, se laissa envahir de flashes. Des douceurs de lait. Des chaleurs de câlins. Des jardins de roses.

Dieu vous préserve de l'horreur du monde, mes filles... Votre maman vous aime...

— Cette fois, il n'y aura pas de pardon ! Vous brûlerez tous en enfer !

Delahaie visa le crâne de Lucie, à dix centimètres à peine. Du fin fond du cortex, la mort explosa.

D'abord le sang. Puis le cœur qui s'arrête. Pour l'éternité. Le mal appelle le mal. Tout devait finir ainsi...

45

Il pleut. Au plus fort de l'hiver. Des traits d'eau pénétrants comme des poignards, si froids qu'aucun vêtement ne résiste à leur morsure.

Aujourd'hui, on enterre un flic. L'être parti dans l'exercice de ses fonctions impose un respect silencieux. Pas un seul des officiers, brigadiers, gardiens de la paix présents n'ose dévier le regard. Tous fixent ce drapeau qui s'affaisse sur son étendard.

La plupart d'entre eux ne connaissent pas la victime.

Pierre Norman pleure. Ses larmes se mêlent au ruban noir de ses souvenirs et lui rappellent que l'existence n'est qu'une poussière, une bulle de vie dans l'océan du monde. Les bons meurent, les méchants se multiplient. Il en va ainsi. On se donne juste des illusions en pensant qu'un jour, ce pour quoi l'on œuvre aura servi...

Une femme avance lentement, au loin, au milieu des tombes grises et blanches. Elle demeure un moment en retrait, au pied d'un sycomore, puis se décide à rejoindre le cortège.

La pluie redouble de violence.

Serrée dans un uniforme noir, elle se glisse sous le parapluie du lieutenant et se pelotonne contre lui. À ses côtés, elle se sent bien. Elle sait que c'est réciproque.

— C'était un bon flic, souffle-t-elle à son oreille.

Tout le monde l'appréciait. Les coupables paieront toute leur vie...

Pierre Norman la regarde sans lui répondre. La femme déchiffre dans ses prunelles un embrasement furieux, son silence porte la marque d'une amertume infinie. Il est comme ça, Pierre, tout en ruptures. Solide à l'extérieur, fracassé à l'intérieur. Un flic quoi...

— Colin est allé jusqu'à sacrifier sa famille pour son métier, finit-il par dire d'une voix peinée. Il... Il... Comment dire ? Il y croyait... tellement ! Une stupide intervention pour une bagarre... et voilà comment ça se termine...

Pierre est à fleur de peau. Lucie lui prend la main, la serre dans les siennes.

— La mort ne frappe pas toujours là où on l'attend...

En cet instant, ils mesurent toute la portée de ces quelques mots. Colin, croyant retourner chez lui après une intervention banale, comme il y en a dix par jour, et qui ne rentrera jamais. Lucie, qui s'était vue morte, le Beretta sur la tempe, juste avant que Pierre n'ouvre le feu et tue Viviane Delahaie...

Tant de destins chavirés...

Lucie relève le menton. Elle se retient de pleurer. Colin... Elle lui doit la vie, en définitive. C'était lui qui avait appelé Pierre, occupé autour du cadavre carbonisé de Vigo Nowak, pour lui raconter que Vervaecke avait, plus jeune, travaillé à la SPA de Petite-Synthe. C'était grâce à ce coup de fil que Pierre s'était souvenu des adresses entraperçues sur l'écran de Lucie et qu'il avait remonté la piste. Petite-Synthe... Corneille, la vétérinaire... La fiche de Delahaie, laissée en évidence sur l'ordinateur... Éperlecques... Puis les caves lugubres... Tout s'était enchaîné si vite.

*

Sagement assises dans leur parc, Clara et Juliette agitent des hochets. Sept mois après leur naissance, les mignonnes commencent à faire leurs nuits. Enfin presque... Les premières dents pointent leur émail et les tiraillent de douleur. Alors il faut se lever, encore, et les consoler jusqu'à ce que le sommeil les emporte. Pierre est très doué en matière de câlins.

La maman observe la ligne de vie de sa main droite, ce sillon qui creuse sa paume comme une lame de faux.

— Dis, tu crois qu'elle ressemblait à quoi, la ligne de vie de Viviane Delahaie ?

Pierre Norman ferme lentement les yeux et soupire.

— Alors maintenant, les lignes de vie... Ça fait presque trois semaines que cette histoire est terminée et tu continues avec ça tous les jours. Arrête... S'il te plaît...

Lucie ne l'écoute même pas, se parlant à elle-même, promenant son index sur sa main.

— Elle devait être cisaillée de toute part... Tant de malheurs... Comment ne pas...

— Lucie ! S'il te plaît !

Pierre se lève et s'empare d'un épais dossier, sur la table du salon.

— Je ne veux plus voir ça, OK ? Cette histoire est *ter-mi-née* !

Énervé, il lance le pavé devant lui. Des feuillets volent en tous sens. Norman remarque alors un carnet qui dépasse d'une pochette mal fermée, un de ceux que Lucie possède dans ses tiroirs. Il l'attrape, en tourne les pages.

— Laisse ce carnet !

Pierre s'éloigne et se met à lire à voix haute.

— « À dix-huit ans, Viviane Delahaie récupère son héritage, réinvestit la maison familiale, au cœur de la forêt, brûle tout ce qui concerne son père. Photos, papiers, effets personnels. Puis, Vivianne... »

Il foudroie la jeune femme du regard.

— Qu'est-ce que c'est que ça ? Tout se qui s'est produit ne t'a pas suffi ?

— Pierre, je t'en prie... ces écrits n'appartiennent qu'à moi.

— Comme tout le reste ici, hein ? C'est ça ?

Norman fronce les sourcils et poursuit sa lecture :

— « Vivianne s'inscrit en faculté de médecine où elle s'oppose à l'autorité de ses professeurs, des hommes pour la plupart. Malgré un don naturel pour les pratiques médicales, elle est renvoyée. Elle vivote alors de petits boulots, devient femme de ménage dans des entreprises de la zone industrielle et même au commissariat de Dunkerque où elle ne croise que l'aube... »

Pierre tourne la page. L'écriture est nerveuse, mais très aérée.

— « Une situation idéale pour quelqu'un qui ne supporte plus le regard des mâles sur son corps magnifique. Elle apprend aussi à se vieillir, se cacher sous des masques, des implants de latex, des perruques qu'elle confectionne. C'est alors qu'elle se met à naturaliser des animaux. Jour et nuit. Elle ressent le besoin de conserver des bêtes, de les soustraire à l'épreuve du temps. Puis, lorsqu'elle étouffe la petite Cunar, elle se rend compte que tuer des humains n'est pas si différent de tuer des animaux, et... »

Pierre arrête de lire et secoue la tête de dépit. Il y en a des pages et des pages. À certains endroits, des articles de presse, pliés et collés sur le papier. « Janine

Delahaie, assassinée en pleine forêt par son mari » ; ou encore « Le calvaire d'une fillette, enfermée avec le cadavre de sa mère ».

— Pourquoi as-tu écrit tout ça ? lance Pierre d'une voix dure. À quoi ça rime ?

Lucie tente de lui reprendre le carnet, mais il l'en empêche.

— Pourquoi Lucie ? Pourquoi ?

— Mais parce que... Parce que je voulais savoir ! Comprendre cette femme !

Norman hausse les épaules.

— Comprendre cette femme ? Merde Lucie ! Je l'ai butée, nom de Dieu ! Et elle a failli en faire autant avec toi ! Il n'y a rien à comprendre !

Son visage, d'ordinaire si pâle, vire au rouge. Sur les pages du carnet, d'autres termes morbides : « cœur... poumons... reins... cadavres... artères... mort... Fragonard... » Ses pupilles se fixent soudain sur une phrase, inscrite en majuscules, au bas de la page : « LA CHAMBRE DES MORTS ».

— La chambre des morts... répète-t-il. La chambre des morts...

Il lâche le carnet sur le sol et se laisse choir dans le sofa, exaspéré. Lucie se précipite à ses côtés.

— Oui, Pierre... La chambre des morts. Cette pièce chauffée, dans les caves, représentait l'ensemble de ses peurs et de ses joies d'enfance. Le loup hurlant, que tous les enfants craignent. Ces mouches qui rôdaient autour d'elle après la mort de sa mère. Puis des images plus douces, comme les poupées dans le lit, l'univers rassurant des petits animaux à l'aspect affectueux. Capucins, kangourous. Quelle symbolique extraordinaire ! À l'image des caves et des galeries glaciales, son cerveau n'était peuplé que de douleur et de haine.

Au milieu de cette matière dantesque, cette pièce minuscule, très chaude, la seule pointe d'humanité qui persistait encore en elle... La chambre des morts...

Pierre n'en revient pas. D'un jour à l'autre, Lucie lui semble différente. Il se demande s'il réussira jamais à la comprendre.

— Ne m'en veux pas, lui glisse-t-elle à l'oreille. Il fallait juste que j'aille au bout de cette histoire. Ce carnet, je vais le ranger dans un tiroir, et ne plus jamais y toucher.

Pierre désigne un épais grimoire.

— J'aimerais que tu fasses aussi disparaître ce livre...

Lucie se lève, souffle sur la couverture de L'*Anatomia Magistri Nicolai Physici* et le pose sur une étagère, au-dessus de l'armoire aux vitres teintées.

— Il y a quand même du positif dans tout ça, dit Lucie, éprouvant le besoin de se rattraper. Cette femme enceinte, ce type, Sylvain Coutteure, qu'on a pu arracher de ses griffes...

— Du positif, oui... Je te rappelle qu'ils ont retrouvé le gars mort avant son arrivée à l'hôpital, suicidé avec un scalpel ! Tous ces cadavres pour une histoire d'oseille...

Lucie pose Clara sur les genoux de Pierre et serre Juliette contre sa poitrine.

Le lieutenant se tourne vers les dunes scintillantes. La chaleur de l'enfant apaise sa colère. Par-delà les monts, le ciel traîne ses rouges maladifs vers l'Angleterre.

— On va coucher les beautés ? demande-t-il en inclinant la tête. Histoire de tout oublier, de se garder un petit moment rien qu'à deux...

— Avant ça, Pierre, je vais te raconter l'histoire la

plus extraordinaire que tu aies jamais entendue. Quelque chose qui risque de changer définitivement ta vision du monde. Je voulais t'en parler depuis la mort de Delahaie, mais... je n'étais pas prête... Et toi non plus, peut-être...

Le policier cligne lentement des yeux. Son cœur bat un peu plus vite.

— Je t'écoute... Mais... évite le morbide, OK ?

Lucie acquiesce.

— Plus jeune, mes parents et moi rendions constamment visite à mes grands-parents. Chaque samedi, chaque dimanche, cinquante-deux semaines par an. Les pères disputaient une partie de belote, les mères discutaient et nous, les cousins, cousines, jouions dans la cour, derrière la maison... Mon grand-père nous avait formellement interdit d'aller au fond du jardin, où il entretenait son potager sacré. Ceux d'entre nous qui s'y risquaient recevaient une raclée monumentale, alors j'aime autant te dire qu'on évitait le coin ! Mais une après-midi, nous avons tenté l'aventure. L'un de mes cousins surveillait pendant que le reste de la troupe s'enfonçait sur un long chemin de béton, miné de tessons de bouteilles. Mon grand-père détestait les chats, c'est cruel mais il ressentait une jouissance de guerrier sanguinaire à chaque fois qu'un félin se coupait les coussinets dans ses pièges. Bref, nous avancions prudemment dans ce champ de verre quand un oiseau surgi d'un arbuste m'a déséquilibrée. Je suis tombée et là crac ! Ma paume droite s'est encastrée dans un tesson. Rien de vraiment méchant, pas de points de sutures mais regarde, la cicatrice est encore visible ici, au tiers de ma ligne de vie. Tu la vois ?

Norman grimace et acquiesce.

— Trois jours plus tard, sur la plage de Fort Mahon,

mon frère et moi faisons une course, premier arrivé à la mer ! Nous nous ruons en direction de l'eau, et là boum, mon pied se prend dans un pâté de sable, je chute et un coquillage vient se loger dans mon autre paume, la gauche. Nouvelle entaille...

— Montre-moi tes paumes, demande Pierre.

Lucie regroupe ses mains, déploie lentement ses doigts. Le lieutenant écarquille les yeux.

— C'est... c'est ahurissant ! Au même endroit !

— J'ai toujours pensé qu'il s'agissait d'un pur hasard. Tu sais quel âge j'avais ? J'avais douze ans. Ma première cicatrice est apparue le douze août 1987, la seconde le quinze août.

Pierre se lève brusquement, Clara dans ses bras. Sa gorge palpite, son cœur s'embrase.

— Tu... tu plaisantes Lucie ! Tu me fais marcher !

— Tu demanderas à mes parents. Oui Pierre, ces cicatrices se sont gravées sur mes mains quand la mère de Viviane Delahaie est morte. Presque jour pour jour.

— C'est une coïncidence... Une pure coïncidence !

— Mon destin a changé pendant que Delahaie était aux côtés du cadavre de sa mère. C'est à ce moment que l'avenir de cette enfant a été modifié, que la rage l'a gagnée et que... Ça a agi sur ma destinée ! Il était écrit dans le marbre que notre affrontement aurait lieu ! Une coupure, au tiers de ma ligne de vie...

Pierre ne réagit pas, il est sonné. Lucie lui serre le poignet.

— J'aurais dû mourir, si on en croit ces cicatrices ! Tu as réussi à dévier les trajectoires ! Il paraît que nous avons tous un ange gardien. Je pense avoir trouvé le mien...

Lentement, Lucie baisse la tête et pose un regard sur

l'armoire aux vitres teintées. D'un ton très doux, elle ajoute :

— Je sais qu'un jour, j'aurai les réponses à toutes mes questions...

ÉPILOGUE

À l'horizon, les Carpates, leurs nacres réveillées par le dernier soleil de janvier. Leurs puissants contreforts qui s'étendent en une traînée laiteuse jusqu'aux terres lointaines de l'Est, contrées des vampires et des contes obscurs. Du haut d'un sommet, un Polonais s'abreuve de ces transparences infinies avant de chausser ses skis. Il slalome vers Zakopane, descend l'artère principale du village où s'entassent des cabanons attrape-touristes. On y trouve de tout. Jeux d'échecs géants, poupées gigognes, alcool pas cher, piles, cassettes vidéo bon marché... La pieuvre capitaliste frappe à toutes les portes.

L'homme s'arrête déguster un vin chaud à l'arrière d'un vieux chalet en bois.

— *Dobry wieczór !* lui envoie le serveur.

— *Dobry wieczór...*

Des touristes se massent autour de violonistes tsiganes. Des Français, des Flamands débarqués après vingt-quatre heures de bus. Pas très frais, les types. Imbibés au Spiritus ou à la Zywiec, plus précisément. Tourisme alcoolisé. L'ambiance s'enflamme, le jeune homme les observe, dans un coin. L'air empeste la sueur mais pas la cigarette. Interdiction formelle de fumer. Tout s'embrase si facilement, ici comme ailleurs...

Vigo Nowak, les skis sur l'épaule, reprend la voie enneigée, direction l'hôtel où il loge depuis un mois. Ce soir, il quittera Zakopane pour la banlieue de Cracovie afin d'y louer un appartement au noir, le temps de se préparer une retraite dans une oasis plus chaude. Il ignore comment il sortira l'argent de Pologne, mais ici tout s'achète, y compris les billets sans retour. Il trouvera le moyen.

Le pays, ses parents, son frère lui manquent. Il ne les reverra sans doute jamais, hormis dans ses souvenirs. Leur courrier, leurs conversations téléphoniques doivent être surveillés. Grâce aux empreintes dentaires, à la datation des os, les flics se sont probablement rendu compte que le cadavre découvert dans la réserve à charbon n'était pas le sien.

Depuis l'étage d'un chalet, un enfant vêtu de noir fait dégringoler des boules de neige qui viennent s'écraser sur le trottoir. Vigo peste, dévie sa course et glisse de justesse vers le trottoir d'en face lorsque surgit une voiture lancée à pleine vitesse. Les jeunes Polonais roulent toujours très vite, avec ou sans verglas. Histoire de se faire remarquer.

Petit con ! pense-t-il, plus à l'égard du môme que du conducteur. *À cause de toi, j'ai bien failli...* Il se rappelle l'épisode de l'emballage des croissants, sur les marches du siège de *La Voix du Nord*. Cette capacité à dévier les destins que nous possédons tous.

Il lève un poing furieux vers la fenêtre mais elle est déjà refermée et le môme a disparu. Il hausse les épaules et pointe les yeux au ciel.

Il ne peut rien m'arriver, tu m'entends ? Tu m'as

offert cet argent et essayé de me le reprendre, mais c'est moi qui contrôle mon destin !

Depuis l'épisode de la réserve à charbon en flammes, il s'était conforté dans l'idée que son ange gardien ne l'abandonnerait jamais. Lorsque Sylvain avait versé l'essence et fermé la porte, ce matin-là, Vigo s'était jeté dans la fosse à charbon avec l'argent, avait couvert le trou d'une plaque de tôle, échappant de peu à l'asphyxie grâce au conduit d'aération du fond. Le feu, en manque de bois, s'était vite éteint.

Son idiot de voisin, quant à lui, avait payé les frais de sa curiosité. Après l'avoir assommé, Vigo l'avait aspergé d'une cinquantaine de litres de pétrole qu'il conservait dans sa cave, avant d'allumer le feu d'artifice. Histoire de laisser un cadavre aux flics et de les calmer le temps qu'il remonte vers la Pologne au volant de la voiture du vieux.

Par chance – mais peut-on encore parler de chance ? – on ne l'avait pas arrêté à la frontière...

Comment cette histoire de fous s'est-elle terminée ? Il l'ignore et s'en fiche. Seul compte son avenir. Une vie de paillettes l'attend...

Derrière lui, des hennissements. Encore un cheval qui s'emballe. Les robustes quadrupèdes tirent jour et nuit des traîneaux bourrés de touristes et même lorsque la fatigue les écrase, le fouet les contraint à poursuivre. Normal que de temps en temps ils pètent les plombs. Nous sommes tous humains, même les bêtes, au fond...

Sauf que celui-là a l'air plutôt hargneux. Paniqué, terrorisé, il se dresse sur son train arrière, hennit, et frappe le traîneau de ses jambes postérieures. Deux hommes tentent de le rattraper, cravache à la main et vodka dans l'estomac. Le cheval quitte la route, bifurque et s'engage sur le large trottoir où évolue Vigo.

Merde !

Vigo lâche ses skis et se jette dans un tas de neige, sur le côté. Là, il ne craint rien. Le cheval fonce, haletant. Le traîneau renverse des poubelles, oscille, vient percuter un rebord de béton. Les lanières de cuir rompent, la tension propulse l'attelage aux patins acérés en plein sur Vigo.

La dernière image qu'il perçoit est le sourire de cet enfant aux vêtements noirs, à nouveau penché à la fenêtre. Il ne distingue ni ses yeux, ni ses cheveux, ni ses traits. Juste ce sourire, d'une blancheur éclatante.

Remerciements

Mes remerciements se portent tout d'abord à la formidable équipe des éditions Le Passage, dont la motivation et l'implication restent pour moi un exemple.
À Yann, qui s'est investi plus que de raison.

Par ailleurs, ce livre n'aurait pu être sans l'aide précieuse de deux personnes.
Roseline qui, au travers des années, a su pousser ma plume dans la bonne direction. Je la remercie infiniment pour sa patience, son tact et son amour de l'écriture.
Merci aussi à David James pour ses critiques constructives et son coup d'œil incroyable. Puisse le vent le porter au-delà de ses rêves.

Kidnappées par un fou

La proie de l'esprit
John Sandford

Cette fois, Lucas Davenport est chargé de retrouver Andi Manette et ses deux filles, enlevées en plein jour à la sortie de l'école. L'enquête est d'autant plus délicate qu'Andi, en dehors d'être une psychiatre de renom, est la fille d'un puissant politicien. Qui peut être le ravisseur : un patient un peu perturbé, un proche qui tirerait un avantage financier de sa disparition, un collègue jaloux de sa réussite ?

(Pocket n° 10660)

Quarante mots pour la neige
Giles Blunt

Achevé d'imprimer sur les presses de

BUSSIÈRE

GROUPE CPI

à Saint-Amand-Montrond (Cher)
en août 2006

POCKET - 12, avenue d'Italie - 75627 Paris Cedex 13

— N° d'imp. : 61580. —
Dépôt légal : août 2006.

Imprimé en France